LA SEPTIÈME FONCTION DU LANGAGE

Laurent Binet est agrégé de lettres. Il a enseigné pendant dix ans dans des lycées et collèges de Seine-Saint-Denis, ainsi que dans plusieurs universités parisiennes. En 2010, il a reçu le Goncourt du premier roman pour *HHhH*, qui raconte l'attentat contre Heydrich à Prague en 1942. *La Septième Fonction du langage* a reçu en 2015 le prix interallié et le Prix du roman Fnac.

Paru dans Le Livre de Poche :

HHhH

Rien ne se passe comme prévu

LAURENT BINET

La Septième Fonction du langage

ROMAN

GRASSET

L'auteur a bénéficié pour cet ouvrage
de la bourse découverte du CNL.

ISBN : 978-2-253-06624-8 – 1re publication LGF

« Il y a des interprètes partout. Chacun parle sa langue même s'il connaît un peu la langue de l'autre. Les ruses de l'interprète ont un champ très ouvert et il n'oublie pas ses intérêts. »

DERRIDA

PREMIÈRE PARTIE

Paris

1

La vie n'est pas un roman. C'est du moins ce que vous voudriez croire. Roland Barthes remonte la rue de Bièvre. Le plus grand critique littéraire du XXe siècle a toutes les raisons d'être angoissé au dernier degré. Sa mère est morte, avec qui il entretenait des rapports très proustiens. Et son cours au Collège de France, intitulé « La préparation du roman », s'est soldé par un échec qu'il peut difficilement se dissimuler : toute l'année, il aura parlé à ses étudiants de haïkus japonais, de photographie, de signifiants et de signifiés, de divertissements pascaliens, de garçons de café, de robes de chambre ou de places dans l'amphi – de tout sauf du roman. Et ça va faire trois ans que ça dure. Il sait forcément que le cours lui-même n'est qu'une manœuvre dilatoire pour repousser le moment de commencer une œuvre vraiment littéraire, c'est-à-dire qui rende justice à l'écrivain hypersensible qui sommeille en lui et qui, de l'avis de tous, a commencé à bourgeonner dans ses *Fragments d'un discours amoureux*, déjà la bible des moins de vingt-cinq ans. De Sainte-Beuve à Proust, il est temps de muer et de prendre la place qui lui revient au panthéon des écrivains. Maman est morte :

depuis *Le Degré zéro de l'écriture*, la boucle est bouclée. L'heure est venue.

La politique, ouais, ouais, on verra ça. On ne peut pas dire qu'il soit très maoïste depuis son voyage en Chine. En même temps, ce n'est pas ce qu'on attend de lui.

Chateaubriand, La Rochefoucauld, Brecht, Racine, Robbe-Grillet, Michelet, Maman. L'amour d'un garçon.

Je me demande s'il y avait déjà des « Vieux Campeur » partout dans le quartier.

Dans un quart d'heure, il sera mort.

Je suis sûr que la bouffe était bonne, rue des Blancs-Manteaux. J'imagine qu'on mange bien chez ces gens-là. Dans *Mythologies*, Roland Barthes décode les mythes contemporains érigés par la bourgeoisie à sa propre gloire et c'est avec ce livre qu'il est devenu vraiment célèbre ; en somme, d'une certaine manière, la bourgeoisie aura fait sa fortune. Mais c'était la petite bourgeoisie. Le grand bourgeois qui se met au service du peuple est un cas très particulier qui mérite analyse ; il faudra faire un article. Ce soir ? Pourquoi pas tout de suite ? Mais non, il doit d'abord trier ses diapos.

Roland Barthes presse le pas sans rien percevoir de son environnement extérieur, lui qui est pourtant un observateur-né, lui dont le métier consiste à observer et analyser, lui qui a passé sa vie entière à traquer tous les signes. Il ne voit véritablement ni les arbres ni les trottoirs ni les vitrines ni les voitures du boulevard Saint-Germain qu'il connaît par cœur. Il n'est plus au Japon. Il ne sent pas la morsure du froid. À peine entend-il les bruits de la rue. C'est un peu comme l'allégorie de la caverne à l'envers : le monde des idées dans lequel il s'est enfermé obscurcit sa perception du monde sensible. Autour de lui, il ne voit que des ombres.

Les raisons que je viens d'évoquer pour expliquer l'attitude soucieuse de Roland Barthes sont toutes attestées par l'Histoire, mais j'ai envie de vous raconter ce qui est vraiment arrivé. Ce jour-là, s'il a la tête ailleurs, ce n'est pas seulement à cause de sa mère morte ni de son incapacité à écrire un roman ni même de la désaffection croissante et, juge-t-il, irrémédiable, des garçons. Je ne dis pas qu'il n'y pense pas, je n'ai aucun doute sur la qualité de ses névroses obsessionnelles. Mais aujourd'hui, il y a autre chose. Au regard absent de l'homme plongé dans ses pensées, le passant attentif saurait reconnaître cet état que Barthes croyait ne plus jamais éprouver : l'excitation. Il n'y a pas que sa mère ni les garçons ni son roman fantôme. Il y a la *libido sciendi*, la soif de savoir, et avec elle, réactivée, l'orgueilleuse perspective de révolutionner la connaissance humaine et, peut-être, de changer le monde. Barthes se sent-il comme Einstein en train de penser à sa théorie lorsqu'il traverse la rue des Écoles ? Ce qui est certain, c'est qu'il n'est pas très attentif. Il lui reste quelques dizaines de mètres pour arriver à son bureau quand il se fait percuter par une camionnette. Son corps produit le son mat, caractéristique, horrible, de la chair qui heurte la tôle, et va rouler sur la chaussée comme une poupée de chiffon. Les passants sursautent. En cet après-midi du 25 février 1980, ils ne peuvent pas savoir ce qui vient de se produire sous leurs yeux, et pour cause, puisque jusqu'à aujourd'hui, le monde l'ignore encore.

2

La sémiologie est un truc très étrange. C'est Ferdinand de Saussure, le fondateur de la linguistique, qui, le premier, en a eu l'intuition. Dans son *Cours de linguistique générale*, il propose de « concevoir une science qui étudie la vie des signes au sein de la vie sociale ». Rien que ça. Il ajoute, en guise de piste pour ceux qui voudront bien s'atteler à la tâche : « Elle formerait une partie de la psychologie sociale, et par conséquent de la psychologie générale ; nous la nommerons *sémiologie* (du grec *sēmeîon*, "signe"). Elle nous apprendrait en quoi consistent les signes, quelles lois les régissent. Puisqu'elle n'existe pas encore, on ne peut pas dire ce qu'elle sera ; mais elle a droit à l'existence, sa place est déterminée d'avance. La linguistique n'est qu'une partie de cette science générale, les lois que découvrira la sémiologie seront applicables à la linguistique, et celle-ci se trouvera ainsi rattachée à un domaine bien défini dans l'ensemble des faits humains. » J'aimerais que Fabrice Luchini nous relise ce passage, en appuyant sur les mots comme il sait si bien le faire, pour que le monde entier puisse en percevoir, sinon le sens, du moins toute la beauté. Cette intuition géniale, quasi incompréhensible pour ses contemporains (le cours a lieu en 1906), n'a rien perdu, un siècle plus tard, ni de sa puissance ni de son obscurité. De nombreux sémiologues ont depuis essayé de fournir des définitions à la fois plus claires et plus détaillées, mais ils se sont contredits les uns les autres (parfois sans s'en rendre compte eux-mêmes), ont tout embrouillé et n'ont finalement réussi qu'à allonger (et encore, à peine) la liste des systèmes de signes échappant à la langue : le code de la route, le code maritime international, les numéros d'autobus, les numéros de chambres d'hôtel, sont venus compléter les grades militaires, l'alphabet des sourds-muets… et c'est à peu près tout.

Un peu maigre au regard de l'ambition initiale.

Vu comme ça, la sémiologie, loin d'être une extension du domaine de la linguistique, semble se réduire à l'étude de protolangages grossiers, bien moins complexes et donc bien plus limités que n'importe quelle langue.

Mais en fait, non.

Ce n'est pas un hasard si Umberto Eco, le sage de Bologne, l'un des derniers sémiologues encore vivants, se réfère aussi souvent aux grandes inventions décisives dans l'histoire de l'humanité : la roue, la cuillère, le livre…, outils parfaits, selon lui, à l'efficacité indépassable. Tout laisse supposer, en effet, que la sémiologie est en réalité l'une des inventions capitales de l'histoire de l'humanité et l'un des plus puissants outils jamais forgés par l'homme, mais c'est comme le feu ou l'atome : au début, on ne sait pas toujours à quoi ça sert, ni comment s'en servir.

3

En fait, il n'est pas mort un quart d'heure après. Roland Barthes gît dans le caniveau, inerte, mais un sifflement rauque s'échappe de son corps et tandis que son esprit s'enfonce dans l'inconscience, probablement traversé de haïkus tourbillonnants, d'alexandrins raciniens et d'aphorismes pascaliens, il entend – c'est peut-être la dernière chose qu'il entendra, se dit-il (se dit-il, sûrement) – les cris d'un homme affolé : « Il s'est jeté sous mes rrroues ! Il s'est jeté sous mes rrroues ! » D'où vient cet accent ? Autour de lui, les passants, remis de leur stupeur, se sont attroupés et, penchés sur son futur cadavre, discutent, analysent, évaluent :

« Il faut appeler les secours !

— Pas la peine, il a son compte.

— Il s'est jeté sous mes rrroues, vous êtes témoins !

— Il a l'air salement amoché.

— Le pauvre homme…

— Il faut trouver une cabine téléphonique. Qui a des pièces ?

— Je n'ai même pas eu le temps de frrreiner !

— Ne le touchez pas, il faut attendre les secours.

— Écartez-vous ! Je suis médecin.

— Ne le retournez pas !

— Je suis médecin. Il vit encore.

— Il faut prévenir sa famille.

— Le pauvre homme…

— Je le connais !

— C'est un suicide ?

— Il faudrait connaître son groupe sanguin.

— C'est un client. Tous les matins, il vient chez moi boire un canon.

— Il ne viendra plus…

— Il est ivre ?

— Il sent l'alcool.

— Un petit blanc au comptoir, tous les matins, depuis des années.

— Ça nous dit pas son groupe sanguin…

— Il a trrraverrrsssé sans rrregarrrder !

— Le conducteur doit rester maître de son véhicule en toute circonstance, c'est la loi, ici.

— Ça ira, mon vieux, si vous avez une bonne assurance.

— Mais ça va lui faire un gros malus.

— Ne le touchez pas !

— Je suis médecin !

— Moi aussi.

— Alors, occupez-vous de lui. Je vais chercher les secours.

— Je dois livrrrer ma marrrchandise… »

La majorité des langues dans le monde emploient le *r* apico-alvéolaire, qu'on appelle *r* roulé, à l'inverse du français qui a adopté le *R* dorso-vélaire depuis environ trois cents ans. Ni l'allemand ni l'anglais ne roulent les *r*. Ce n'est pas de l'italien ni de l'espagnol. Du portugais peut-être ? C'est un peu guttural en effet, mais le phrasé de l'homme n'est pas assez nasal ni assez chantant, en fait, il est même assez monocorde, au point qu'on y distingue mal les inflexions de la panique.

On dirait du russe.

4

Comment la sémiologie qui, née de la linguistique, a failli n'être qu'un avorton destiné à l'étude des langages les plus pauvres et les plus limités, a-t-elle pu se transformer in extremis en bombe à neutrons ?

Par une opération à laquelle Barthes n'est pas étranger.

Au début, la sémiologie se vouait à l'étude des systèmes de communication non linguistiques. Saussure en personne dit à ses étudiants : « La langue est un système de signes exprimant des idées, et par là, comparable à l'écriture, à l'alphabet des sourds-muets, aux rites symboliques, aux formes de politesse, aux signaux militaires, etc. Elle est seulement le plus important de ces systèmes. » C'est vrai, et de loin, mais seulement à condition de limiter la définition des systèmes de signes à ceux qui ont vocation à communiquer explicitement et intentionnellement. Buyssens définit la sémiologie comme « l'étude des procédés de communication, c'est-à-dire des moyens utilisés pour influencer autrui et reconnus comme tels par celui qu'on veut influencer ».

Le coup de génie de Barthes est de ne pas se contenter des systèmes de communication mais d'élargir son champ d'étude aux systèmes de signification. Quand on a goûté à la langue, on s'ennuie assez vite avec toute autre forme de langage : étudier la signalisation routière ou les codes militaires est à peu près aussi passionnant pour un linguiste que de jouer au tarot ou au rami pour un joueur d'échecs ou de poker. Comme pourrait dire Umberto Eco : pour communiquer, la langue, c'est parfait, on ne peut pas faire mieux. Et cependant, la langue ne dit pas tout. Le corps parle, les objets parlent, l'Histoire parle, les destins individuels ou collectifs parlent, la vie et la mort nous parlent sans arrêt de mille façons différentes. L'homme est une machine à interpréter et, pour peu qu'il ait un peu d'imagination, il voit des signes partout : dans la couleur du manteau de sa femme, dans la rayure sur la portière de sa voiture, dans les habitudes alimentaires de ses voisins de palier, dans les chiffres mensuels du chômage en France, dans le goût de banane du beaujolais nouveau (c'est toujours soit banane, soit, plus rarement, framboise. Pourquoi ? Personne ne le sait mais il y a forcément une explication et elle est sémiologique), dans la démarche fière et cambrée de la femme noire qui arpente les couloirs du métro devant lui, dans l'habitude qu'a son collègue de bureau de ne pas boutonner les deux derniers boutons de sa chemise, dans le rituel de ce footballeur pour célébrer un but, dans la façon de crier de sa partenaire pour signaler un orgasme, dans le design de ces meubles scandinaves, dans le logo du sponsor principal de ce tournoi de tennis, dans la musique du générique de ce film, dans l'architecture, dans la peinture, dans la cuisine, dans la mode, dans la pub, dans la décoration d'intérieur, dans la représentation occidentale de la femme et de l'homme, de l'amour et de la mort, du ciel et de la terre, etc. Avec Barthes, les signes n'ont plus besoin d'être des signaux : ils sont devenus des indices. Mutation décisive. Ils sont partout. Désormais, la sémiologie est prête à conquérir le vaste monde.

5

Le commissaire Bayard se présente au service des urgences de la Pitié-Salpêtrière où on lui indique le numéro de la chambre de Roland Barthes. Les éléments du dossier dont il dispose sont les suivants : un homme, soixante-quatre ans, renversé par une camionnette de blanchisserie, rue des Écoles, lundi après-midi, en traversant un passage clouté. Le conducteur de la camionnette, un certain Yvan Delahov, de nationalité bulgare, était légèrement alcoolisé, sans être en infraction : 0,6 g, en dessous des 0,8 autorisés. Il a reconnu qu'il était en retard pour livrer ses chemises. Il a toutefois déclaré que sa vitesse n'excédait pas les 60 km/h. L'homme accidenté était inconscient et n'avait aucun papier sur lui lorsque les secours sont arrivés, mais il a été identifié par l'un de ses collègues, un certain Michel Foucault, professeur au Collège de France et écrivain. Il s'est avéré qu'il s'agissait de Roland Barthes, lui aussi professeur au Collège de France et écrivain.

Jusque-là, rien dans le dossier ne justifie qu'on dépêche un enquêteur, et encore moins un commissaire des Renseignements généraux. La présence de Jacques Bayard ne s'explique en réalité que par un détail : lorsque Roland Barthes s'est fait renverser, le 25 février 1980, il sortait d'un déjeuner avec François Mitterrand, rue des Blancs-Manteaux.

Il n'y a pas de lien, a priori, entre le déjeuner et l'accident, ni entre le candidat socialiste à l'élection présidentielle qui doit avoir lieu l'an prochain et le chauffeur bulgare employé par une société de blanchisserie, mais il est dans la nature même des Renseignements généraux de se renseigner sur tout, et spécialement, en ces temps de précampagne électorale, sur François Mitterrand. Michel Rocard, pourtant, est beaucoup plus populaire dans l'opinion (sondage Sofres, janvier 1980 :

« Quel est le meilleur candidat socialiste ? » Mitterrand 20 %, Rocard 55 %), mais sans doute estime-t-on en haut lieu qu'il n'osera pas franchir le Rubicon : les socialistes sont des légitimistes et Mitterrand s'est fait réélire à la tête du Parti. Il y a six ans, déjà, il avait atteint 49,19 % des voix contre 50,81 % à Giscard, soit le plus petit écart enregistré à une élection présidentielle depuis l'instauration du suffrage universel direct. On ne peut pas écarter le risque que, pour la première fois dans l'histoire de la Ve République, un président de gauche soit élu, c'est pourquoi les RG ont dépêché un enquêteur. La mission de Jacques Bayard, a priori, consiste à vérifier si Barthes a trop bu chez Mitterrand, ou si, par hasard, il n'aurait pas participé à une orgie sado-maso avec des chiens. Peu de scandales ont affecté le dirigeant socialiste ces dernières années, on dirait qu'il se tient à carreau. Oublié, le faux enlèvement dans les jardins de l'Observatoire. Tabous, sa francisque et son passage à Vichy. Il faudrait du frais. Jacques Bayard est officiellement chargé de vérifier les circonstances de l'accident, mais il n'a pas besoin qu'on lui explique ce qu'on attend de lui : voir s'il n'y aurait pas moyen de porter atteinte à la crédibilité du candidat socialiste en fouillant et, le cas échéant, en salissant.

Quand Jacques Bayard arrive devant la chambre, il découvre une queue de plusieurs mètres dans le couloir. Tous attendent pour rendre visite à l'accidenté. Il y a des vieux bien habillés, des jeunes mal habillés, des vieux mal habillés, des jeunes bien habillés, des styles très variés, des cheveux longs et des cheveux courts, des individus de type maghrébin, plus d'hommes que de femmes. En attendant leur tour, ils discutent entre eux, parlent fort, s'engueulent ou lisent un livre, fument une cigarette. Bayard, qui n'a pas encore bien pris la mesure de la célébrité de Barthes, doit vraisemblablement se demander ce que c'est que ce bordel. Usant de ses prérogatives, il passe devant la queue, dit « Police » et entre dans la chambre.

Jacques Bayard note immédiatement : le lit étonnamment haut, le tube enfoncé dans la gorge, les hématomes au visage, le regard triste. Il y a quatre autres personnes dans la pièce : le petit frère, l'éditeur, le disciple et une sorte de jeune prince arabe, très chic. Le prince arabe, c'est Youssef, un ami commun du maître et du disciple, Jean-Louis, celui que le maître considère comme le plus brillant de ses étudiants, celui en tout cas pour lequel il a le plus d'affection. Jean-Louis et Youssef partagent le même appartement dans le XIIIe arrondissement, où ils organisent des soirées qui égaient la vie de Barthes. Il y rencontre un tas de monde, des étudiants, des actrices, des personnalités diverses, souvent André Téchiné, parfois Isabelle Adjani, et toujours une foule de jeunes intellos. Pour l'instant, ces détails n'intéressent pas le commissaire Bayard qui n'est là que pour reconstituer les circonstances de l'accident. Barthes avait repris conscience à son arrivée à l'hôpital. À ses proches accourus, il disait : « Quelle bêtise ! Quelle bêtise ! » Malgré de multiples contusions et quelques côtes cassées, son état n'inspirait pas trop d'inquiétude. Mais Barthes a, comme dit son petit frère, « un talon d'Achille : les poumons ». Il a contracté la tuberculose dans sa jeunesse et c'est un gros fumeur de cigares. Il en résulte une faiblesse respiratoire chronique qui, cette nuit-là, le rattrape :

il s'étouffe, on doit l'intuber. Lorsque Bayard arrive, Barthes est réveillé mais il ne peut plus parler.

Bayard s'adresse doucement à Barthes. Il va lui poser quelques questions, il lui suffira de faire signe de la tête pour répondre par oui ou par non. Barthes regarde le commissaire de ses yeux de cocker triste. Il hoche la tête faiblement.

« Vous vous rendiez sur votre lieu de travail lorsque le véhicule vous a percuté, c'est bien ça ? » Barthes fait oui. « Est-ce que le véhicule roulait à vive allure ? » Barthes penche la tête d'un côté puis de l'autre, lentement, et Bayard comprend qu'il veut dire qu'il n'en sait rien. « Vous étiez distrait ? » Oui. « Votre inattention était-elle liée à votre déjeuner ? » Non. « À votre cours à préparer ? » Un temps. Oui. « Vous avez rencontré François Mitterrand à ce déjeuner ? » Oui. « Est-ce qu'il s'est passé quelque chose de spécial ou d'inhabituel pendant ce déjeuner ? » Un temps. Non. « Aviez-vous bu de l'alcool ? » Oui. « Beaucoup ? » Non. « Un verre ? » Oui. « Deux verres ? » Oui. « Trois verres ? » Un temps. Oui. « Quatre verres ? » Non. « Aviez-vous vos papiers avec vous lorsque l'accident a eu lieu ? » Oui. Un temps. « Vous êtes sûr ? » Oui. « Vous n'aviez pas de papiers sur vous lorsqu'on vous a trouvé. Est-il possible que vous les ayez oubliés, chez vous ou ailleurs ? » Un temps plus long. Le regard de Barthes semble soudain se charger d'une intensité nouvelle. Il fait non de la tête. « Vous souvenez-vous si quelqu'un vous a manipulé pendant que vous étiez à terre, avant l'arrivée des secours ? » Barthes semble ne pas comprendre ou ne pas écouter la question. Il fait non. « Non, vous ne vous souvenez pas ? » Encore un temps, mais cette fois, Bayard croit identifier l'expression du visage : c'est de l'incrédulité. Barthes fait non. « Y avait-il de l'argent dans votre portefeuille ? » Les yeux de Barthes fixent son interlocuteur. « Monsieur Barthes, vous m'entendez ? Aviez-vous de l'argent sur vous ? » Non. « Aviez-vous quelque chose de valeur avec vous ? » Pas de réponse. La fixité du regard est telle que, n'était un feu étrange au fond de l'œil, on pourrait croire que Barthes est mort. « Monsieur Barthes ? Possédiez-vous quelque chose de valeur sur vous ? Pensez-vous qu'on aurait pu vous dérober quelque chose ? » Le silence qui règne dans la pièce est rompu seulement par le souffle rauque de Barthes qui passe dans le tube du respirateur. De longues secondes s'écoulent encore. Lentement, Barthes fait non, puis il détourne la tête.

6

En quittant l'hôpital, le commissaire Bayard se dit qu'il y a un problème ; que ce qui devait n'être qu'une enquête de routine ne sera peut-être pas totalement superflu, après tout ; que la disparition des papiers est une zone d'ombre curieuse dans ce qui ressemble pourtant à un banal accident ; qu'il va falloir tirer ça au clair en interrogeant plus de monde qu'il ne se l'était imaginé ; que sa piste débute rue des Écoles, devant le Collège de France (institution dont il ignorait l'existence jusqu'à aujourd'hui et dont il n'a pas bien compris la nature) ; qu'il va commencer par rencontrer ce M. Foucault, « professeur d'histoire des systèmes de pensées » (sic) ; qu'il va ensuite devoir interroger des tas d'étudiants chevelus, plus les témoins de l'accident, plus les amis de la victime. Il est à la fois perplexe et ennuyé de ce surcroît de travail. Mais il sait ce qu'il a vu dans la chambre d'hôpital. Dans les yeux de Barthes, c'était de la peur.

Le commissaire Bayard, absorbé par ses réflexions, ne prête pas attention à la DS noire garée de l'autre côté du boulevard. Il monte dans sa 504 de fonction et prend le chemin du Collège de France.

7

Dans le hall d'entrée, il repère la liste des matières enseignées : « *magnétisme nucléaire* », « *neuropsychologie du développement* », « *sociographie de l'Asie du Sud-Est* », « *christianisme et gnose dans l'Orient pré-islamique* »... Perplexe, il se rend en salle des professeurs et demande à voir Michel Foucault. On lui dit qu'il donne cours en ce moment même.

L'amphithéâtre est bourré à craquer. Bayard ne peut même pas entrer dans la salle. Il se fait refouler par un mur compact d'auditeurs, outrés lorsqu'il essaie de se frayer un passage. Un étudiant indulgent lui explique en chuchotant comment ça marche : si on veut avoir une place assise, on doit arriver deux heures avant le début du cours. Quand l'amphi est plein, on peut se rabattre sur l'amphi d'en face, où le cours est radiodiffusé. On n'y voit pas Foucault, mais au moins, on l'entend. Bayard se rend donc dans l'amphi B, bien rempli lui aussi, mais on peut encore trouver des places. L'assemblée est très bigarrée, il y a des jeunes, des vieux, des hippies, des yuppies, des punks, des gothiques, des Anglais avec des gilets en tweed, des Italiennes en décolleté, des Iraniennes en tchador, des grand-mères avec leur petit chien… Il s'assoit à côté de deux jeunes jumeaux déguisés en astronautes (sans les casques, toutefois). L'ambiance est studieuse, les gens prennent des notes sur des cahiers ou écoutent avec recueillement. De temps à autre, ils toussent, comme au théâtre, mais il n'y a personne sur scène. Les haut-parleurs diffusent une voix nasillarde, un peu années 40, pas Chaban-Delmas mais quand même, disons Jean Marais mélangé à Jean Poiret, en plus aiguë.

« Le problème que je voudrais poser, dit la voix, est celui-ci : quelle est la signification, à l'intérieur d'une conception du salut – c'est-à-dire à l'intérieur d'une conception de l'illumination, d'une conception du rachat qui a été obtenu par les hommes à l'occasion de leur premier baptême –, quelle peut être la signification de la répétition de la pénitence, ou encore de la répétition même du péché. »

Et très professorale : ça, Bayard le perçoit. Il essaie de saisir de quoi ça parle mais malheureusement, l'effort est produit juste au moment où Foucault dit : « De telle sorte que le sujet allant à la vérité, et s'y attachant par l'amour, manifeste, dans ses propres paroles, une vérité qui n'est pas autre chose que la manifestation en lui de la vraie présence d'un Dieu qui, lui-même, ne peut dire que la vérité, car il ne ment jamais, est véridique. »

Si Foucault avait parlé, ce jour-là, de prison, de contrôle, d'archéologie, de biopouvoir, ou de généalogie, qui sait ?… Mais la voix implacable continue à cheminer : « Même si, pour un certain nombre de philosophes ou de cosmologies, le monde pouvait bien en effet tourner dans un sens ou dans l'autre, dans la vie des individus le temps n'a qu'un sens. » Bayard écoute sans comprendre, se laisse bercer par le ton à la fois didactique et porté, mélodieux dans son genre, soutenu par un sens de la mesure, des silences et de la ponctuation très maîtrisé.

Est-ce que ce type gagne plus que lui ?

« Entre ce système de la loi qui porte sur les actions et se réfère à un sujet de volonté, et par conséquent la répétabilité indéfinie de la faute, et le schéma du salut et de la perfection qui porte sur les sujets, qui implique une scansion temporelle et une irréversibilité, il n'y a, je crois, pas d'intégration possible… »

Oui, sans aucun doute. Bayard ne parvient pas à réfréner la rancœur instinctive qui lui fait détester cette voix a priori. C'est avec des gens comme ça que la police doit se disputer les impôts du contribuable. Des fonctionnaires comme lui, sauf que lui, il mérite que la société le rétribue pour son travail. Mais ce Collège de France, qu'est-ce que c'est ? Fondé par François Ier, d'accord, il a lu ça à l'entrée. Et ensuite ? Des cours ouverts à tout le monde qui n'intéressent que des chômeurs gauchistes, des retraités, des illuminés ou des profs qui fument la pipe ; des matières improbables dont il n'a jamais entendu parler… Pas de diplômes, pas d'examens. Des gens comme Barthes et Foucault payés pour raconter des trucs fumeux. Bayard est déjà sûr d'une chose : ce n'est pas ici qu'on apprend un métier. *Epistémè*, mon cul.

Quand la voix donne rendez-vous à la semaine prochaine, Bayard retourne à l'amphi A, remonte le flux des auditeurs qui se déverse par les portes battantes, pénètre enfin dans la salle, aperçoit tout en bas un chauve à lunettes qui porte un col roulé sous sa veste. Il a l'air à la fois costaud et longiligne, la mâchoire volontaire, légèrement prognathe, le port altier de ceux qui savent que le monde a reconnu leur valeur, et il a le crâne impeccablement rasé. Bayard le rejoint sur l'estrade : « Monsieur Foucault ? » Le grand chauve est en train de rassembler ses notes, dans ce relâchement caractéristique de l'enseignant qui a fini son cours. Il se tourne vers Bayard avec bienveillance, sachant quelle timidité ses admirateurs doivent parfois surmonter pour lui adresser la parole. Bayard sort sa carte. Il connaît bien, lui aussi, l'effet qu'elle produit. Foucault s'arrête une seconde, regarde la carte, dévisage le policier puis replonge dans ses notes. Théâtral, il dit, comme à l'attention du public en train de se disperser : « Je refuse d'être identifié par le pouvoir. » Bayard fait comme s'il n'avait pas entendu : « C'est au sujet de l'accident. »

Le grand chauve fourre ses notes dans son cartable et quitte l'estrade sans un mot. Bayard lui court après : « Monsieur Foucault, où allez-vous ? Je dois vous poser quelques questions ! » Foucault gravit les marches de l'amphi à grandes enjambées. Il répond sans se retourner, à la cantonade, de façon que tous les auditeurs encore présents puissent l'entendre : « Je refuse d'être localisé par le pouvoir ! » La salle rit. Bayard lui attrape le bras : « Je veux juste que vous me donniez votre version des faits. » Foucault s'immobilise et se tait. Tout son corps s'est raidi. Il regarde la main agrippée à son bras comme si c'était l'atteinte aux droits de l'homme la plus grave depuis le génocide cambodgien. Bayard maintient sa prise. Autour d'eux, ça murmure. Au bout d'une longue minute, Foucault consent à parler : « Ma version, c'est qu'ils l'ont tué. » Bayard n'est pas sûr d'avoir bien compris :

« Tué ? Mais qui ça ?

— Mon ami Roland.

— Mais il n'est pas mort !

— Il est déjà mort. »

Foucault fixe son interlocuteur du regard intense des myopes, derrière ses lunettes, et lentement, en détachant les syllabes, énonce, comme s'il formulait la conclusion d'un long développement dont lui seul connaîtrait la logique secrète :

« Roland Barthes est mort.

— Mais qui l'a tué ?

— Le système, bien sûr ! »

L'emploi du mot « système » confirme au policier ce qu'il redoutait : il est tombé chez les gauchistes. Il sait d'expérience qu'ils n'ont que ça à la bouche : la société pourrie, la lutte des classes, le « système »... Il attend la suite sans impatience. Foucault, magnanime, accepte de l'éclairer :

« Roland a été violemment moqué, ces dernières années. Parce qu'il avait le paradoxal pouvoir de comprendre les choses telles qu'elles sont et de les inventer dans une fraîcheur jamais vue, on lui a reproché son jargon, on l'a pastiché, parodié, caricaturé, satirisé…

— Vous lui connaissiez des ennemis ?

— Bien sûr ! Depuis qu'il est au Collège de France – c'est moi qui l'ai fait entrer – les jalousies ont redoublé. Des ennemis, il n'avait plus que ça : les réactionnaires, les bourgeois, les fascistes, les staliniens et surtout, surtout, la vieille critique rance qui ne lui a jamais pardonné !

— Pardonné quoi ?

— D'avoir osé penser ! D'avoir osé remettre en cause ses vieux schémas bourgeois, d'avoir mis en lumière son infecte fonction normative, d'avoir montré ce qu'elle était vraiment : une vieille prostituée souillée par la bêtise et la compromission !

— Mais qui, en particulier ?

— Des noms ? Vous me prenez pour qui ! Les Picard, les Pommier, les Rambaud, les Burnier ! Ils l'auraient fusillé eux-mêmes s'ils avaient pu, douze balles dans la cour de la Sorbonne sous la statue de Victor Hugo !… »

Soudain, Foucault repart et comme Bayard ne s'y attendait pas, il lui prend quelques mètres au démarrage. Il sort de l'amphi, file dans les escaliers, Bayard lui court après, il est sur ses talons, leur pas claquent sur la pierre, il le hèle : « Monsieur Foucault, qui sont ces gens dont vous parlez ? » Foucault, sans se retourner : « Des chiens, des chacals, des ânes bâtés, des cons, des nullités, mais surtout, surtout, surtout ! les valets serviles de l'ordre établi, les scribes du vieux monde, les maquereaux d'une pensée morte qui prétendent par leurs ricanements obscènes nous imposer indéfiniment son odeur de cadavre. » Bayard, accroché à la rampe d'escalier : « Quel cadavre ? » Foucault, gravissant les marches quatre à quatre : « Celui de la pensée morte ! » Puis il éclate d'un rire sardonique. Bayard, cherchant un stylo dans les poches de son imper tout en essayant de garder l'allure, lui demande : « Pouvez-vous m'épeler Rambaud ? »

8

Le commissaire entre dans une librairie pour acheter des livres mais, comme il n'a pas l'habitude, il a du mal à s'orienter dans les rayonnages. Il ne trouve pas d'ouvrages de Raymond Picard. Le libraire, qui lui semble relativement au courant, lui signale au passage que Raymond Picard est mort, ce que Foucault n'avait pas cru bon de lui signaler, mais qu'il peut commander *Nouvelle Critique ou nouvelle imposture*. En revanche, il a *Assez décodé* de René Pommier, un disciple de Raymond Picard qui s'en prend à la critique structuraliste (en tout cas, c'est comme ça que le libraire lui vend l'ouvrage, ce qui ne l'avance pas beaucoup), et surtout *Le Roland-Barthes sans peine*, de Rambaud et Burnier. C'est un livre vert, assez mince, avec une photo de Barthes qui arbore un air sévère dans un cadre ovale orange. Sortant du cadre, un petit personnage dessiné fait « hihi ! » en riant de toutes ses dents, l'air moqueur, la main sur la bouche, dans un style à la Crumb. Vérification faite, d'ailleurs, c'est Crumb.

Mais Bayard n'a jamais entendu parler de *Fritz the Cat*, le dessin animé soixante-huitard où les Noirs sont des corbeaux qui jouent du saxophone et où le héros est un chat en col roulé qui fume des joints et baise tout ce qui bouge à bord de cadillacs à la Kerouac, sur fond d'émeutes urbaines et de poubelles qui brûlent. Crumb est célèbre, pourtant, pour sa manière de dessiner les femmes, avec leurs grosses cuisses puissantes, leurs épaules de bûcheron, leurs seins en obus et leur cul de jument. Bayard, peu familiarisé avec l'esthétique de la BD, ne fait pas le lien. Mais il achète le livre, et le Pommier avec. Il ne commande pas le Picard car les auteurs morts, à ce stade de l'enquête, ne l'intéressent pas.

Le commissaire s'installe dans un café, prend une bière, allume une gitane et ouvre *Le Roland-Barthes sans peine*. (Quel café ? Les petits détails, c'est important pour restituer l'ambiance, n'est-ce pas ? Je le vois bien au Sorbon, le bar en face du Champo, le petit cinéma d'art et d'essai, au bout de la rue des Écoles, mais, à vrai dire, je n'en sais rien, vous pouvez le mettre où vous voulez.) Il lit :

« *Le R.B. (en Roland-Barthes, Roland Barthes se dit R.B.) apparut sous sa forme archaïque voilà vingt-cinq ans, dans l'ouvrage intitulé* Le Degré zéro de l'écriture. *Depuis, il s'est peu à peu détaché du français dont il est partiellement issu, se constituant comme langage autonome avec sa grammaire et son vocabulaire propres.* »

Bayard tire sur sa gitane, avale une gorgée, tourne les pages. Au bar, il entend le serveur expliquer à un client pourquoi la France va sombrer dans la guerre civile si Mitterrand est élu.

« Première leçon : Quelques éléments de conversation.
1 – Comment t'énonces-tu, toi ?
Français : Quel est votre nom ?
2 – Je m'énonce L.
Français : Je m'appelle William. »

Bayard comprend à peu près l'intention satirique et aussi qu'il devrait a priori se sentir en phase avec les auteurs du pastiche mais il se méfie. Pourquoi, en « R.B. », « William » se dit-il « L. » ? Pas clair. Enculés d'intellos.

Le serveur au client : « Quand les communistes seront au pouvoir, tous ceux qui ont du pognon vont le sortir de France pour aller le mettre ailleurs, là où ils paieront pas d'impôts et là où ils sont sûrs qu'on leur prendra pas ! »

Rambaud et Burnier :

« *3 – Quelle "stipulation" verrouille, clôture, organise, agence l'économie de ta pragma comme l'occultation et/ou l'exploitation de ton ek-sistence ?*
Français : Que faites-vous dans la vie ?
4 – (J')expulse des petits bouts de code.
Français : Je suis dactylo. »

Ça le fait un peu rire quand même, mais il déteste ce qu'il perçoit intuitivement comme un principe d'intimidation verbale à son égard. Il sait bien pourtant que ce genre de livre ne s'adresse pas à lui, qu'il s'agit d'un livre pour intellos, pour que ces parasites d'intellos puissent rire entre eux. Se moquer d'eux-mêmes : suprême distinction. Bayard, qui n'est pas un imbécile, fait déjà un peu du Bourdieu sans le savoir.

Au comptoir, la conférence se poursuit : « Une fois que tout l'argent sera en Suisse, on n'aura plus de capitaux pour payer les salaires, et ce sera la guerre civile. Comme ça, les socialo-communistes auront gagné ! » Le serveur s'interrompt pour aller servir. Bayard poursuit sa lecture :

« *5 – Mon discours trouve/aboutit sa textualité propre au travers du R.B. dans un jeu (je ?) de miroirs.*

Français : Je parle couramment le Roland-Barthes. »

Bayard saisit l'idée principale : le langage de Roland Barthes est imbitable. Mais alors, pourquoi perdre son temps à le lire ? Et, a fortiori, à écrire un livre sur lui ?

« *6 – La "sublimation" (l'intégration) de celui-ci comme (mon) code constitue la "coupure tierce" d'un redoublement du cupido, mon désir.*

Français : Je voudrais aussi apprendre cette langue.

7 – Le R.B. en tant que macrologie ne se donne-t-il pas comme "barbelage", champ (chant) clos à l'interpellation galliciste ?

Français : le Roland-Barthes n'est-il pas trop difficile pour un Français ?

8 – L'écharpe du style barthésien s'enserre "autour" du code pour autant qu'on l'acte dans sa répétition/redondance.

Français : Non, c'est assez facile. Mais il faut travailler. »

La perplexité du commissaire grandit. Il ne sait pas qui il déteste le plus : Barthes ou les deux comiques qui ont eu envie de le parodier. Il repose le livre, écrase sa cigarette. Le serveur retourne derrière le comptoir. Le client, son verre de rouge à la main, objecte : « Oui, mais Mitterrand les arrêtera à la frontière. Et l'argent sera confisqué. » Le serveur fronce les sourcils et gronde le client : « Vous prenez les riches pour des cons ! Ils loueront des passeurs de valises professionnels. Ils organiseront des filières pour évacuer leur cash. Ils franchiront les Alpes et les Pyrénées, comme Hannibal ! Comme pendant la guerre ! Si on peut faire passer des Juifs, on peut bien faire passer des talbins, vous croyez pas ? » Le client n'a pas l'air très sûr, mais comme visiblement il ne trouve rien à répondre, il se contente de hocher la tête, finit son verre et recommande à boire. Le serveur se rengorge en sortant une bouteille de rouge entamée : « Eh oui ! Eh oui ! Moi, je m'en fous, si les cocos gagnent, je me tire et je vais bosser à Genève. Ils n'auront pas mon pognon, ah non, ça, jamais de la vie, je ne travaille pas pour les cocos, moi, vous m'avez pas bien regardé ! Je travaille pour personne ! Je suis libre ! Comme de Gaulle !… »

Bayard essaie de se rappeler qui est Hannibal et note machinalement qu'il manque une phalange à l'auriculaire gauche du serveur. Il interrompt l'orateur pour reprendre une bière, ouvre le livre de René Pommier, compte dix-sept fois le mot « fariboles » en quatre pages, et le referme. Entre-temps, le serveur a entamé un nouveau sujet : « Aucune société civilisée ne peut se passer de la peine de mort !… » Bayard paie et part en laissant la monnaie.

Il passe devant la statue de Montaigne sans la voir, traverse la rue des Écoles et entre dans la Sorbonne. Le commissaire Bayard comprend qu'il ne comprend rien, ou pas grand-chose, à toutes ces conneries. Il lui faudrait quelqu'un qui l'affranchisse, un spécialiste, un traducteur, un transmetteur, un formateur. Un prof, quoi. À la Sorbonne, il demande où se trouve le département de sémiologie. La personne de l'accueil lui répond avec un air pincé qu'il n'y en a pas. Dans la cour, il aborde des étudiants en caban bleu marine et chaussures bateau pour se faire indiquer où il pourrait assister à un cours de sémiologie. La plupart ne savent pas ce que c'est ou en ont très vaguement entendu parler. Mais finalement, un jeune chevelu qui fume un joint sous la statue de Louis Pasteur lui dit que, pour la « sémio », il faut aller à Vincennes. Bayard n'est pas un spécialiste du milieu universitaire mais il sait que Vincennes est une fac de gauchistes où pullulent des agitateurs professionnels qui ne veulent pas travailler. Par curiosité, il demande au jeune pourquoi lui n'y est pas inscrit. Le jeune porte un large pull à col roulé, un pantalon noir retroussé comme pour aller à la pêche aux moules et des Doc Martens montantes violettes. Il tire sur son joint et répond : « J'y étais jusqu'à ma deuxième deuxième année. Mais je faisais partie d'un groupe trotskyste. » L'explication lui paraît suffisante mais comme il voit au regard interrogateur de Bayard qu'elle ne l'est pas, il ajoute : « Et, euh, il y a eu des problèmes. »

Bayard n'insiste pas. Il reprend sa 504 et part pour Vincennes. À un feu rouge, il remarque une DS noire et il pense : « Ça, c'était de la bonne bagnole !... »

9

La 504 rejoint le périph à Porte de Bercy, sort Porte de Vincennes, remonte la très longue avenue de Paris, passe devant l'hôpital militaire, refuse la priorité à une Fuego bleue flambant neuve conduite par des Japonais, contourne le château, dépasse le Parc floral, s'enfonce dans le bois et vient se garer devant des sortes de baraquements qui ressemblent à un collège de banlieue géant des années 70, architecturalement à peu près ce que l'humanité peut faire de pire. Bayard, qui se souvient de ses lointaines années de droit à Assas, découvre un lieu tout à fait dépaysant : pour accéder aux salles de cours, il doit traverser une sorte de souk peuplé d'Africains, enjamber des drogués comateux affalés par terre, passer devant un bassin sans eau rempli de détritus, longer des murs lépreux recouverts d'affiches et de graffitis sur lesquels il peut lire : « Professeurs, étudiants, recteurs, personnel ATOS : crevez, salopes ! » ; « Non à la fermeture du souk alimentaire » ; « Non au déménagement de Vincennes à Nogent » ; « Non au déménagement de Vincennes à Marne-la-Vallée » ; « Non au déménagement de Vincennes à Savigny-sur-Orge » ; « Non au déménagement de Vincennes à Saint-Denis » ; « Vive la révolution prolétarienne » ; « Vive la révolution iranienne » ; « maos = fachos » ; « trostkystes = staliniens » ; « Lacan = flic » ; « Badiou = nazi » ; « Althusser = assassin » ; « Deleuze = baise ta mère » ; « Cixous = baise-moi » ; « Foucault = pute de Khomeiny » ; « Barthes = social-traître prochinois » ; « Calliclès = SS » ; « Il est interdit d'interdire d'interdire » ; « Union de la gauche = dans ton cul » ; « Viens chez moi, on va lire *Le Capital* ! signé : Balibar »… Des étudiants puant la marijuana l'accostent avec agressivité en lui fourguant des tonnes de tracts : « Camarade, tu sais ce qui se passe au Chili ? Au Salvador ? Tu te sens concerné par l'Argentine ? Et le Mozambique ? Tu t'en fous, du Mozambique ? Tu sais où c'est ? Tu veux que je te parle du Timor ? Sinon, on fait une collecte pour l'alphabétisation au Nicaragua. Tu me paies un café ? » Là, il se sent moins dépaysé. Quand il avait sa carte à Jeune Nation, il en a pété, de ces petites gueules de gauchistes crasseux. Il jette les tracts dans le bassin sans eau qui sert de poubelle.

Bayard atterrit, sans trop savoir comment, à l'UFR de *Culture et communication*. Il parcourt la liste des u.v. (« unités de valeur ») qui sont affichées dans le couloir sur un tableau en liège et finit par trouver à peu près ce qu'il était venu chercher : « sémiologie de l'image », un numéro de salle, un horaire hebdomadaire et un nom de prof, un certain Simon Herzog.

10

« Aujourd'hui, nous allons étudier les chiffres et les lettres dans James Bond. Si vous pensez à James Bond, quelle est la lettre qui vous vient à l'esprit ? » Silence dans la salle, les étudiants réfléchissent. Au moins, Jacques Bayard, assis au fond de la classe, connaît James Bond. « Comment s'appelle le chef de James Bond ? » Bayard le sait ! Il se surprend à avoir envie de le dire à voix haute, mais il est précédé par plusieurs étudiants qui donnent simultanément la réponse : M. « Qui est M et pourquoi M ? Que signifie ce M ? » Un temps. Pas de réponse. « M est un vieil homme mais c'est une figure féminine, c'est le M de *Mother*, c'est la mère nourricière, celle qui nourrit et qui protège, celle qui se fâche quand Bond fait des bêtises mais qui fait toujours preuve d'une grande indulgence à son égard, celle à qui Bond veut complaire en accomplissant ses missions. James Bond est un homme d'action mais ce n'est pas un franc-tireur, il n'est pas seul, il n'est pas orphelin (il l'est biographiquement, mais pas symboliquement : sa mère, c'est l'Angleterre ; il n'est pas marié avec sa patrie, il est son fils aimé). Il est soutenu par une hiérarchie, une logistique, tout un pays qui lui assigne des missions impossibles dont il s'acquitte à la grande fierté de celui-ci (M, la représentation métonymique de l'Angleterre, le représentant de la reine, rappelle régulièrement que Bond est son meilleur agent : c'est le fils préféré) mais qui lui fournit tous les moyens matériels pour les accomplir. James Bond, en fait, c'est le beurre et l'argent du beurre, et c'est pour ça que c'est un fantasme si populaire, un mythe contemporain très puissant : James Bond, c'est l'aventurier-fonctionnaire. Action ET sécurité. Il commet des infractions, des délits, des crimes même, mais il est couvert, il est autorisé, il ne sera pas grondé, c'est la fameuse “*license to kill*”, le permis de tuer signifié par son matricule, ce qui nous amène aux trois chiffres magiques : 007.

« Double zéro, c'est le code pour le droit au meurtre, et ici, on voit une application géniale de la symbolique des chiffres. Comment pouvait-on représenter le permis de tuer par un chiffre ? 10 ? 20 ? 100 ? Un million ? La mort n'est pas quantifiable. La mort, c'est le néant, et le néant, c'est zéro. Mais le meurtre, c'est plus que la mort toute simple, c'est la mort infligée à autrui. C'est deux fois la mort, la sienne, inévitable, et dont la probabilité est accrue par la dangerosité du métier (l'espérance de vie des agents double zéro est très basse, cela est souvent rappelé), et celle de l'autre. Double zéro, c'est le droit de tuer et d'être tué. Quant au 7, il a été évidemment choisi parce que c'est traditionnellement, de tous les nombres, l'un des plus élégants, un nombre magique chargé d'histoire et de symboles, mais en l'occurrence, il répond à deux critères : impair, forcément, comme le nombre de roses qu'on offre à une femme, et premier (un nombre premier n'est divisible que par un et par lui-même) pour exprimer une singularité, une unicité, une individualité qui contrecarre l'impression d'interchangeabilité et d'impersonnalité induite par le recours au matricule. Souvenez-vous de la série *Le Prisonnier*, avec le protagoniste "Numéro 6", qui répète, désespéré, révolté : "Je ne suis pas un numéro !" James Bond, lui, s'accommode parfaitement de son numéro, avec d'autant plus de facilité que ce numéro lui confère des privilèges inouïs et fait donc de lui un aristocrate (au service de sa reine, comme il se doit). 007, c'est l'anti-Numéro 6 : satisfait de la place ultra-privilégiée que lui accorde la société, il œuvre avec dévouement à la préservation de l'ordre établi, sans jamais se poser de questions sur la nature et les motivations de l'ennemi. Autant Numéro 6 est un révolutionnaire, autant 007 est un conservateur. Le 7 réactionnaire s'oppose ici au 6 révolutionnaire, et comme le sens du mot "réactionnaire" suppose l'idée de postériorité (les conservateurs "réagissent" à la révolution en œuvrant pour un retour à l'ancien régime, c'est-à-dire à l'ordre établi), il est logique que le chiffre réactionnaire succède au chiffre révolutionnaire (en clair : que James Bond ne soit pas 005). La fonction de 007, c'est donc bien de garantir le retour à l'ordre établi, perturbé par une menace qui déstabilise l'ordre mondial. La fin de chaque épisode coïncide d'ailleurs toujours à un retour à la "normale", comprendre : "à l'ordre ancien". Umberto Eco affirme que James Bond est fasciste. En fait, on voit bien qu'il est surtout réactionnaire… »

Un étudiant lève la main : « Mais il y a Q aussi, le responsable des gadgets. Est-ce que vous voyez aussi une signification à cette lettre-là ? »

Avec une immédiateté qui surprend Bayard, le prof enchaîne :

« Q, c'est une figure paternelle, parce que c'est lui qui fournit les armes à James Bond et c'est lui qui lui enseigne comment s'en servir. Il lui transmet un savoir-faire. En ce sens, il aurait dû s'appeler F, comme *Father*… Mais si vous observez attentivement les scènes avec Q, que voyez-vous ? Un James Bond distrait, impertinent, joueur, qui n'écoute pas (ou fait semblant de ne pas écouter). Et à la fin, vous avez Q qui lui demande toujours : "Des questions ?" (ou des variantes du type : "Vous avez compris ?"). Mais James Bond n'a jamais de questions ; sous ses airs de cancre, il a parfaitement assimilé ce qu'on lui a expliqué car il a des capacités de compréhension hors du commun. Q, alors, c'est le Q de "questions", des questions que Q appelle de ses vœux et que Bond ne pose jamais, ou alors sous forme de blagues, et qui ne sont jamais celles que Q attendrait. »

Un autre étudiant prend alors la parole : « Et puis, Q, en anglais, se prononce "kiou", ce qui veut dire “queue”. C’est la séance shopping : on fait la queue au magasin de gadgets, on attend d’être servi, c’est un temps mort ludique entre deux scènes d’action. »

Le jeune prof fait un mouvement de bras enthousiaste : « Parfaitement ! C’est très bien vu ! Très bonne idée ! Rappelez-vous qu’une interprétation n’épuise jamais le signe, et que la polysémie est un puits sans fond d’où nous parviennent des échos infinis : on n’épuise jamais complètement un mot. Même pas une lettre, vous voyez. »

Le prof regarde sa montre : « Merci de votre attention. Mardi prochain, nous étudierons les vêtements dans James Bond. Messieurs, je vous attends en smoking, naturellement (rires dans la salle). Et mesdemoiselles, en bikini à la Ursula Andress (sifflets et protestations des filles). À la semaine prochaine ! »

Pendant que les étudiants quittent la salle, Bayard aborde le jeune enseignant avec un rictus discret que celui-ci ne peut pas comprendre mais qui dit : « Toi, tu vas payer pour le chauve. »

11

« Pour que les choses soient bien claires, commissaire, je ne suis pas un spécialiste de Barthes, ni un sémiologue à proprement parler. J’ai un DEA de lettres modernes sur le roman historique, je prépare une thèse de linguistique sur les actes de langage et je suis aussi chargé de TD. Ce semestre, je donne un cours spécialisé dans la sémiologie de l'image et, l'an dernier, j'avais la charge d'un cours d'introduction à la sémiologie. C'était un TD d'initiation pour des étudiants en première année ; je leur ai exposé les bases de la linguistique parce qu'elle est au fondement de la sémiologie, je leur ai parlé de Saussure et de Jakobson, un peu d'Austin, un peu de Searle, nous avons travaillé essentiellement sur Barthes parce que c'est le plus facile d'accès et parce qu'il a souvent choisi des objets d'étude empruntés à la culture de masse, donc davantage susceptibles d'éveiller la curiosité des étudiants que, mettons, ses critiques sur Racine ou Chateaubriand, car ce sont des étudiants en communication, pas en littérature. Avec Barthes, on pouvait passer beaucoup de temps à parler de steak-frites, de la dernière Citroën, de James Bond, c'est une approche beaucoup plus ludique de l'analyse, et c'est d'ailleurs un peu la définition de la sémiologie : c'est une discipline qui applique les procédés de la critique littéraire à des objets non littéraires.

— Il n'est pas mort.

— Je vous demande pardon ?

— Vous avez dit "on pouvait", vous en parlez au passé, comme si ce n'était plus possible.

— Euh, non, ce n'est pas ce que je voulais dire... »

Simon Herzog et Jacques Bayard marchent côte à côte dans les couloirs de la fac. Le jeune enseignant tient son cartable d'une main et l'autre est embarrassée par un tas de photocopies. Il fait non de la tête quand un étudiant veut lui donner un tract, l'étudiant le traite de fasciste, il lui répond par un sourire coupable et rectifie auprès de Bayard :

« Même s'il mourait, on pourrait très bien continuer à appliquer ses méthodes critiques, vous savez…

— Qu'est-ce qui vous fait croire qu'il peut mourir ? Je n'ai pas fait état devant vous de la gravité de ses blessures.

— Eh bien, hum, je me doute qu'on n'envoie pas un commissaire enquêter sur tous les accidents de la route, donc j'en déduis que c'est sérieux, et que les conditions de l'accident sont troubles.

— Les conditions de l'accident sont assez claires, et l'état de la victime n'inspire presque aucune inquiétude.

— Ah ? Eh bien, euh, vous m'en voyez ravi, commissaire…

— Je ne vous ai pas dit que j'étais commissaire.

— Ah non ? J'ai pensé que Barthes était suffisamment célèbre pour qu'on lui envoie un commissaire…

— Je n'avais jamais entendu parler de ce gars-là avant hier. »

Le jeune thésard se tait, il a l'air dérouté, Bayard est satisfait. Une étudiante en sandales et chaussettes lui tend un tract sur lequel il peut lire : *En attendant Godard, pièce en un acte*. Il glisse le tract dans sa poche et demande à Simon Herzog :

« Que savez-vous de la sémiologie ?

— Euh, c'est l'étude de la vie des signes au sein de la vie sociale ? »

Bayard repense à son *Roland-Barthes sans peine*. Il serre les dents.

« Et en français ?

— Mais… c'est la définition de Saussure…

— Ce Chaussure, il connaît Barthes ?

— Euh, non, il est mort, c
sémiologie.

— Hm, je vois. »

Mais Bayard ne voit rien du tou
traversent la cafétéria. C'est une espè
saturé par des odeurs de merguez, c
Un grand type dégingandé en bott
est debout sur une table. La clope a bec, une bière à la main, il harangue des jeunes qui l'écoutent, les yeux brillants. Vu que Simon Herzog n'a pas de bureau, il invite Bayard à s'asseoir et, machinalement, lui offre une cigarette. Bayard refuse, sort une gitane et reprend :

« Concrètement, ça sert à quoi, cette… science ?

— Eh bien, euh… à comprendre le réel ? »

Bayard grimace imperceptiblement.

« C'est-à-dire ? »

Le jeune thésard prend quelques secondes pour réfléchir. Il jauge la capacité d'abstraction de son interlocuteur, manifestement limitée, pour adapter sa réponse en fonction, sans quoi ils vont tourner en rond pendant des heures.

« En fait, c'est simple, il y a des tas de choses dans notre environnement qui ont, euh, une fonction d'usage. Vous voyez ? »

Silence hostile de son interlocuteur. À l'autre bout de la salle, le type aux bottes de lézard mauve raconte à ses jeunes disciples la grande geste de 68 qui, dans sa bouche, ressemble à un mélange de *Mad Max* et de Woodstock. Simon Herzog essaie de simplifier au maximum : « Une chaise sert à s'asseoir, une table à manger dessus, un bureau à travailler, un vêtement à tenir chaud, et cætera. D'accord ? »

cial. Il continue :

qu'en plus de leur fonction d'us… de leur , ces objets sont également dotés d'une valeur nbolique… comme s'ils étaient doués de parole, si vous voulez : ils nous disent des choses. Cette chaise, par exemple, sur laquelle vous êtes assis, avec son degré zéro du design, son mauvais bois vernis et son armature rouillée, nous dit que nous sommes dans une collectivité qui n'a aucun souci de confort ni d'esthétique et qui n'a pas d'argent. Ajoutées à cela, ces odeurs mélangées de mauvaise cantine et de cannabis nous confirment que nous sommes dans un lieu universitaire. De la même manière, votre façon de vous habiller signale votre profession : vous portez un costume, ce qui trahit un emploi de cadre, mais vos vêtements sont bon marché, ce qui implique un salaire modeste et/ou une absence d'intérêt pour votre apparence, vous faites donc un métier où la présentation ne compte pas, ou peu. Vos chaussures sont très abîmées, alors que vous êtes venu en voiture, cela signifie que vous ne restez pas derrière un bureau mais que vous faites un travail de terrain. Un cadre qui sort de son bureau a toutes les chances d'être affecté à un travail d'inspection.

— Hm, je vois, dit Bayard. (Long silence pendant lequel Simon Herzog peut entendre l'homme en bottes de lézard mauve raconter à son auditoire fasciné comment, à l'époque où il était à la tête de la Fraction Armée Spinoziste, il a vaincu les Jeunes Hégéliens.) Ceci dit, je sais où je suis, c'est écrit "Université de Vincennes-Paris 8" à l'entrée. Et il y a aussi marqué "Police" en gros sur la carte tricolore que je vous ai montrée quand je vous ai abordé à la fin de votre cours, donc je ne comprends toujours pas très bien où vous voulez en venir. »

Simon Herzog commence à transpirer. Cette conversation lui rappelle des souvenirs douloureux d'oraux d'examen. Ne pas paniquer, se concentrer, ne pas se focaliser sur les secondes qui s'égrènent dans le silence, ignorer l'air faussement benoît de l'examinateur sadique qui jouit intérieurement de sa supériorité institutionnelle et de la souffrance qu'il inflige parce qu'il l'a subie, lui aussi, dans le passé. Le jeune thésard réfléchit vite, observe attentivement l'homme qu'il a en face de lui, procède méthodiquement, étape par étape, comme on lui a appris et, lorsqu'il se sent prêt, laisse encore passer quelques secondes, puis dit :

« Vous avez fait la guerre d'Algérie, vous avez été marié deux fois, vous êtes séparé de votre deuxième femme, vous avez une fille de moins de vingt ans avec laquelle vos rapports sont difficiles, vous avez voté Giscard aux deux tours de la dernière élection présidentielle et vous le referez l'an prochain, vous avez perdu un coéquipier dans l'exercice de ses fonctions, peut-être par votre faute, en tout cas vous vous le reprochez ou ne vous sentez pas très à l'aise avec ça, mais votre hiérarchie a estimé que votre responsabilité n'était pas engagée. Et vous êtes allé voir le dernier James Bond au cinéma mais vous préférez quand même un bon Maigret à la télé ou les films avec Lino Ventura. »

Très, très long silence. À l'autre bout de la salle, Spinoza réincarné raconte sous les vivats de la foule comment lui et sa bande sont venus à bout du groupe Fourier rose. Bayard murmure d'une voix blanche :

« Qu'est-ce qui vous fait dire ça ?

— Eh bien, c'est très simple ! (Encore un silence mais, cette fois, ménagé par le jeune prof. Bayard ne bronche pas, n'était un léger tressaillement dans les doigts de sa main droite. L'homme aux bottes de lézard mauve entame *a cappella* une chanson des Rolling Stones.) Lorsque vous êtes venu me voir à la fin du cours, tout à l'heure, dans ma salle de classe, vous vous êtes spontanément placé de manière à ne tourner le dos ni à la porte ni à la fenêtre. Ce n'est pas à l'école de la police qu'on vous apprend ça mais à l'armée. Le fait que ce réflexe vous soit resté signifie que votre expérience militaire ne s'est pas limitée à un service simple mais vous a suffisamment marqué pour que vous en ayez conservé des habitudes inconscientes. Vous avez donc probablement combattu et vous n'êtes pas assez vieux pour avoir fait l'Indochine, donc je pense que vous avez été envoyé en Algérie. Vous êtes dans la police, donc forcément de droite, comme le confirme votre hostilité de principe aux étudiants et aux intellectuels (manifeste depuis le début de notre conversation), mais en tant qu'ancien d'Algérie, vous avez vécu l'indépendance accordée par de Gaulle comme une trahison, en conséquence de quoi vous avez refusé de voter pour Chaban, le candidat gaulliste, et vous êtes trop rationnel (qualité requise par votre métier) pour donner votre voix à un candidat comme Le Pen qui ne pèse rien et n'a strictement aucune chance de jamais figurer au second tour, donc votre vote s'est naturellement reporté sur Giscard. Vous êtes venu seul, ce qui est contraire à toutes les règles de la police française, où les policiers se déplacent toujours au moins par deux, donc vous avez obtenu un régime spécial, une faveur qui n'a pu vous être accordée que pour un motif grave comme la perte d'un coéquipier. Le traumatisme est tel que vous ne supportez plus l'idée d'en avoir un nouveau et vos supérieurs vous ont autorisé à opérer en solo. Comme ça, vous pouvez vous prendre pour Maigret qui, à en juger par votre imperméable, constitue pour vous une référence, inconsciente ou non (le commissaire Moulin, avec son blouson en cuir, est sans doute trop jeune pour que vous puissiez vous identifier et, hum, vous n'avez pas les moyens de vous habiller comme James Bond). Vous portez une alliance à la main droite mais vous avez encore la marque d'un anneau à l'annulaire gauche. Vous avez sans doute voulu éviter une impression de répétition en changeant de main pour le second mariage, afin de conjurer le sort, en quelque sorte. Cela n'a pas suffi, apparemment, puisque votre chemise froissée, à cette heure matinale, atteste que personne ne s'occupe du repassage chez vous ; or, conformément au modèle petit-bourgeois qui est celui de votre milieu socioculturel, votre femme, si elle vivait encore avec vous, ne vous aurait pas laissé sortir avec des vêtements non repassés. »

On pourrait croire que le silence qui suit va durer vingt-quatre heures.

« Et pour ma fille ? »

Le doctorant, faussement modeste, balaie l'air d'un geste de la main :

« Ce serait trop long à expliquer. »

En fait, il s'est laissé emporter par son élan. Il a trouvé qu'ajouter une fille, ça faisait bien dans le tableau.

« D'accord, suivez-moi.

— Pardon ? Où ça ? Vous m'arrêtez ?

— Je vous réquisitionne. Vous m'avez l'air un peu moins abruti que les chevelus habituels et j'ai besoin d'un traducteur pour toutes ces conneries.

— Mais… non, je regrette, c'est tout à fait impossible ! J'ai mon cours à préparer pour demain, et je dois rédiger ma thèse et j'ai un livre à rendre à la bibliothèque…

— Écoute-moi, petit con : tu viens avec moi, tu comprends ?

— Mais… où ça ?

— Interroger les suspects.

— Les suspects ? Mais je croyais que c'était un accident !

— Je voulais dire les témoins. Allons-y. »

La bande des jeunes fans rassemblés autour de l'homme aux bottes de lézard mauve scande « Spinoza encule Hegel ! Spinoza encule Hegel ! À bas la dialectique ! » En sortant, Bayard et son nouvel assistant laissent passer un groupe de maos apparemment décidés à casser du spinoziste aux cris de « Badiou avec nous ! »

12

Roland Barthes habitait rue Servandoni, à côté de l'église Saint-Sulpice, à deux pas du jardin du Luxembourg. Je vais me garer là où, je suppose, Bayard a garé sa 504, devant l'entrée du numéro 11. Je vous épargne le copier-coller, désormais d'usage, de la notice Wikipédia : l'hôtel particulier dessiné par tel architecte italien pour le compte de tel évêque de Bretagne, etc.

C'est un bel immeuble bourgeois, bonne pierre blanche, large portail en fer forgé. Devant le portail, un employé de la société Vinci s'affaire pour installer un digicode. (Vinci ne s'appelle pas encore Vinci à l'époque et appartient à la CGE, la Compagnie Générale d'Électricité, future Alcatel, mais cela, Simon Herzog ne peut pas le savoir.) Il faut traverser la cour et prendre l'escalier B, sur la droite, tout de suite après la loge de la concierge. Barthes et sa famille avaient deux appartements, au deuxième et au cinquième, ainsi que deux chambres de bonne jumelées qui lui servaient de bureau au sixième. Bayard demande les clés à la concierge. Simon Herzog demande à Bayard ce qu'ils sont venus chercher, Bayard n'en a aucune idée, ils prennent l'escalier parce qu'il n'y a pas d'ascenseur.

Dans l'appartement du deuxième étage, la décoration est vieillotte, il y a des horloges en bois, c'est très bien rangé, très propre, y compris la pièce qui sert de bureau, à côté du lit il y a un transistor et un exemplaire des *Mémoires d'outre-tombe*, mais Barthes travaillait surtout dans sa chambre de bonne, au sixième.

Dans l'appartement du cinquième, les deux hommes sont accueillis par le petit frère de Barthes et sa femme, une Arabe, note Bayard, jolie, note Simon, qui les invite sûrement à boire un thé. Le petit frère leur explique que les deux appartements du deuxième et du cinquième sont identiques. Pendant un temps, Barthes, sa mère et son petit frère vivaient au cinquième, mais lorsque sa mère est tombée malade, elle est devenue trop faible pour monter les cinq étages, alors comme l'appartement du deuxième s'était libéré, Barthes l'a acheté et s'est installé avec elle. Roland Barthes voyait beaucoup de monde, il sortait beaucoup, surtout depuis la mort de leur mère, mais le petit frère dit qu'il ignore tout de ses fréquentations. Il sait seulement qu'il allait souvent au Flore, où il donnait ses rendez-vous professionnels et où il rejoignait des amis.

Au sixième, il s'agit en fait de deux chambres de bonne contiguës qui ont été réunies pour faire un petit deux-pièces. Il y a une table posée sur des tréteaux qui sert de bureau, un lit en fer, un coin cuisine avec du thé japonais sur le frigo, des livres partout, des tasses de café posées à côté de cendriers à moitié pleins ; c'est plus vieux, plus sale et plus en désordre, mais il y a un piano, une platine, des disques de musique classique (Schumann, Schubert) et des boîtes à chaussures avec des fiches, des clés, des gants, des cartes, des articles découpés.

Une trappe permet de communiquer avec l'appartement du cinquième sans passer par le palier.

Sur le mur, Simon Herzog reconnaît les photos étranges de *La Chambre claire*, le dernier livre de Barthes qui vient de sortir, et, parmi elles, la photo jaunie d'une petite fille dans un jardin d'hiver, sa mère adorée.

Bayard demande à Simon Herzog de jeter un coup d'œil aux fiches et à la bibliothèque. Simon Herzog, comme le font tous les littéraires du monde quand ils arrivent chez quelqu'un, même lorsqu'ils ne sont pas expressément venus pour ça, examine avec curiosité les livres de la bibliothèque : Proust, Pascal, Sade, encore

Chateaubriand, peu de contemporains, à part quelques ouvrages de Sollers, Kristeva et Robbe-Grillet, ou sinon des dictionnaires, des ouvrages critiques, Todorov, Genette, et des ouvrages de linguistique, Saussure, Austin, Searle… Sur le bureau, une feuille est engagée dans la machine à écrire. Simon Herzog lit le titre : « On échoue toujours à parler de ce qu'on aime. » Il parcourt le texte rapidement, c'est sur Stendhal. Simon s'émeut à imaginer Barthes assis à ce bureau, pensant à Stendhal, à l'amour, à l'Italie, sans se douter que chaque heure passée à taper cet article le rapprochait du moment où il allait se faire renverser par une camionnette de blanchisserie.

À côté de la machine à écrire, il y a les *Essais de linguistique générale* de Jakobson, avec un marque-page qui fait l'effet à Simon Herzog d'une montre arrêtée trouvée au poignet de la victime : quand Barthes s'est fait renverser par la camionnette, voilà donc à quoi son esprit était occupé. Il était précisément en train de relire le chapitre sur les fonctions du langage. En fait de marque-page, Barthes s'est servi d'une feuille de papier pliée en quatre. Simon Herzog déplie la feuille, ce sont des notes prises d'une écriture serrée qu'il ne cherche pas à déchiffrer, il replie la feuille sans la lire et la replace scrupuleusement au bon endroit pour que, lorsque Barthes rentrera chez lui, il puisse retrouver sa page.

Au bord du bureau, un peu de courrier ouvert, beaucoup de courrier fermé, d'autres feuillets gribouillés de la même écriture serrée, quelques numéros du *Nouvel Observateur*, des articles de journaux et des photos découpées dans des magazines. Des cigarettes sont empilées comme des stères de bois. Simon Herzog sent une tristesse l'envahir. Pendant que Bayard farfouille sous le petit lit de fer, il se penche pour regarder par la fenêtre. En bas, il aperçoit une DS noire arrêtée en double file et il sourit du symbole, la DS étant l'emblème et la plus célèbre des *Mythologies* de Barthes, celle qui avait été choisie pour figurer en couverture de son célèbre recueil d'articles. Il entend monter l'écho des coups de burin donnés par l'employé de Vinci creusant dans la pierre l'encoche qui doit accueillir le clavier métallique du futur digicode. Le ciel a blanchi. Sous l'horizon, au-delà des immeubles, il devine les arbres du Luxembourg.

Bayard le tire de sa rêverie en déposant sur le bureau une pile de magazines qu'il a trouvés sous le lit, et ce ne sont pas de vieux numéros du *Nouvel Obs*. Avec un air de satisfaction hargneuse, il lance à Simon : « Il aimait les bites, l'intello ! » Étalées devant lui, Simon Herzog voit des couvertures avec des hommes nus, jeunes et musclés, qui prennent la pose en le regardant d'un air insolent. Je ne sais pas s'il était de notoriété publique, à l'époque, que Barthes était homosexuel. Quand il a écrit *Fragments d'un discours amoureux*, son best-seller, il avait bien pris soin de ne jamais caractériser en genre l'objet amoureux, s'ingéniant à rester dans des formulations neutres du type « le partenaire » ou « l'autre » (qui appellent grammaticalement, l'air de rien, des reprises pronominales en « il » puisque en français le neutre est masculin). Je sais que Barthes, contrairement à Foucault qui affichait une homosexualité plus revendicative, était très discret, honteux peut-être, en tout cas très soucieux de préserver les apparences, au moins jusqu'à la mort de sa mère. Foucault lui en a d'ailleurs voulu et l'a un peu méprisé pour ça, je crois. Mais j'ignore si, dans le grand public ou dans les cercles universitaires, des rumeurs circulaient ou même si la chose était connue de tous. En tout cas, si Simon Herzog était au courant de l'homosexualité de Barthes, il n'avait pas cru devoir, à ce stade de l'enquête, en informer le commissaire Bayard.

Au moment où celui-ci déplie en ricanant la page centrale d'un magazine nommé *Gai Pied*, le téléphone se met à sonner. Bayard arrête de ricaner. Il repose le magazine sur le bureau sans prendre la peine de replier la page centrale et s'immobilise. Il regarde Simon Herzog qui le regarde aussi, pendant que le bel éphèbe de la photo qui se tient la bite les regarde tous les deux et que le téléphone continue à sonner. Bayard laisse encore passer quelques sonneries et décroche sans dire un mot. Simon l'observe qui reste muet pendant plusieurs secondes. Il entend aussi le silence à l'autre bout du fil et, instinctivement, il arrête de respirer. Lorsque Bayard finit par dire « allô », on entend un clic de l'autre côté, suivi du « bip-bip » qui indique la fin de la communication. Bayard raccroche, perplexe. Simon Herzog demande stupidement : « Une erreur ? » Dans la rue, par la fenêtre ouverte, on entend le moteur d'une voiture qui démarre. Bayard embarque les magazines porno et les deux hommes quittent la chambre. Simon Herzog se dit : « J'aurais dû fermer la fenêtre. Il va pleuvoir. » Jacques Bayard se dit : « Enculés de pédés d'intellos… »

Ils sonnent chez la concierge pour lui rendre les clés mais personne ne répond. L'ouvrier préposé à l'installation du digicode leur propose de les prendre pour les lui remettre quand elle reviendra, mais Bayard préfère remonter les donner au petit frère.

Quand il redescend, Simon Herzog fume une cigarette avec l'ouvrier qui fait une pause. En sortant dans la rue, Bayard ne reprend pas la 504. « Où va-t-on ? » lui demande Simon Herzog. « Au Café de Flore », répond Bayard. « Vous avez remarqué, l'installateur du digicode ? lui dit Simon. Il avait un accent slave, non ? » Bayard grommelle : « Tant qu'il est pas conducteur de char, je m'en fous. » En traversant la place Saint-Sulpice, les deux hommes croisent une Fuego bleue et Bayard prend un air d'expert pour dire à Simon Herzog : « C'est la nouvelle Renault, elle sort à peine de l'usine. » Simon Herzog pense machinalement que les ouvriers qui ont construit cette voiture ne pourraient pas se la payer même en s'y mettant à dix et, perdu dans ses considérations marxistes, ne fait pas attention aux deux Japonais qui sont à bord.

13

Au Flore, à côté d'une petite bonne femme blonde, ils aperçoivent un homme qui louche derrière de grosses lunettes, il a l'air souffreteux et sa tête de grenouille dit vaguement quelque chose à Bayard, mais ce n'est pas pour lui qu'ils sont là. Bayard repère les hommes de moins de trente ans et va les aborder. La plupart sont des gigolos qui draguent dans le secteur. Est-ce qu'ils connaissaient Barthes ? Tous. Bayard les interroge un par un tandis que Simon Herzog surveille Sartre du coin de l'œil : il n'a pas l'air en forme du tout, il n'arrête pas de tousser en tirant sur sa cigarette. Françoise Sagan lui tapote le dos avec sollicitude. Le dernier à avoir vu Barthes est un jeune Marocain : le grand critique était en pourparlers avec un nouveau, il ne connaît pas son nom, ils sont partis ensemble l'autre jour, il ne sait pas ce qu'ils ont fait ni où ils sont allés ni où il habite mais il sait où on peut le trouver, ce soir : aux Bains Diderot, c'est un sauna, à Gare de Lyon. « Un sauna ? » s'étonne Simon Herzog, quand surgit un énergumène en écharpe qui lance à la cantonade : « Regardez-moi ces gueules ! Elles n'en ont plus pour longtemps ! En vérité, je vous le dis : un bourgeois doit régner ou mourir ! Buvez ! Buvez votre Fernet à la santé de votre société ! Profitez, profitez ! Chassez ! Périclitez ! Vive Bokassa ! » Quelques conversations s'interrompent, les habitués observent le nouveau venu d'un œil morne, les touristes essaient de profiter de l'attraction sans bien comprendre de quoi il s'agit, mais les serveurs continuent à servir comme si de rien n'était. Son bras balaie la salle d'un geste théâtral outré et, s'adressant à un interlocuteur imaginaire, le prophète à écharpe s'exclame sur un ton victorieux : « Pas la peine de courir, camarade, le vieux monde est devant toi ! »

Bayard demande qui est cet homme ; le gigolo lui répond que c'est Jean-Edern Hallier, une sorte d'écrivain aristocrate qui fait souvent du ramdam et qui dit qu'il va être ministre si Mitterrand gagne l'an prochain. Bayard note la bouche en V inversé, les yeux bleus brillants, l'accent typique des aristocrates ou des grands bourgeois qui confine au défaut de prononciation. Il reprend son interrogatoire : comment il est, ce nouveau ? Le jeune Marocain lui décrit un Arabe avec un accent du Sud, une petite boucle d'oreille, et les cheveux qui lui tombent sur le visage. Jean-Edern vante pêle-mêle, toujours à tue-tête, les mérites de l'écologie, de l'euthanasie, des radios libres et des *Métamorphoses* d'Ovide. Simon Herzog regarde Sartre qui regarde Jean-Edern. Quand celui-ci s'aperçoit que Sartre est là, il tressaille. Sartre le fixe d'un air méditatif. Françoise Sagan lui parle à l'oreille, comme une traductrice simultanée. Jean-Edern plisse les yeux, ce qui accentue son air de fouine sous ses épais cheveux frisés, se tait quelques secondes en ayant l'air de réfléchir, puis se remet à déclamer : « L'existentialisme est un botulisme ! Vive le troisième sexe ! Vive le quatrième ! Il ne faut pas désespérer la Coupole ! » Bayard explique à Simon Herzog qu'il doit l'accompagner aux Bains Diderot pour l'aider à retrouver ce gigolo inconnu. Jean-Edern Hallier va se poster devant Sartre, tend le bras en l'air, la main à plat, et crie en faisant claquer ses mocassins : « Heil Althusser ! » Simon Herzog proteste que sa présence n'est absolument pas indispensable. Sartre tousse et se rallume une gitane. Bayard dit que bien au contraire, un petit pédé d'intello lui sera très utile pour retrouver le suspect. Jean-Edern se met à chanter des obscénités sur le thème de l'*Internationale*. Simon Herzog dit qu'il est trop tard pour s'acheter un maillot de bain. Bayard ricane et lui dit qu'il n'en aura pas besoin. Sartre déplie *Le Monde* et commence à faire les mots croisés. (Comme il est presque aveugle, c'est

Françoise Sagan qui lui lit la grille.) Jean-Edern aperçoit quelque chose dans la rue et se précipite dehors en criant : « Modernité ! Je chie ton nom ! » Il est déjà 7 heures, la nuit est tombée. Le commissaire Bayard et Simon Herzog retournent chercher la 504 garée devant chez Barthes, Bayard débarrasse le pare-brise de trois ou quatre contraventions et ils prennent la direction de République, suivis par une DS noire et par une Fuego bleue.

14

Jacques Bayard et Simon Herzog déambulent dans les vapeurs du sauna, une petite serviette blanche nouée à la taille, au milieu de silhouettes en sueur qui se frôlent furtivement. Le commissaire a laissé sa carte aux vestiaires, ils sont là incognito, il s'agit de ne pas effrayer le gigolo à boucle d'oreille, s'ils le repèrent.

À vrai dire, ils forment un couple assez crédible : le vieux baraqué, torse velu, qui mate d'un air inquisiteur, et le jeune maigrichon, glabre, qui jette des coups d'œil à la dérobée. Simon Herzog, avec son air d'anthropologue apeuré, excite les convoitises, les hommes qu'il croise le dévisagent longuement et se retournent sur son passage, mais Bayard, lui aussi, obtient un certain succès. Deux ou trois jeunes lui lancent des regards aguicheurs et un gros le fixe à distance, le poing fermé sur son sexe : apparemment, le style Lino Ventura a ses adeptes. Si Bayard enrage que ce ramassis de pédés puisse le prendre pour l'un des leurs, il est assez professionnel pour le dissimuler, se contentant d'arborer un air légèrement hostile afin de décourager toute tentative d'approche.

Le complexe se répartit en différents espaces : sauna proprement dit, hammam, piscine, backrooms aux configurations diverses. La faune est également assez variée ; tous les âges, toutes les tailles, toutes les corpulences sont représentés. Mais pour ce que sont venus chercher le commissaire et son aide, il y a un problème : la moitié des hommes présents porte une boucle d'oreille, et le chiffre atteint presque 100 % pour les moins de trente ans, quasiment tous maghrébins. Malheureusement, l'indice des cheveux n'est pas plus utilisable : ceux qui, parmi les jeunes, sont susceptibles d'avoir une frange qui leur tombe sur le visage sont indétectables dans un tel environnement car lorsqu'on a les cheveux mouillés, on les plaque machinalement en arrière.

Reste le dernier indice : l'accent du Sud. Mais cela suppose, tôt ou tard, d'établir un contact verbal.

Dans un coin du sauna, sur un banc de céramique, deux jeunes éphèbes s'embrassent en se branlant mutuellement. Discrètement, Bayard se penche au-dessus d'eux pour vérifier s'ils portent une boucle d'oreille. Oui, les deux. Mais s'ils étaient gigolos, perdraient-ils leur temps l'un avec l'autre ? C'est possible, Bayard n'a jamais travaillé à la Mondaine et n'est pas un spécialiste des mœurs. Il entraîne Simon dans un tour du propriétaire. On y voit mal, la lumière est tamisée, la vapeur d'eau forme un épais brouillard, et certains s'isolent dans des backrooms d'où on ne peut les observer qu'à travers des fenêtres à barreaux. Ils croisent un Arabe à l'air ahuri qui cherche à toucher le sexe de tout le monde, deux Japonais, deux moustachus aux cheveux gras, des gros tatoués, des vieux lascifs, des jeunes au regard de velours. Les gens portent leur serviette autour de la taille ou sur l'épaule, tout le monde est nu dans la piscine, certains bandent, d'autres pas. Là aussi il y a toutes les tailles et toutes les formes. Bayard essaie de trier les porteurs de boucle d'oreille et quand il en a repéré quatre ou cinq, il en désigne un à Simon et lui ordonne d'aller lui parler.

Simon Herzog sait bien qu'il serait plus logique que ce soit Bayard qui aille aborder le gigolo et pas lui mais, face au visage fermé du flic, il comprend qu'il est inutile de discuter. Gauchement, il s'approche du gigolo et lui dit bonsoir. Sa voix tremble. L'autre sourit mais ne répond rien. Sorti de sa salle de cours, Simon Herzog est d'une nature plutôt timide, il n'a jamais été un grand dragueur. Il parvient à articuler une ou deux banalités qu'il juge aussitôt déplacées ou ridicules. Sans un mot, l'autre lui prend la main et l'entraîne vers les backrooms. Simon, sans force, le suit. Il sait qu'il doit réagir vite. Il demande d'une voix blanche : « Comment tu t'appelles ? » L'autre répond : « Patrick. » Ni *o* ni *eu* pour détecter l'accent du Sud. Simon entre dans une petite cellule à la suite du jeune homme qui l'attrape par les hanches et s'agenouille face à lui. Simon bredouille, dans l'espoir de lui faire prononcer une phrase complète : « Tu veux pas que ce soit moi qui commence, plutôt ? » L'autre dit non et passe sa main sous la serviette de Simon qui tressaille. La serviette tombe. Simon constate avec surprise que sa queue sous les doigts du jeune homme n'est pas tout à fait au repos. Il décide alors de jouer son va-tout : « Attends, attends ! Tu sais ce que je voudrais ? » L'autre demande : « Quoi ? » Toujours pas assez de syllabes pour détecter l'accent. « Je voudrais te chier dessus ! » L'autre le regarde, surpris. « Je peux ? » Alors enfin Patrick répond sans aucun accent méridional : « D'accord mais ce sera plus cher ! » Simon Herzog ramasse sa serviette et s'enfuit en laissant échapper : « Tant pis ! Une autre fois ? » S'il doit faire ça avec la douzaine de gigolos potentiels qui gravitent dans la boîte, la soirée risque d'être longue. Il recroise l'Arabe ahuri qui essaie de lui toucher la queue au passage, les deux moustachus, les deux Japonais, les gros tatoués, les jeunes éphèbes, et rejoint Bayard au moment où retentit une voix forte, professorale et nasillarde : « Un valet de l'ordre exhibe ses muscles répressifs dans un lieu de biopouvoir ? Quoi de plus normal ! »

Derrière Bayard, un chauve au corps sec et à la mâchoire carrée est assis, nu, les bras en croix appuyés sur le dossier d'un banc de bois, les jambes largement écartées, en train de se faire sucer par un jeune homme filiforme qui porte une boucle d'oreille mais qui a les cheveux courts. « Avez-vous trouvé quelque chose d'intéressant, commissaire ? » demande Michel Foucault en dévisageant Simon Herzog.

Bayard contient sa surprise mais ne sait pas quoi répondre. Simon Herzog ouvre de grands yeux. L'écho des backrooms remplit le silence avec des cris et des gémissements. Les moustachus, dans l'ombre, se tiennent par la main en observant Bayard, Herzog et Foucault à la dérobée. L'Arabe toucheur de queues déambule. Les Japonais font mine d'aller se baigner dans la piscine avec leur serviette sur la tête. Les tatoués accostent les éphèbes ou l'inverse. Michel Foucault interroge Bayard : « Comment trouvez-vous cet endroit, commissaire ? » Bayard ne répond rien, on entend juste l'écho des backrooms : « Han ! Han ! » Foucault : « Vous êtes venu pour chercher quelqu'un mais vous l'avez déjà trouvé, à ce qu'il semble. » Il désigne Simon Herzog en riant : « Votre Alcibiade ! » Les backrooms : « Han ! Han ! » Bayard : « Je cherche quelqu'un qui a vu Roland Barthes peu de temps avant son accident. » Foucault, caressant la tête du jeune homme qui s'affaire entre ses jambes : « Roland avait un secret, vous savez… » Bayard demande lequel. Les backrooms ahanent de plus en plus fort. Foucault explique à Bayard que Barthes concevait le sexe à la manière occidentale, c'est-à-dire à la fois comme une chose secrète et comme une chose dont il fallait percer le secret. « Roland Barthes, dit-il, c'est la brebis qui voulait être pasteur. Et qui l'a été ! On ne peut plus brillamment ! Mais pour tout le reste. Pour le sexe, il est toujours resté brebis. » Les backrooms mugissent : « Ha ! Ha ! Ha ! Ha ! » L'Arabe toucheur essaie de passer la main sous la serviette de Simon qui le repousse doucement, alors il s'en va approcher les moustachus. « Au fond, dit Foucault, Roland avait un tempérament chrétien. Il venait ici comme les premiers chrétiens allaient à la messe : sans rien y comprendre mais avec ferveur. Il y croyait sans savoir pourquoi. » (Dans les backrooms : « Oui ! Oui ! ») « L'homosexualité vous dégoûte, n'est-ce pas, commissaire ? ("Plus fort ! Plus fort !") Pourtant c'est vous qui nous avez créés. La notion d'homosexualité masculine n'existait pas dans la Grèce antique : Socrate pouvait s'enfiler Alcibiade sans passer pour un pédéraste, les Grecs avaient une idée plus haute de ce que pouvait être la corruption de la jeunesse… »

Foucault renverse la tête en arrière en fermant les yeux, sans que Bayard ni Herzog puissent déterminer s'il s'abandonne au plaisir ou s'il réfléchit. Et toujours le chœur qui monte des backrooms : « Oh ! Oh ! »

Foucault rouvre les yeux, comme s'il venait de se rappeler quelque chose : « Et pourtant les Grecs aussi avaient leur limite. Ils déniaient au jeune garçon sa part de plaisir. Ils ne pouvaient pas l'interdire, bien sûr, mais ils ne le concevaient pas, et finalement, procédaient comme nous : ils se contentaient d'exclure par la bienséance. (Les backrooms : "Non ! Non ! Non !") La bienséance est toujours le plus efficace des moyens de coercition, en fin de compte… » Il se désigne l'entrejambe : « Ceci n'est pas une pipe, comme dirait Magritte, haha ! » puis il redresse la tête du jeune homme qui n'a pas cessé de le pomper consciencieusement : « Mais toi, tu aimes me sucer, n'est-ce pas, Hamed ? » Le jeune homme hoche doucement la tête. Foucault le regarde avec tendresse et dit, en lui caressant la joue : « Ça te va bien, les cheveux courts. » Le jeune homme répond en souriant : « Merci bieng ! »

Bayard et Herzog ont tendu l'oreille, ils ne sont pas sûrs d'avoir bien entendu mais il ajoute : « Tu es gentil, Michel, et tu as uneu belleu queue, con ! »

15

Oui, il a vu Roland Barthes, il y a quelques jours. Non, ils n'ont pas vraiment eu de relation sexuelle. Barthes appelait ça « faire du bateau ». Mais il n'était pas très actif. Plutôt sentimental. Il lui a payé une omelette à La Coupole et après il a insisté pour le ramener dans sa chambre de bonne. Ils ont bu un thé. Ils n'ont parlé de rien de spécial, Barthes n'était pas très bavard. Il était pensif. Avant de le quitter, il lui a demandé : « Que ferais-tu si tu étais le maître du monde ? » Le gigolo avait répondu qu'il abolirait toutes les lois. Barthes avait dit : « Même la grammaire ? »

16

C'est un calme relatif qui règne dans le hall de la Pitié-Salpêtrière. Les amis, admirateurs, connaissances ou curieux de Roland Barthes, se relayant jour après jour au chevet du grand homme, peuplent le hall de l'hôpital en devisant à voix basse, une cigarette, un sandwich, un journal, un livre de Guy Debord ou un roman de Kundera à la main, quand soudain surgissent trois apparitions, une femme, petite taille, cheveux courts, énergique, encadrée par deux hommes, l'un, chemise blanche, dépoitraillé, long manteau noir, cheveux noirs au vent, l'autre, tête d'oiseau, fume-cigarette aux lèvres, cheveux beiges.

L'escadrille fend la foule d'un pas décidé, on sent qu'il va se passer quelque chose, il y a de l'opération Overlord dans l'air, ils s'engouffrent dans le pavillon des comateux. Ceux qui sont là pour Barthes se questionnent du regard, les autres visiteurs aussi. Cinq minutes ne se sont pas écoulées qu'on entend les premiers éclats de voix : « On le laisse mourir ! On le laisse mourir ! »

Les trois anges de la vengeance reviennent déchaînés du royaume des morts : « C'est un mouroir ! C'est un scandale ! De qui se moque-t-on ? Pourquoi personne ne nous a prévenus ? Si nous avions été là ! » Dommage qu'il n'y ait pas eu de photographe dans la salle pour immortaliser ce grand moment de l'histoire des intellectuels français : Kristeva, Sollers, BHL en train de houspiller le personnel hospitalier pour dénoncer les conditions indignes dans lesquelles on traite un patient aussi prestigieux que leur grand ami Roland Barthes.

Le lecteur s'étonnera peut-être de la présence de BHL mais, déjà à l'époque, il est dans tous les bons coups. Barthes l'a soutenu en tant que « nouveau philosophe » dans des termes un peu opaques mais néanmoins relativement officiels et il s'est d'ailleurs fait incendier par Deleuze pour ça. Barthes a toujours été faible, il ne savait pas dire non, d'après ses amis. Quand BHL lui envoie un exemplaire de *La Barbarie à visage humain*, à sa parution en 1977, il se fend d'une réponse polie où il se contente, sans s'attarder sur le fond, de louanges sur le style. Qu'à cela ne tienne, BHL fait publier la lettre dans *Les Nouvelles littéraires*, s'acoquine avec Sollers, et le voilà trois ans plus tard qui hausse le ton à la Salpêtrière, témoignant d'une sollicitude bruyante pour son ami le grand critique.

Or, pendant que lui et ses deux acolytes poursuivent leur esclandre en aboyant sur le malheureux personnel médical (« Il faut le transférer immédiatement ! À l'Hôpital américain ! Appelez Neuilly ! »), deux silhouettes en costume mal coupé se faufilent dans le couloir et personne n'y prend garde. Jacques Bayard, présent sur les lieux, observe, perplexe, légèrement ahuri, les moulinets du grand brun en manteau noir et les piaillements des deux autres. Simon Herzog, à ses côtés, remplissant la tâche pour laquelle il a été réquisitionné, lui explique qui sont ces gens, penché sur son oreille à la manière d'un traducteur simultané, tandis que les trois vengeurs éructent, parcourant le hall de l'hôpital en un quadrillage apparemment erratique mais dont je ne serais pas surpris qu'il obéisse à quelque obscure chorégraphie tactique.

Ils aboient encore (« Vous savez qui c'est ? Vous pouvez faire semblant de croire qu'on peut traiter Roland Barthes comme n'importe quel patient ? » Toujours, chez ces gens-là, la recherche de privilèges comme marque d'élection…) lorsque les deux silhouettes mal habillées réapparaissent dans le hall avant de s'éclipser discrètement. Et ils sont encore là lorsque surgit une infirmière affolée, une blonde aux jambes fuselées, qui vient chuchoter quelque chose à l'oreille du docteur. S'ensuit un mouvement général, on se bouscule, on s'engouffre dans le couloir, on se précipite dans la chambre de Barthes. Le grand critique gît par terre, désintubé, tous ses fils arrachés, sa tunique d'hôpital fine comme du papier dévoilant ses fesses molles. Il râle tandis qu'on le retourne et roule des yeux éperdus, mais lorsqu'il aperçoit le commissaire

Jacques Bayard qui a rejoint les docteurs, il se redresse en un effort surhumain, le saisit par la veste, l'obligeant à s'accroupir, et prononce distinctement quoique faiblement, de sa fameuse voix de basse qui ressemble à s'y méprendre à celle de Philippe Noiret, mais brisée et comme dans un hoquet :

« Sophia ! Elle sait… »

Dans l'encadrement de la porte, il aperçoit Kristeva, à côté de l'infirmière blonde, ses yeux se fixent sur elle pendant de longues secondes, tout le monde se fige dans la chambre, docteurs, infirmières, amis, policiers, tétanisés par l'intensité de son regard éperdu, puis il perd connaissance.

Dehors, une DS noire démarre en faisant crisser ses pneus. Simon Herzog, qui est resté dans le hall, n'y prête pas attention.

Bayard demande à Kristeva : « Sophia, c'est vous ? » Kristeva répond non. Mais comme il attend la suite, elle finit par ajouter, en prononçant à la française, avec le *j* et le *u* palatalisés : « Je m'appelle Julia. » Bayard détecte vaguement son accent étranger, il se dit que ça doit être une Italienne, ou une Allemande, ou peut-être une Grecque, ou une Brésilienne, ou une Russe. Il lui trouve le visage dur, il n'aime pas le regard perçant qu'elle lui lance, il sent bien que ces petits yeux noirs veulent lui dire qu'elle est une femme intelligente, plus intelligente que lui et qu'elle le méprise d'être un gros con de flic. Machinalement, il demande : « Profession ? » Et quand elle prend un air dédaigneux pour répondre « psychanalyste », il a envie, instinctivement, de la gifler mais il se retient. Il a encore les deux autres à interroger.

L'infirmière blonde remet Barthes dans son lit, il est toujours inconscient, Bayard fait placer deux policiers en faction devant sa chambre et interdit les visites jusqu'à nouvel ordre. Puis il se tourne vers les deux gugusses.

Nom, prénom, âge, profession.

Joyaux Philippe, dit Sollers, quarante-quatre ans, écrivain, marié à Julia Joyaux née Kristeva.

Lévy Bernard-Henri, trente-deux ans, philosophe, ancien élève de l'École normale supérieure.

Les deux hommes n'étaient pas à Paris quand c'est arrivé. Barthes et Sollers étaient très proches… Barthes a participé à la revue *Tel Quel* de Philippe Joyaux dit Sollers, et ils sont allés en Chine ensemble avec Julia il y a quelques années… Quoi faire ? Voyage d'étude… Sales communistes, se dit Bayard. Barthes a écrit plusieurs articles louangeurs sur le travail de Sollers… Barthes est comme un père pour Sollers, même si parfois on dirait que Barthes est un petit garçon… Et Kristeva ? Barthes a déclaré un jour que s'il aimait les femmes, il serait amoureux de Julia… Il l'adorait… Et vous n'étiez pas jaloux, monsieur Joyaux ? Hahaha… Nous ne sommes pas dans ce type de relation, avec Julia… Et puis le pauvre Roland, il n'était déjà pas très heureux avec les hommes… Pourquoi ? Il ne savait pas s'y prendre… il se faisait toujours avoir !… Je vois. Et vous, monsieur Lévy ? Je l'admire beaucoup, c'est un grand homme. Vous aussi, vous avez voyagé avec lui ? J'avais plusieurs projets à lui soumettre. Quel genre de projets ? Un projet de film sur la vie de Charles Baudelaire, je comptais lui proposer le rôle-titre, un projet d'interview croisée avec Soljenitsyne, un projet de pétition pour que l'OTAN aille libérer Cuba. Pouvez-vous fournir des éléments qui accréditent de tels projets ? Oui, bien sûr, j'en ai parlé à André Glucksmann qui peut témoigner. Est-ce que Barthes avait des ennemis ? Oui, beaucoup, répond Sollers. Tout le monde sait qu'il est notre ami et nous avons beaucoup d'ennemis ! Qui ? Les staliniens ! Les fascistes ! Alain Badiou ! Gilles Deleuze ! Pierre Bourdieu ! Cornelius Castoriadis ! Pierre Vidal-Naquet ! Euh, Hélène Cixous ! (BHL : Ah bon, elles sont fâchées, avec Julia ? Sollers : Oui… non… elle est jalouse de Julia à cause de Marguerite…)

Marguerite comment ? Duras. Bayard note tous les noms. Monsieur Joyaux connaît-il un certain Michel Foucault ? Sollers se met à tourner sur lui-même comme un derviche, de plus en plus vite, son fume-cigarette toujours vissé aux lèvres, le bout incandescent dessinant de gracieuses courbes orangées dans le couloir de l'hôpital : « La vérité, monsieur le commissaire ?… Rien que la vérité… toute la vérité… Foucault était jaloux de la notoriété de Barthes… et surtout jaloux que moi, Sollers, j'aimasse Barthes… car Foucault est un tyran de la pire espèce, monsieur le commissaire : domestique… Imaginez-vous, monsieur le représentant de l'ordre public, huf, huf, que Foucault m'avait lancé un ultimatum… “Il faudra choisir entre Barthes et moi !”… Autant choisir entre Montaigne et La Boétie… Entre Racine et Shakespeare… Entre Hugo et Balzac… Entre Goethe et Schiller… Entre Marx et Engels… Entre Merckx et Poulidor… Entre Mao et Lénine… Entre Breton et Aragon… Entre Laurel et Hardy… Entre Sartre et Camus (euh, non, pas eux)… Entre de Gaulle et Tixier-Vignancour… Entre le Plan et le

Marché… Entre Rocard et Mitterrand… Entre Giscard et Chirac… » Sollers ralentit ses rotations, il tousse dans son fume-cigarette. « Entre Pascal et Descartes… Kof kof… Entre Trésor et Platini… Entre Renault et Peugeot… Entre Mazarin et Richelieu… Sssss… » Mais au moment où l'on croit qu'il va s'éteindre, il retrouve un second souffle. « Entre la Rive gauche et la Rive droite… Entre Paris et Pékin… Entre Venise et Rome… Entre Mussolini et Hitler… Entre l'andouille et la purée… »

Soudain, on entend du bruit dans la chambre. Bayard ouvre, il voit Barthes secoué de spasmes qui parle dans son sommeil pendant que l'infirmière essaie de le border. Il parle de « texte étoilé » à la façon d'un « menu séisme », de « blocs de signification » dont la lecture ne saisit que la surface lisse, imperceptiblement soudée par le débit des phrases, le discours coulé de la narration, le grand naturel du langage courant.

Bayard fait immédiatement venir Simon Herzog pour lui traduire. Barthes s'agite de plus en plus dans son lit. Bayard se penche sur lui et lui demande : « Monsieur Barthes, avez-vous vu votre agresseur ? » Barthes ouvre des yeux fous, saisit Bayard par la nuque et déclare, le souffle court, dévoré d'angoisse : « Le signifiant tuteur sera découpé en une suite de courts fragments contigus, qu'on appellera ici des lexies, puisque ce sont des unités de lecture. Ce découpage, il faut le dire, sera on ne peut plus arbitraire ; il n'impliquera aucune responsabilité méthodologique, puisqu'il portera sur le signifiant, alors que l'analyse proposée porte uniquement sur le signifié… » Bayard interroge du regard Herzog qui hausse les épaules. Barthes siffle entre ses dents, l'air menaçant. Bayard lui demande : « Monsieur Barthes, qui est Sophia ? Que sait-elle ? » Barthes le regarde sans comprendre ou en comprenant trop bien et se met à chantonner d'une voix rauque : « Le texte, dans sa masse, est comparable à un ciel, plat et profond à la fois, lisse, sans bords et sans repères ; tel l'augure y découpant du bout de son bâton un rectangle fictif pour y interroger selon certains principes le vol des oiseaux, le commentateur trace le long du texte des zones de lecture, afin d'y observer la migration des sens, l'affleurement des codes, le passage des citations. » Bayard fulmine contre Herzog dont le visage perplexe lui signifie sans équivoque qu'il est incapable de lui traduire ce charabia, mais Barthes est au bord de l'hystérie quand il se met à crier, comme si sa vie en dépendait : « Tout est dans le texte ! Vous comprenez ? Retrouver le texte ! La fonction ! Ah c'est trop bête ! » Puis il retombe sur son oreiller et murmure, comme psalmodiant : « La lexie n'est que l'enveloppement d'un volume sémantique, la ligne de crête du texte pluriel, disposé comme une banquette de sens possibles (mais réglés, attestés par une lecture systématique) sous le flux du discours : la lexie et ses unités formeront ainsi une sorte de cube à facettes, nappé du mot, du groupe de mots, de la phrase ou du paragraphe, autrement dit du langage qui en est l'excipient "naturel". » Et il s'évanouit. Bayard le secoue pour le ranimer, l'infirmière blonde doit l'obliger à reposer le patient et elle fait de nouveau évacuer la chambre.

Lorsque Bayard demande à Simon Herzog de l'affranchir, celui-ci veut lui dire qu'il ne faut pas accorder trop d'importance à Sollers et BHL, mais en même temps le doctorant voit une opportunité, alors il dit avec gourmandise : « Nous devrions commencer par interroger Deleuze. »

En quittant l'hôpital, Simon Herzog se heurte à l'infirmière blonde qui s'occupe de Barthes. « Oh, pardon, mademoiselle ! » Elle lui sourit d'un sourire enjôleur : « Ce n'est rrrien, monsieur. »

17

Hamed se réveille tôt. Les vapeurs et les substances de la veille dont son corps est encore largement imprégné l'arrachent à un mauvais sommeil. Étourdi et vaseux, désorienté, sans repères dans cette chambre inconnue, il lui faut quelques instants pour se rappeler comment il est arrivé là et ce qu'il y a fait. Il se glisse hors du lit en essayant de ne pas réveiller l'homme à côté de lui, enfile son T-shirt sans manches, saute dans son jean Lee Cooper, va se faire un café dans la cuisine, finit au passage le joint d'hier qui traîne dans un cendrier en forme de jacuzzi, attrape son blouson, un Teddy Smith noir et blanc avec un gros F rouge à la place du cœur, et part en claquant la porte.

Dehors il fait beau et une DS noire stationne sur un bateau dans la rue déserte. Hamed profite de l'air frais en écoutant du Blondie dans son Walkman et ne voit pas la DS noire qui démarre et roule au pas derrière lui. Il traverse la Seine, longe le Jardin des Plantes, se dit qu'avec un peu de chance il y aura quelqu'un au

Flore pour lui payer un vrai café, mais au Flore il n'y a que ses collègues gigolos et deux ou trois vieux qui ne consomment pas et Sartre est déjà là, lui aussi, qui tousse en fumant la pipe devant un petit cercle d'étudiants à pull, alors Hamed demande une cigarette à un passant en imper qui promène un beagle aux yeux tristes, et fume devant le Pub Saint-Germain qui n'est pas encore ouvert, avec d'autres jeunes gigolos qui ont l'air comme lui d'avoir peu dormi, trop bu et trop fumé, et qui ont pour la plupart oublié de manger la veille. Il y a Saïd qui lui demande s'il est passé à la Baleine bleue hier, Harold qui lui dit qu'il a failli se taper Amanda Lear au Palace et Slimane qui s'est fait casser la gueule mais qui ne sait plus pourquoi. Ils sont tous d'accord pour dire qu'on se fait chier, Harold irait bien voir *Le Guignolo* à Montparnasse ou à Odéon mais il n'y a pas de séance avant 14 heures. Sur le trottoir d'en face, les deux moustachus ont garé la DS et prennent un café à la brasserie Lipp. Leur costume est chiffonné comme s'ils avaient dormi dans leur voiture et ils ont toujours leur parapluie avec eux. Hamed se dit qu'il ferait mieux de rentrer se coucher mais il n'a pas envie de monter les six étages, alors il tape une autre cigarette à un Noir qui sort du métro et il réfléchit pour savoir s'il doit passer à l'hôpital ou pas. Saïd lui dit que « Babar » est dans le coma mais qu'il serait peut-être content d'entendre sa voix ; il paraît que les comateux entendent, comme les plantes, lorsqu'on leur passe de la musique classique. Harold leur montre son bomber réversible noir doublé orange. Slimane dit qu'hier il a vu passer un poète russe de leur connaissance avec une balafre et qu'il était encore plus beau comme ça et ça le fait glousser. Hamed décide d'aller voir à La Coupole si j'y suis et remonte la rue de Rennes. Les deux moustachus lui emboîtent le pas en oubliant leurs parapluies mais le serveur les rattrape en criant « Messieurs ! Messieurs ! » Il brandit les parapluies comme des épées mais personne n'y prête attention bien que la journée s'annonce a priori ensoleillée. Les deux hommes récupèrent les parapluies et reprennent leur filature. Ils s'arrêtent devant le Cosmos qui joue *Stalker* de Tarkovski et encore un film de guerre soviétique, si bien qu'Hamed prend un peu d'avance mais comme lui aussi flâne devant les boutiques de fringues, il n'y a aucun danger qu'ils le perdent.

Néanmoins, l'un des deux retourne chercher la DS.

18

Rue de Bizerte, entre La Fourche et place Clichy, Gilles Deleuze reçoit les deux enquêteurs. Simon Herzog est ravi de rencontrer le grand philosophe, chez lui, au milieu de ses livres, dans un appartement qui sent la philosophie et le tabac froid. La télé est allumée, il y a du tennis, Simon remarque une profusion d'ouvrages sur Leibniz éparpillés un peu partout, on entend le poc-poc des balles, c'est Connors-Nastase.

Officiellement, les deux hommes sont ici parce que Deleuze a été mis en cause par BHL. L'interrogatoire commence donc par A comme Accusation.

« Monsieur Deleuze, on nous a fait part d'un contentieux entre vous et Roland Barthes. Quelle en était la teneur ? » Poc poc. Deleuze porte à sa bouche une cigarette à demi consumée mais éteinte. Bayard remarque les ongles anormalement longs. « Ah bon ? Ah non. J'ai aucun contentieux avec Roland, en dehors du fait qu'il a soutenu cette nullité, là, le grand con avec sa chemise blanche. »

Simon remarque le chapeau posé sur un porte-chapeau. Ajouté à celui qui est accroché au portemanteau dans l'entrée et à celui sur la commode, ça fait beaucoup de chapeaux, de toutes les couleurs, style Alain Delon dans *Le Samouraï*. Poc poc.

Deleuze se cale dans son fauteuil : « Vous voyez cet Américain ? C'est l'anti-Borg. Enfin non, l'anti-Borg, c'est McEnroe : service égyptien, âme russe, hein, hum hum. (Il tousse.) Mais Connors (il prononce "Connorz"), ce jeu à plat, cette prise de risque permanente, ces balles rasantes… c'est très aristocratique, aussi. Borg : jeu de fond de court, il renvoie la balle, bien au-dessus du filet grâce au *liftage*. N'importe quel prolo peut comprendre ça. Borg, il invente le tennis du prolétaire. McEnroe et Connors, évidemment, ils jouent comme des princes. »

Bayard s'assoit sur le canapé, il sent qu'il va falloir écouter un tas de conneries.

Simon se permet d'objecter : « Mais Connors, c'est l'archétype du peuple, pourtant, non ? C'est le *bad boy*, le sale gosse, le voyou, il triche, il conteste, il râle, il est mauvais joueur, bagarreur, batailleur, incroyablement accrocheur… »

Deleuze réprime un geste d'impatience : « Oui ? Hum hum, c'est intéressant comme objection. »

Bayard demande : « Il est possible qu'on ait voulu voler quelque chose à M. Barthes. Un document. Auriez-vous une idée, monsieur Deleuze ? »

Deleuze se tourne vers Simon : « Il n'est pas sûr que la question *qu'est-ce que ?* soit une bonne question. Il se peut que des questions du type : *qui ? combien ? comment ? où ? quand ?* soient meilleures. »

Bayard s'allume une cigarette et demande, patient, presque résigné : « Que voulez-vous dire ?

— Eh bien, il est évident que si vous venez me trouver, plus d'une semaine après les faits, pour me jeter au visage les insinuations foireuses d'un philosophe à la con, c'est parce que l'accident de Roland n'en est sans doute pas un. Donc vous cherchez un coupable. C'est-à-dire un mobile. Mais le chemin est long jusqu'à *pourquoi*, n'est-ce pas ? Je suppose que la piste du chauffeur n'a rien donné ? J'ai entendu que Roland s'était réveillé. Il n'a rien voulu dire ? Alors on change de *pourquoi*. »

Dans la télé, on entend Connors qui ahane à chaque frappe de balle. Simon jette un œil par la fenêtre. Il aperçoit une Fuego bleue stationnée en bas.

Bayard demande pourquoi Barthes, selon Deleuze, ne souhaite pas révéler ce qu'il sait. Deleuze répond qu'il n'en sait rien mais qu'il sait une chose : « Quoi qu'il se passe, ou quoi que ce soit qui soit donné, il y a des prétendants. C'est-à-dire, il y a des gens qui disent : pour cette chose-là, c'est moi le meilleur. »

Bayard attire à lui le cendrier en forme de hibou qui traîne sur la table basse : « Et vous, vous prétendez à quoi, monsieur Deleuze ? »

Deleuze émet un léger bruit entre le ricanement et le toussotement : « On prétend toujours à ce qu'on ne peut pas être ou à ce qu'on a été un jour et qu'on ne redeviendra jamais, monsieur le commissaire. Mais je ne crois pas que ce soit la question, n'est-ce pas ? »

Bayard demande quelle est la question.

Deleuze rallume sa cigarette : « Comment sélectionner les prétendants. »

Dans l'immeuble, on entend l'écho d'une femme qui crie. On ne sait pas si c'est de plaisir ou de colère. Deleuze pointe un doigt vers la porte : « Les femmes, monsieur le commissaire, c'est pas un acquis, elles sont pas femmes par nature. Les femmes, elles ont un devenir-femme. » Il se lève en ahanant un peu, lui aussi, et va se servir un verre de rouge. « Nous, c'est pareil. »

Bayard, méfiant, demande : « Vous croyez qu'on est tous pareils ? Vous pensez que vous et moi, on est pareils ? »

Deleuze sourit : « Oui… enfin, en un sens. »

Bayard, essayant de faire preuve de bonne volonté, mais en laissant percer une forme de réticence : « Vous aussi, vous cherchez la vérité ?

— Houla ! La vérité… Où c'est qu'elle commence, où c'est qu'elle finit… On est toujours au milieu de quelque chose, vous savez. »

Connors remporte le premier set 6/2.

« Comment déterminer parmi les prétendants lequel est le bon ? Si vous avez le *comment*, vous aurez le *pourquoi*. Prenez les sophistes, *par exemple* : le problème, si on suit Platon, c'est qu'ils prétendent à quelque chose auquel ils n'ont pas droit… Eh oui, ils trichent, ces petits fumiers !… » Il se frotte les mains. « Les procès, c'est toujours des prétendants… »

Il descend son verre d'un trait et ajoute, en regardant Simon : « C'est aussi amusant qu'un roman. »

Simon croise son regard.

19

« Ah non, c'est absolument impossible, je refuse catégoriquement ! Je n'irai pas ! Ça suffit ! Il est hors de question que je mette les pieds dans votre palais, là ! Vous n'avez pas besoin de moi pour décoder la parole de cette ordure ! Et je n'ai pas besoin de l'entendre, je vous résume : Je suis le valet servile du grand capital. Je suis l'ennemi de la classe ouvrière. Je détiens tous les moyens d'information. Quand je ne chasse pas l'éléphant en Afrique, je fais la chasse aux radios libres. Je musèle la liberté d'expression. Je fous des centrales nucléaires partout. Je suis un maquereau démago qui s'invite chez les pauvres gens. Je suis un receleur de diamants. J'aime jouer les prolos dans le métro. J'aime les Noirs quand ils sont empereurs ou éboueurs. Quand j'entends le mot humanitaire, j'envoie les parachutistes. J'utilise des officines d'extrême droite pour régler mes petites affaires. Je chie sur l'Assemblée nationale. Je suis… je suis… un GROS FASCISTE ! »

Simon allume une cigarette en tremblant. Bayard attend qu'il finisse sa crise. À ce stade de l'enquête, au vu des éléments dont il dispose, il a fait remonter un premier rapport et il se doutait bien que tout ça allait prendre de l'ampleur, mais pas au point d'être convoqué là-bas. Avec le jeune.

« De toute façon, j'irai pas j'irai pas j'irai pas », dit le jeune.

20

« M. le Président va vous recevoir. »

Jacques Bayard et Simon Herzog pénètrent dans un bureau d'angle bien éclairé aux murs recouverts de soie verte. Simon est blême mais il note instinctivement les deux fauteuils qui font face au bureau derrière lequel se tient Giscard et, de l'autre côté de la pièce, d'autres fauteuils avec un canapé disposés autour d'une table basse. L'étudiant saisit aussitôt les termes de l'alternative : selon que le Président souhaite marquer de la distance avec ses visiteurs ou au contraire donner à la rencontre un ton plus convivial, il les accueille derrière son bureau qu'il utilise comme un rempart ou les installe autour de la table basse sur laquelle tout le monde se penche pour manger des petits gâteaux. Simon Herzog avise aussi un livre sur Kennedy, placé en évidence sur une écritoire pour suggérer l'image du chef d'État jeune et moderne que Giscard prétend lui aussi incarner ; deux boîtes, une rouge et une bleue, posées sur un bureau à cylindre ; des bronzes ici et là ; des piles de dossiers à la hauteur savamment calculée : trop basse, elles donneraient l'impression que le Président n'en fout pas une rame ; trop haute, qu'il est débordé. Plusieurs toiles de maîtres ornent les murs. Giscard, debout derrière son bureau massif, désigne l'une d'elles qui représente une femme belle et sévère, les bras écartés, vêtue d'une fine robe blanche ouverte jusqu'au ventre, recouvrant à peine ses seins lourds et laiteux : « J'ai la chance d'avoir obtenu du musée de Bordeaux le prêt d'une des plus belles œuvres de la peinture française : *La Grèce expirant à Missolonghi*, d'Eugène Delacroix. Magnifique, n'est-ce pas ? Vous connaissez Missolonghi, bien sûr : c'est la ville où est mort Lord Byron, pendant la guerre d'indépendance contre les Turcs. En 1824, je crois. (Simon note la coquetterie du "je crois".) Une guerre effroyable, les Ottomans étaient d'une grande férocité. »

Sans quitter son bureau, sans esquisser un geste pour leur serrer la main, il les invite à s'asseoir. Pour eux, pas de canapé, pas de petits gâteaux. Toujours debout, le Président poursuit : « Savez-vous ce que Malraux a dit de moi ? Que je n'avais pas le sens du tragique de l'histoire. » Du coin de l'œil, Simon observe Bayard qui attend, silencieux, dans son imperméable.

Giscard revient au tableau, alors les deux visiteurs se sentent obligés de se retourner pour montrer qu'ils suivent : « Peut-être n'ai-je pas le sens du tragique de l'histoire, mais du moins je ressens l'émotion de la beauté tragique devant cette jeune femme, blessée au côté, qui porte l'espoir de la libération de son peuple ! » Ne sachant pas comment ponctuer le propos présidentiel, les deux hommes se taisent, ce qui ne semble pas déranger Giscard, habitué aux marques silencieuses d'assentiment poli. Quand l'homme au parler chuintant pivote pour regarder par la fenêtre, Simon comprend que ce blanc sert de transition et qu'on va maintenant en venir au fait.

Sans se retourner, offrant à ses interlocuteurs le spectacle de son crâne chauve, le Président reprend : « J'ai rencontré Roland Barthes, une fois. Je l'avais invité à l'Élysée. Un homme tout à fait charmant. Il avait analysé le menu pendant un quart d'heure et avait livré une démonstration très brillante de la valeur symbolique de chaque plat. C'était tout à fait passionnant. Le pauvre homme, j'ai appris qu'il s'était très mal remis du décès de sa mère, n'est-ce pas ? »

S'asseyant enfin, Giscard s'adresse à Bayard : « Commissaire, le jour de son accident, M. Barthes était en possession d'un document qui lui a été dérobé. Je souhaite que vous retrouviez ce document. Il s'agit d'une affaire de sécurité nationale. »

Bayard demande : « Quelle est la nature exacte de ce document, monsieur le Président ? »

Giscard se penche en avant et, les deux poings sur son bureau, prononce d'un air grave : « C'est un document vital qui met en jeu la sécurité nationale. Utilisé à mauvais escient, il pourrait causer des dégâts incalculables et mettre en danger les fondements mêmes de la démocratie. Je ne peux malheureusement pas vous en dire davantage. Vous devrez agir en toute discrétion. Mais vous aurez carte blanche. »

Puis il pose enfin les yeux sur Simon : « Jeune homme, on m'a dit que vous serviez de… guide au commissaire ? Vous connaissez donc bien le milieu de la linguistique dans lequel évoluait M. Barthes ? »

Simon ne se fait pas prier pour répondre : « Non, pas vraiment. »

Giscard jette un regard interrogateur à Bayard, qui explique : « M. Herzog a des connaissances qui peuvent être utiles à l'enquête. Il comprend comment fonctionnent ces gens et, euh, de quoi il retourne. Et il peut voir des choses que la police ne verrait pas. »

Giscard sourit : « Vous êtes donc voyant, comme Arthur Rimbaud, jeune homme ? »

Simon marmonne timidement : « Non. Pas du tout. »

Giscard lui montre du doigt les deux boîtes rouge et bleue posées sur le bureau à cylindre, derrière eux, sous la Grèce de Delacroix : « À votre avis, qu'y a-t-il là-dedans ? »

Simon ne comprend pas qu'il passe un test et, avant de considérer s'il a intérêt à le réussir, répond, par réflexe : « Des médailles de la Légion d'honneur, je suppose ? »

Le sourire de Giscard s'élargit. Il se lève pour aller ouvrir l'une des boîtes et en sort une médaille : « Puis-je vous demander comment vous avez deviné ?

— Eh bien, hum hum. Toute la pièce est saturée de symboles : les tableaux, les tentures, les moulures au plafond… Chaque objet, chaque détail a vocation à exprimer le faste et la majesté du pouvoir républicain. Le choix de Delacroix, la photo de Kennedy en couverture du livre posé sur l'écritoire : tout est lourdement signifiant. Mais le symbole n'a de valeur que s'il s'exhibe. Un symbole caché au fond d'une boîte, ça ne sert à rien, et je dirais même plus : ça n'existe pas.

« En même temps, je suppose que ce n'est pas dans cette pièce que vous rangez les ampoules et les tournevis. Il me semblait peu probable que ces deux boîtes servent de boîtes à outils. Et si elles servaient à ranger les trombones ou l'agrafeuse, elles seraient sur votre bureau de travail, à portée de main. Donc, le contenu n'est ni symbolique ni fonctionnel. Mais il faut bien que ce soit l'un ou l'autre. Vous pourriez y ranger vos clés mais je suppose qu'à l'Élysée, ce n'est pas le Président qui s'occupe d'ouvrir ou de fermer les portes, et vous n'avez pas besoin non plus de vos clés de voiture puisque vous avez un chauffeur. Alors il ne restait plus qu'une seule solution : un symbole dormant, qui ici ne signifierait rien en lui-même mais ne s'activerait qu'ailleurs, hors de cette pièce : le symbole miniature et mobile de ce que symbolise cet endroit, à savoir la grandeur républicaine. Une médaille, donc vraisemblablement, vu l'endroit, la Légion d'honneur. Hum. »

Giscard échange un regard entendu avec Bayard : « Je crois que je vois ce que vous voulez dire, commissaire. »

21

Hamed sirote son Malibu-orange en racontant un peu sa vie marseillaise et son interlocuteur boit ses paroles sans vraiment l'écouter. Hamed connaît ce regard de cocker : il est le maître de cet homme, parce qu'il suscite en lui le désir éperdu de le posséder. Il se donnera peut-être, ou pas, et peut-être y prendra-t-il un peu de plaisir, mais ce plaisir sera vraisemblablement moindre que le sentiment de puissance que lui procure sa position d'objet de désir, et c'est le bon côté d'être jeune, beau et pauvre : il peut mépriser tranquillement, sans y penser, ceux qui sont prêts à payer, d'une façon ou d'une autre, pour l'avoir.

La soirée bat son plein et, comme toujours, le sentiment de n'être pas à sa place, dans ce grand appartement bourgeois, au cœur de la capitale, en cet hiver finissant, l'enivre d'une joie mauvaise. Ce qu'on vole vaut deux fois ce qu'on gagne à la sueur de son front, alors il retourne au buffet se resservir des tartines de tapenade, qui lui rappellent vaguement le Sud, en se frayant un passage parmi les gens qui se déhanchent sur *Gaby oh Gaby*, de Bashung. Il y retrouve Slimane qui avale des bouchées aux escargots en s'efforçant de rire aux blagues d'un éditeur bedonnant qui lui pelote discrètement le cul. À côté d'eux, une jeune femme s'esclaffe en renversant exagérément la tête : « Alors il s'arrête… et fait marche arrière ! » À la fenêtre, Saïd fume un joint en compagnie d'un Noir à tête de diplomate. Les enceintes soufflent les premières mesures de *One Step Beyond* et un frisson d'hystérie feinte parcourt la pièce, les gens crient comme si la musique les transportait, comme si une onde de plaisir parcourait leur corps, comme si la folie était un chien fidèle qu'ils avaient égaré et qui revenait vers eux en remuant la queue, comme s'ils pouvaient s'arrêter de penser ou de ne pas penser l'espace d'un instrumental bien rythmé au saxophone grasseyant. Ensuite, il y aura quelques chansons disco pour conserver la bonne humeur. Hamed se sert une assiette de taboulé aux truffes en repérant les invités susceptibles de lui offrir une ligne de cocaïne ou, à défaut, un peu de speed. Les deux lui donnent envie de baiser mais le speed le fait bander mou, ce qui n'a pas, songe-t-il, grande importance. Tenir le plus longtemps possible pour ne pas rentrer chez soi. Hamed rejoint Saïd à la fenêtre. Un lampadaire éclaire le panneau publicitaire, à l'angle du boulevard Henri-IV, qui affiche Serge Gainsbourg en costume-cravate et sur lequel on peut lire : « Un Bayard, ça vous change un homme. N'est-ce pas, M. Gainsbourg ? » Hamed n'arrive pas à se souvenir pourquoi ce nom lui est familier et, comme il est un peu hypocondriaque, il va se rechercher un verre en se récitant à haute voix son emploi du temps de l'année écoulée. Slimane contemple une série de lithographies accrochées au mur représentant un dégradé arc-en-ciel de chiens mangeant dans des gamelles remplies de billets de un dollar, feignant d'ignorer l'éditeur bedonnant qui se frotte maintenant contre ses hanches et lui respire la nuque. La voix de Chrissie Hynde s'échappe des enceintes pour intimer aux invités, à toutes fins utiles, d'arrêter de pleurnicher. Deux chevelus discutent de la mort de Bon Scott et de son possible remplacement au sein d'AC/DC par un gros routier à casquette. Un jeune en costume avec la raie sur le côté et la cravate desserrée répète à qui veut l'entendre, très excité, qu'il sait de source sûre qu'on voit les seins de Marlène Jobert dans *La Guerre des polices*. On dit aussi que Lennon prépare un single avec McCartney. Un gigolo dont Hamed a oublié le nom vient lui demander s'il a un peu d'herbe, daube au passage sur la soirée qu'il juge trop « siglée Rive gauche » et lui désigne par la fenêtre le génie de la Bastille : « Tu vois le problème, mon pote ? Je veux bien qu'on soit jacobin, mais quand même, il y a des limites. » Quelqu'un renverse son verre de curaçao bleu sur la moquette. Hamed hésite à partir pour retourner à Saint-Germain, mais Saïd lui fait un signe en direction de la salle de bains : deux filles et un vieux y entrent en même temps. Comme ils savent que ce n'est pas pour baiser mais pour sniffer (ce que le vieux, lui, fait semblant d'ignorer parce que, à défaut de ces deux proies, il aura au moins leur ombre pendant cinq minutes), ils en déduisent qu'en manœuvrant habilement, ils pourront négocier une ligne, peut-être deux. Quelqu'un demande à un moustachu dégarni s'il est Patrick Dewaere. Pour échapper à l'éditeur bedonnant, Slimane attrape une blonde en jean elastis et lui fait danser un rock sur *Sultans of Swing* de Dire Straits. L'éditeur bedonnant, surpris, regarde le couple virevolter en essayant de se composer un regard à la fois ironique et bienveillant pour se donner une contenance qui ne trompe personne. Il est seul, comme nous tous, mais lui ne peut pas le cacher, et personne ne fait vraiment attention à lui sauf pour remarquer qu'il porte bien mal cette solitude. Slimane conserve sa partenaire sur la chanson suivante, *Upside Down*, de Diana Ross. Foucault débarque dans la soirée avec Hervé Guibert, au moment du riff d'intro de *Killing an Arab* de Cure. Il porte un gros blouson en cuir noir avec des chaînes et s'est coupé en se rasant la tête. Guibert est jeune et beau, d'une beauté si caricaturale qu'on ne peut pas, à moins d'être parisien, le prendre au sérieux en tant qu'écrivain. Saïd et Hamed tambourinent à la porte de la salle de bains en essayant d'amadouer les occupants par des paroles fallacieuses et des prétextes insensés mais la porte reste désespérément close, derrière laquelle leur parviennent juste des bruits furtifs de métal, d'émail et d'inspiration…

Standing on a beach, with a gun in my hand… Comme toujours quand il arrive quelque part, Foucault provoque une sorte d'excitation craintive, sauf chez ceux qui sont trop défoncés au speed et qui sautent partout en écoutant ce qu'ils prennent pour une chanson de plage : *Staring at the see, staring at the sand…* La porte de la salle de bains s'ouvre, les deux filles sortent avec le vieux en toisant Saïd et Hamed, reniflant ostensiblement, avec cette fierté caractéristique du drogué mondain qui n'a pas encore été rattrapé par les litres de sérotonine partis en fumée dans son cerveau et dont les stocks mettront, au fil des mois et des années, de plus en plus longtemps à se reconstituer. *I'm alive, I'm dead…* Au centre du cercle qui s'est déjà formé autour d'eux, Foucault raconte une histoire au jeune Guibert, comme s'il n'avait pas noté l'effervescence que sa présence suscite, continuant une conversation entamée avant leur arrivée : « Quand j'étais petit, je voulais devenir un poisson rouge. Ma mère me disait : "Mais enfin, mon lapin, ce n'est pas possible, tu détestes l'eau froide." » La voix de Robert Smith dit : *I'm the stranger !* Foucault : « Cela me plongeait dans un abîme de perplexité, je lui disais : alors juste une toute petite seconde, j'aimerais tellement savoir à quoi il pense… » Robert Smith : *… Killing an Arab !* Saïd et Hamed décident d'aller voir ailleurs, peut-être à La Noche. Slimane, lui, retourne auprès de l'éditeur bedonnant, parce qu'il faut bien manger. *Staring at myself, reflected in the eyes…* Foucault : « Il faudra bien que quelqu'un avoue. Il y en a toujours un qui finit par avouer… » Robert Smith : *… of the dead man on the beach…* Guibert : « Il était nu dans le canapé, et impossible de trouver une cabine qui fonctionne... » *The dead man on the beach*... « Et quand finalement, il en trouve une, il s'aperçoit qu'il n'a pas de jeton... » Hamed regarde à nouveau dehors, à travers le rideau, il voit une DS noire garée en bas et dit : « Je vais rester encore un peu. » Saïd s'allume une cigarette et leurs deux silhouettes se découpent parfaitement dans l'encadrement de la fenêtre illuminée par la fête.

22

« Georges Marchais, on s'en fout de Georges Marchais, il faut le savoir, ça ! »

Daniel Balavoine a finalement réussi à prendre la parole, il sait qu'on va la lui reprendre de gré ou de force dans moins de trois minutes, alors il déroule à toute vitesse son monologue énervé pour dire que les politiques sont vieux, corrompus et complètement à côté de la plaque.

« Je parle pas pour vous, monsieur Mitterrand... »

Mais quand même.

« Ce que je voudrais savoir, ce qui m'aurait intéressé, c'est à qui les travailleurs immigrés paient les loyers qu'ils payent... Je voudrais... Qui ose, tous les mois, demander sept cents francs par mois à des travailleurs immigrés pour vivre dans des poubelles et dans des taudis ?... » C'est brouillon, pas structuré, plein de fautes de français, le débit est beaucoup trop rapide et c'est magnifique.

Les journalistes, qui ne comprennent rien comme d'habitude, maugréent quand Balavoine leur reproche de ne jamais inviter des jeunes (et l'inévitable ricanement rhétorique : eh ben la preuve que si, puisque t'es là, petit con !).

Mais Mitterrand, lui, a très bien compris ce qui se passe. Ce jeune merdeux est en train de les montrer tels qu'ils sont, lui, les journalistes autour de la table et tous leurs semblables : des vieux cons qui croupissent dans leur entre-soi depuis tellement longtemps qu'ils sont morts au monde et qu'ils ne s'en étaient même pas aperçus. Il essaie bien d'abonder dans le sens du jeune en colère, mais chaque tentative pour en placer une sonne comme une marque de paternalisme déplacé.

« J'essaie de lire rapidement mes notes… Ce que je peux vous donner, en tout cas, c'est un avertissement… » Mitterrand tripote ses lunettes en se mordillant les lèvres, c'est filmé, c'est en direct, c'est une catastrophe. « Ce que je peux vous dire, c'est que le désespoir est mobilisateur et que quand il est mobilisateur, il est dangereux. »

Le journaliste, avec une pointe d'ironie sadique : « Monsieur Mitterrand, vous vouliez dialoguer avec un jeune, vous l'avez écouté avec beaucoup d'attention… » Démerde-toi, mon gars.

Et Mitterrand commence donc à ramer : « Ce qui m'intéresse beaucoup, c'est que cette façon de penser… de réagir… et aussi de s'exprimer ! parce que Daniel Balavoine s'exprime aussi par l'écrit et par la musique… ait droit de cité… puisse être entendue et donc être comprise. » Rame, rame. « Il le dit à sa manière ! Il est responsable de ses paroles. C'est un citoyen. Comme un autre. »

Nous sommes le 19 mars 1980, sur le plateau du journal d'Antenne 2, il est 13 h 30 et Mitterrand a mille ans.

23

À quoi peut bien penser Barthes mourant ? À sa mère, disent-ils. C'est sa mère qui l'a tué. Bien sûr, bien sûr, encore et toujours la petite affaire privée, le sale petit secret. Comme dit Deleuze, on a tous une grand-mère à qui il est arrivé des choses incroyables, et donc ? « De chagrin. » Oui, monsieur, il va mourir de chagrin et pas d'autre chose. Pauvres petits penseurs français enfermés dans votre vision d'un monde qui se réduit à la sphère de l'intime la plus mesquine, la plus convenue, la plus platement égocentrée. Sans énigme, sans mystère, la mère, mère de toutes les réponses. Le XXe siècle nous a débarrassés de Dieu et nous a mis la mère à la place. Super affaire. Mais Barthes ne pense pas à sa mère.

Si vous pouviez saisir le fil de sa rêverie cotonneuse, vous sauriez : l'homme qui va mourir pense à ce qu'il a été mais surtout à ce qu'il aurait pu être, quoi d'autre ? Il revoit non pas toute sa vie mais l'accident. Qui a commandité l'opération ? Il se souvient qu'on l'a manipulé. Et ensuite le document a disparu. Qui que soit le commanditaire, nous sommes probablement à la veille d'une catastrophe sans exemple. Alors que lui, le Roland à sa maman, aurait su en faire bon usage : un peu pour lui, le reste pour le monde. Sa timidité enfin vaincue. Quel gâchis. Même s'il en réchappe, il sera bien tard pour faire la fête.

Roland ne pense pas à sa maman. On n'est pas dans *Psychose*.

À quoi pense-t-il ? Peut-être voit-il passer tel ou tel souvenir, des choses intimes ou insignifiantes ou connues de lui seul. C'était un soir – ou faisait-il encore jour ? –, il partageait un taxi avec son traducteur américain de passage à Paris, et Foucault. Tous les trois sont assis à l'arrière, le traducteur est au milieu et Foucault comme à son habitude monopolise la conversation, il parle de sa voix animée, sûre d'elle-même, nasillarde comme les voix de l'ancien temps, c'est lui qui contrôle, comme toujours, il improvise une petite conférence pour expliquer à quel point il déteste Picasso, à quel point Picasso est nul, et il rit, évidemment, et le jeune traducteur écoute sagement, dans son pays, c'est un écrivain et un poète mais ici, il écoute avec déférence la parole de ces deux brillants intellectuels français et Barthes sait déjà qu'il ne fait pas le poids face à la faconde de Foucault mais il doit quand même dire quelque chose pour ne pas être en reste et il gagne du temps en riant, lui aussi, mais il sait que son rire sonne faux, il est gêné parce qu'il a l'air gêné, c'est un cercle vicieux, il a connu ça toute sa vie, il aimerait tellement avoir l'assurance de Foucault, même quand il parle devant ses étudiants et qu'ils l'écoutent religieusement, il abrite sa timidité derrière un ton professoral mais ce n'est qu'à l'écrit qu'il se sent sûr de lui, qu'il est sûr de lui, seul, réfugié derrière sa feuille, et tous ses livres, son Proust, son Chateaubriand, et Foucault continue de dégoiser sur Picasso et alors Barthes, pour ne pas être en reste, dit que lui aussi, lui aussi il déteste Picasso, et disant cela, il se déteste, parce qu'il voit très bien ce qui se passe, c'est son métier de voir ce qui se passe, il s'avilit devant Foucault et sans doute le jeune et beau traducteur s'en rend-il compte, il crache sur Picasso mais timidement, un petit crachat, pendant que Foucault rit à gorge déployée, lui aussi, il dit que Picasso est surfait, qu'il n'a jamais bien compris ce qu'on lui trouvait et je ne peux pas être certain qu'il ne le pensait pas, après tout, c'est vrai que Barthes était avant tout un classique, qui n'aimait pas, au fond, la modernité, mais à la limite, peu importe : même s'il détestait Picasso, il sait bien qu'il ne s'agit pas de ça, mais juste de ne pas être en reste vis-à-vis de Foucault, et qu'à partir du moment où Foucault proclame une assertion aussi iconoclaste, il aurait l'air d'un vieux con à se récrier et donc, même s'il n'aimait réellement pas Picasso, il le dénigre et le moque maintenant, dans ce taxi qui l'emporte Dieu sait où, pour de mauvaises raisons.

Et c'est ainsi, peut-être, que Barthes meurt, en pensant à ce voyage en taxi, qu'il ferme les yeux et qu'il s'endort, triste, de cette tristesse qui l'a toujours habité, mère ou pas mère, et peut-être a-t-il une petite pensée aussi pour Hamed. Qu'adviendra-t-il de lui ? Et du secret dont il est dépositaire ? Il s'enfonce lentement, doucement, dans son dernier sommeil et ma foi, ce n'est pas désagréable, mais tandis que ses fonctions corporelles s'éteignent une par une son esprit continue à vagabonder. Où cette ultime rêverie le mène-t-elle encore ?

Il aurait dû dire qu'il n'aimait pas Racine, tiens. « Les Français s'enorgueillissent inlassablement d'avoir eu leur Racine (l'homme aux deux mille mots) et ne se plaignent jamais de n'avoir pas eu leur Shakespeare. » Voilà qui aurait impressionné le jeune traducteur. Mais Barthes l'a écrit bien plus tard. Ah, s'il avait eu la fonction, alors…

La porte de la chambre s'ouvre lentement mais Barthes, dans son sommeil comateux, ne l'entend pas.

Ce n'est pas vrai qu'il est « classique » : au fond, il n'aime pas la sécheresse du XVIIe, ces alexandrins au couteau, ces aphorismes ciselés, ces passions intellectualisées…

Il n'entend pas les pas qui s'approchent de son lit.

Bien sûr, c'étaient des rhétoriciens hors pair mais il n'aime pas leur froideur, leur peu de chair. Les passions raciniennes, pff, la belle affaire. Phèdre, oui, bon, la scène de l'aveu au subjonctif plus-que-parfait à valeur de conditionnel passé, d'accord, ça, c'était génial, Phèdre qui récrit l'histoire avec elle à la place d'Ariane et Hippolyte à la place de Thésée…

Il ne sait pas qu'on se penche sur son électrocardiogramme.

Mais Bérénice ? Titus ne l'aimait pas, ça crève les yeux. C'est bien simple, on dirait du Corneille…

Il ne voit pas la silhouette fouiller dans ses affaires.

Et La Bruyère, tellement scolaire. Au moins Pascal conversait avec Montaigne, Racine avec Voltaire, La Fontaine avec Valéry… Mais qui a envie de dialoguer avec La Bruyère ?

Il ne sent pas la main qui tourne délicatement le potentiomètre du respirateur.

La Rochefoucauld, oui, quand même. Après tout, Barthes doit beaucoup aux *Maximes*. C'était un sémiologue avant l'heure, en cela qu'il savait décoder l'âme humaine dans les signes de nos comportements… Le plus grand seigneur de la littérature française, rien de moins… Barthes voit le prince de Marcillac chevaucher fièrement aux côtés du Grand Condé, dans les douves du faubourg Saint-Antoine, sous le feu des troupes de Turenne, se disant que ma foi, c'est un beau jour pour mourir…

Que se passe-t-il ? Il ne peut plus respirer. Sa gorge s'est soudain rétrécie.

Mais la Grande Mademoiselle ouvrira les portes de la ville pour laisser entrer les troupes de Condé, et La Rochefoucauld, blessé aux yeux, aveugle pour un temps, ne mourra pas, pas cette fois, et se rétablira…

Il ouvre les yeux. Et il la voit, découpée dans un halo de lumière aveuglante, comme une figure mariale. Il suffoque, veut appeler au secours mais aucun son ne sort de sa bouche.

Il se rétablira, n'est-ce pas ? N'est-ce pas ?

Elle lui sourit doucement et lui plaque la tête sur l'oreiller pour l'empêcher de se redresser mais il n'en a de toute façon pas la force. Cette fois-ci, c'est la bonne, il le sait, il voudrait s'abandonner mais son corps convulse malgré lui, son corps veut vivre, son cerveau affolé cherche l'oxygène qui n'arrive plus dans le sang, son cœur s'emballe sous l'effet d'un dernier coup d'adrénaline, puis ralentit.

« Toujours aimer, toujours souffrir, toujours mourir. » Finalement, sa dernière pensée est un alexandrin de Corneille.

24

Journal télévisé, 26 mars 1980, 20 heures, PPDA :

« Mesdames-messieurs bonsoir, beaucoup d'infos concrètes qui… (PPDA marque une pause) intéressent notre vie de tous les jours. Alors certaines sont roses, d'autres moins, je vous laisse faire le tri. (De son appartement, du côté de la place Clichy, Deleuze, qui ne rate jamais un journal télévisé, lui répond à haute voix, calé dans son fauteuil : "Merci !")

20 h 01 : « Tout d'abord la hausse du coût de la vie pour le mois de février : 1,1 %. "Ce n'est pas un très bon indice", a dit René Monory, ministre de l'Économie – meilleur quand même (c'était difficile de faire pire, dit PPDA, et devant son poste de télévision, rue de Bièvre, Mitterrand se dit la même chose) que celui du mois de janvier : 1,9 %. Meilleur aussi que celui des États-Unis et de la Grande-Bretagne et… égal à celui des Allemands de l'Ouest. » (À la mention du rival allemand, Giscard, en train de parapher des documents à son bureau de l'Élysée, émet un gloussement machinal sans lever les yeux. Dans sa chambre de bonne, Hamed s'apprête à sortir mais il n'arrive pas à mettre la main sur sa deuxième chaussette.)

20 h 09 : « Des grèves également dans l'enseignement, demain encore, c'est le SNI qui appelle les instituteurs de Paris et de l'Essonne à protester contre les fermetures de classe pour la rentrée prochaine. » (Sollers, une bière chinoise dans une main, son fume-cigarette vide dans l'autre, peste dans son canapé : « Pays de fonctionnaires !… » Kristeva, de la cuisine, lui répond : « J'ai fait un sauté de veau. »)

20 h 10 : « Enfin cette info un petit peu "oxygénante", si je puis dire (Simon lève les yeux au ciel) : la forte diminution de la pollution atmosphérique depuis sept ans en France, 30 % d'émissions de soufre en moins, a dit Michel d'Ornano, le ministre de l'Environnement, et 46 % d'oxyde de carbone en moins également. » (Mitterrand essaie de faire une grimace de dégoût, mais en fait ça ne change rien à son expression habituelle.)

20 h 11 : « L'étranger donc, avec ce qui se passe aujourd'hui au Tchad… Afghanistan… Colombie… » (Les pays défilent, personne n'écoute, sauf Foucault. Hamed retrouve sa chaussette.)

20 h 12 : « Victoire assez surprenante d'Edward Kennedy aux primaires de l'État de New York… » (Deleuze prend son téléphone pour appeler Guattari. Chez lui, Bayard repasse ses chemises devant la télé allumée.)

20 h 13 : « Le nombre des accidents de la route en augmentation l'année dernière, nous apprend aujourd'hui la gendarmerie nationale : 12 480 morts et 250 000 accidents en 79… c'est donc l'équivalent de toute une ville comme Salon-de-Provence qui a disparu l'année passée dans ces accidents. (Hamed se demande

pourquoi Salon-de-Provence.) Des chiffres qui donnent à réfléchir à la veille des vacances de Pâques… » (Sollers dresse un doigt et s'exclame : « Réfléchir !… Réfléchir, tu entends, Julia ?… N'est-ce pas merveilleux ?… Des chiffres qui donnent à réfléchir, ha ha !… » Kristeva répond : « À table ! »)

20 h 15 : « Un accident de la route qui aurait pu avoir des conséquences très graves : hier un camion qui transportait des matières radioactives a percuté un autre poids lourd avant de basculer dans le fossé. Il n'y a pas eu de fuite radioactive grâce à l'efficacité des systèmes de protection. » (Mitterrand, Foucault, Deleuze, Althusser, Simon, Lacan s'esclaffent devant leurs postes respectifs. Bayard s'allume une cigarette tout en continuant son repassage.)

20 h 23 : « Et puis l'entretien de François Mitterrand dans *La Croix* avec ces petites phrases qui feront date (sourire d'aise de Mitterrand) : "Giscard reste l'homme d'un clan, d'une classe et d'une caste. Son bilan, c'est six ans de surplace, la danse du ventre devant le Veau d'or. Et merdre, disait Ubu." ("Ça, c'est François Mitterrand qui le dit", précise PPDA. Giscard lève les yeux au ciel.) Voilà pour le Président. Pour Georges Marchais et sa bande des trois, eh bien : "Quand il le veut, dit toujours François Mitterrand, Marchais est un comique irrésistible." (Althusser, dans son appartement de la rue d'Ulm, hausse les épaules. Il crie à sa femme qui est dans la cuisine : "Tu entends ça, Hélène ?" Pas de réponse.) Enfin, François Mitterrand a répondu à la question sur un possible ticket Mitterrand-Rocard au sein du PS, il s'est contendu… (la langue de PPDA fourche mais il se reprend, impassible) contenté de

répondre que cette expression américaine n'avait pas dans nos institutions de traduction française. »

20 h 24 : « Roland Barthes est… (pause de PPDA) mort cet après-midi à l'hôpital de la Pitié-Salpêtrière, à Paris. (Giscard arrête de parapher, Mitterrand arrête de grimacer, Sollers arrête de fourrager dans son caleçon avec son fume-cigarette, Kristeva arrête de touiller son sauté de veau et accourt de la cuisine, Hamed arrête d'enfiler sa chaussette, Althusser arrête d'essayer de ne pas s'engueuler avec sa femme, Bayard arrête de repasser ses chemises, Deleuze dit à Guattari : "Je te rappelle !", Foucault arrête de penser au biopouvoir, Lacan continue à tirer sur son cigare.) L'écrivain et philosophe avait été victime d'un accident de la circulation voilà un mois. Il avait… (pause de PPDA) soixante-quatre ans. Il s'était illustré par ses ouvrages sur l'écrit moderne et sur la communication. Bernard Pivot l'avait reçu pour "Apostrophes" : Roland Barthes présentait son livre, *Fragments d'un discours amoureux*, un livre qui a connu un large succès (Foucault lève les yeux au ciel) ; et dans le passage que vous allez voir, il expliquait d'un point de vue sociologique (Simon lève les yeux au ciel) les rapports entre sentimentalité… (pause de PPDA) et sexualité. (Foucault lève les yeux au ciel.) Nous l'écoutons. » (Lacan lève les yeux au ciel.)

Roland Barthes (voix de Philippe Noiret) : « Je prétends qu'un sujet – je dis bien un sujet pour ne pas prendre parti à l'avance sur, euh, le sexe de ce sujet, n'est-ce pas – mais un sujet amoureux, euh, eh bien aura effectivement beaucoup de mal à… à… à vaincre l'espèce de tabou de la sentimentalité, alors que le tabou de la sexualité aujourd'hui se transgresse très facilement. »

Bernard Pivot : « Parce que être amoureux, c'est être bébête ? » (Deleuze lève les yeux au ciel. Mitterrand se dit qu'il faut qu'il appelle Mazarine.)

Roland Barthes : « Euh… oui, en un sens, c'est ce que le monde croit. Le monde attribue au sujet amoureux deux qualités, ou deux mauvaises qualités : la première, c'est souvent d'être bête, effectivement – il y a une bêtise de l'amoureux, que lui-même ressent, d'ailleurs –, et il y a aussi une folie de l'amoureux – alors ça, les discours populaires le disent abondamment ! – seulement c'est une folie sage, n'est-ce pas, c'est une folie qui n'a pas la gloire de la grande folie transgressive. » (Foucault baisse les yeux en souriant.)

Fin de l'extrait. PPDA reprend : « Alors, nous le voyons, euh, Jean-François Kahn, euh, Roland Barthes était passionné par tout, il parlait de tout, euh, on l'a vu, euh, au cinéma… dans des rôles… récemment, euh, c'était quand même pas un touche-à-tout ? » (Effectivement, il a joué Thackeray dans *Les Sœurs Brontë* de Téchiné, un petit rôle qu'il n'a pas éclaboussé de son talent, se rappelle Simon.)

J.-F. Kahn (très exalté) : « C'est-à-dire, apparemment, c'est un touche-à-tout ! Oui, il s'est occupé, euh, euh, il a écrit sur la mode, les cravates ou je ne sais quoi, il a écrit sur le catch !… Il a écrit sur Racine, sur Michelet, sur la photographie, sur le cinéma, il a écrit sur le Japon, donc c'est un touche-à-tout ! (Sollers ricane. Kristeva lui jette un regard sévère.) Mais en fait : il y a une unité. Tenez, son dernier livre ! Sur le discours amoureux… sur le langage de l'amour, eh bien en vérité, Roland Barthes a toujours écrit sur le langage ! Mais il se trouve que… sa cravate… notre cravate : c'est une façon de parler.

(Sollers, vaguement indigné : “Une façon de parler… Tu parles !…”) C’est une façon de s’exprimer, la mode. La moto : c’est une façon qu’a une société de s’exprimer. Le cinéma : évidemment ! La photographie : aussi. C’est-à-dire qu’au fond Roland Barthes est un homme qui a passé son temps à traquer les signes !… Les signes par lesquels une société, une collectivité s’exprime. Exprime des sentiments diffus, confus, même si elle en a pas conscience ! En ce sens, c’était un très grand journaliste. D’ailleurs, il était le maître d’une science qui s’appelle la sémiologie, c’est-à-dire la science des signes.

« Et alors, évidemment, ç’a été un très grand critique littéraire ! Parce que, le même phénomène : qu’est-ce que c’est qu’une œuvre ? Une œuvre, c’est ce par quoi un écrivain s’exprime. Et ce que Roland Barthes a montré, c’est qu’il y a au fond dans une œuvre littéraire trois niveaux : il y a la langue – Racine écrit en français, Shakespeare écrit en anglais, ça c’est la langue. Il y a le style : ça, c’est le résultat de leur technique, de leur talent. Mais entre le style – volontaire, hein, on le contrôle – et la langue ! il y a un troisième niveau qui est : l’écriture. Et l’écriture, il disait, c’est le lieu… du politique, au sens large, c’est-à-dire l’écriture, c’est ce par quoi s’exprime, même si l’écrivain en est pas conscient, ce qu’il est socialement, sa culture, son origine, sa classe sociale, la société qui l’environne… et même s’il écrit quelquefois quelque chose parce que ça va de soi – chais pas, dans une pièce de Racine : “Retirons-nous dans nos appartements” ou une phrase qui va de soi – eh ben non ! ça va pas de soi, dit Barthes. Même s’il dit que ça va de soi, c’est louche, il y a quelque chose qui s’exprime par là-dessous. »

PPDA (qui n'a rien écouté ou rien compris ou qui s'en fout, d'un air pénétré) : « Parce que chaque mot est disséqué ! »

J.-F. Kahn (qui ne relève pas) : « Alors, alors, en plus… ce qui est formidable, chez Barthes, c'est que c'est un homme qui a écrit des choses très… mathématiques, très froides sur le style et qui en même temps a fait des véritables hymnes à la beauté du style. Mais si vous voulez, pour conclure, c'est un homme très important. Qui exprime, je crois, le génie de notre époque. Je vais vous dire pourquoi, parce qu'il y a des époques qui s'expriment par le théâtre, hein, vraiment. (Ici, Kahn émet un gargouillis intraduisible.) D'autres par le roman : par exemple les années 50, Mauriac, euh, Camus, euh, etc. Mais je pense que les années 60… la France… le génie culturel de la France s'est exprimé par le discours sur le discours. Sur le discours EN MARGE. On s'apercevra sans doute qu'on n'a pas produit de très grands romans… peut-être pas, ou de grandes pièces ; ce qu'on a produit de mieux, c'est une façon d'expliquer ce que d'autres avaient dit ou avaient fait et en l'expliquant de leur faire dire mieux et autre chose, de dynamiser un discours ancien. »

PPDA : « Football, dans quelques instants, au Parc des Princes, l'équipe de France va rencontrer celle des Pays-Bas (Hamed sort de chez lui, claque la porte et dévale les escaliers) : un match amical beaucoup plus important qu'il n'y paraît d'abord (Simon éteint son poste), parce que les Hollandais ont été les finalistes, vous le savez, malheureux, des deux dernières Coupes du monde (Foucault éteint son poste), ensuite et surtout parce que la France et les Pays-Bas figurent dans la même poule qualificative pour la prochaine Coupe du monde en 82 en Espagne. (Giscard se remet à parapher ses documents. Mitterrand décroche son téléphone pour appeler Jack Lang.) Vous pourrez suivre ce match en différé après le dernier journal qui vous sera présenté par Hervé Claude, aux alentours de 22 h 50. » (Sollers et Kristeva passent à table. Kristeva fait le geste d'essuyer une larme et dit : « La vie reprrrend ses droits. » Dans deux heures, Bayard et Deleuze regarderont le match.)

25

Nous sommes le jeudi 27 mars 1980 et Simon Herzog lit le journal dans un bar rempli de jeunes attablés autour d'un café bu il y a des heures, que je situe rue de la Montagne-Sainte-Geneviève mais, là encore, vous pouvez le mettre où vous voulez, ça n'a pas tellement d'importance. C'est plus pratique et plus logique qu'on soit dans le Quartier latin pour expliquer la présence des jeunes. Il y a un petit *pool* anglais, et le bruit des boules qui s'entrechoquent marque comme une pulsation dans le brouhaha des conversations de fin de journée. Simon Herzog boit un café, lui aussi, parce qu'il est encore un peu tôt, selon ses propres représentations psychosociales, pour commander une bière.

Le Monde daté du vendredi 28 mars 1980 (car avec *Le Monde*, c'est toujours déjà demain) a fait sa une sur le budget « anti-inflationniste » de Thatcher (qui prévoit, ô surprise, « une réduction des dépenses publiques ») et sur la guerre civile au Tchad mais a tout de même mentionné la mort de Barthes en première page, en bas, à droite. L'hommage du célèbre journaliste littéraire Bertrand Poirot-Delpech commence par cette phrase : « Depuis juste vingt ans que Camus a rendu l'âme dans une boîte à gants, la littérature aura payé à la déesse chromée un tribut un peu rude !… » Simon relit la phrase plusieurs fois et jette un œil dans la salle.

Autour du billard, deux garçons d'une vingtaine d'années s'affrontent sous les yeux d'une jeune fille probablement à peine majeure. Simon identifie machinalement la configuration : le garçon le mieux habillé convoite la jeune fille qui convoite l'autre garçon, plus débraillé, les cheveux longs un peu sales, dont le détachement légèrement arrogant ne permet pas encore d'affirmer si lui aussi s'intéresse à la jeune fille et s'il simule une indifférence tactique qu'il conçoit comme une marque de supériorité, indifférence statutaire liée à sa condition de mâle dominant qui sait d'évidence que la fille lui revient de droit, ou s'il attend quelqu'un, une plus belle, plus rebelle, moins timide, plus conforme à son standing (les deux hypothèses n'étant évidemment pas incompatibles).

Poirot-Delpech poursuit : « Si Barthes est de ceux qui, avec Bachelard, ont le plus fertilisé la critique depuis trente ans, ce n'est pas comme théoricien d'une sémiologie restée floue, mais comme champion d'un nouveau plaisir de lire. » Le sémiologue qui est en Simon Herzog émet un grognement. Plaisir de lire, gnagnagna. Sémiologie restée floue, connard toi-même.

Même si, bon. « Plus qu'un nouveau Saussure, il aura été un nouveau Gide. » Simon claque sa tasse sur la soucoupe et le café déborde sur le journal. Le bruit mat se confond avec celui des boules si bien que personne n'y fait attention, sauf la jeune fille qui se retourne. Simon croise son regard.

Les deux garçons jouent sensiblement aussi mal, ce qui ne les empêche pas d'utiliser le billard comme terrain de parade, avec froncements de sourcils, hochements de tête, menton penché au ras des boules, phases de réflexion intense matérialisée par d'innombrables tours de table, calculs technico-tactiques du point d'impact de la blanche sur la boule de couleur (elle-même choisie selon des critères méandreux), répétition du coup à vide (la phase qu'on appelle « limage », se dit Simon) avec force gestes saccadés et trop rapides évoquant à la fois l'enjeu érotique de la partie et le manque d'expérience des joueurs, suivie d'une frappe sèche dont la rapidité ne suffit pas à dissimuler la maladresse. Simon se replonge dans *Le Monde*.

Jean-Philippe Lecat, ministre de la Culture et de la Communication, a déclaré : « Toutes ses recherches d'écriture et de pensée tendaient vers l'approfondissement de l'homme pour l'aider à mieux se connaître et ainsi vivre mieux en société. » Nouveau claquement de soucoupe, mieux contrôlé. Simon vérifie si la jeune fille se retourne (elle se retourne). Apparemment, personne, au ministère de la Culture, n'a été foutu de pondre mieux que cette platitude. Simon se demande si ce n'est pas une formule type dans la mesure où elle peut s'appliquer en gros à n'importe quel écrivain, philosophe, historien, sociologue, biologiste… L'approfondissement de l'homme, ouais, bravo, mon gars, tu t'es foulé. Tu pourras ressortir la même pour Sartre, Foucault, Lacan, Lévi-Strauss et Bourdieu.

Simon entend le jeune mieux habillé contester un point de règle : « Non, les deux coups en cas de faute de l'adversaire ne sont pas cumulables si tu rentres une boule à toi sur ton premier coup. » Étudiant en droit, deuxième année (a probablement redoublé sa première année). Vu les fringues, veste, chemise, Simon dirait Assas. L'autre lui répond, en insistant sur les mots : « OK, pas de problème, cool, comme tu préfères. Moi je m'en fous. Ça m'est égal. » Psycho, deuxième année (ou redouble sa première), Censier ou Jussieu (il joue à domicile, ça se voit). La jeune fille émet un petit sourire faussement discret mais qui se veut entendu. Elle a des kickers bicolores aux pieds, un jean à revers bleu électrique, une queue-de-cheval attachée par un chouchou et elle fume des Dunhill light : lettres modernes, première année, Sorbonne ou Sorbonne Nouvelle, probablement un an d'avance.

« Pour toute une génération, il a ouvert un champ à l'analyse des médias de la communication, des mythologies et des langages. L'œuvre de Roland Barthes demeurera au cœur de chacun comme un appel vibrant à la liberté et au bonheur. » Mitterrand n'est pas plus inspiré, mais au moins il évoque vaguement les champs de compétence de Barthes.

Après une fin de partie interminable, Assas remporte une victoire à l'arraché sur un coup improbable (la noire en bande, comme il se doit, selon la règle imaginaire inventée par des poivrots bretons pour faire durer le plaisir) et lève les bras en imitant Borg, Censier essaie de se composer un air goguenard, la Sorbonne vient consoler Censier en lui frottant le bras, et tout le monde fait semblant de rire, comme si ce n'était qu'un jeu.

Le PC s'est également fendu d'une déclaration : « C'est à l'intellectuel qui consacra l'essentiel de son travail à une réflexion nouvelle sur l'imaginaire et la communication, le plaisir du texte et la matérialité de l'écriture, que nous rendons aujourd'hui hommage. » Simon isole immédiatement l'élément important de la phrase : « C'est à » cet intellectuel-là qu'on rend hommage, sous-entendu pas à l'autre, l'homme du neutre, peu engagé, qui déjeune avec Giscard ou va en Chine avec ses amis maoïstes.

Une nouvelle jeune fille pénètre dans le bar, longs cheveux bouclés, blouson en cuir, Doc Martens, boucles d'oreilles, jean déchiré. Simon pense : histoire de l'art, première année. Elle vient embrasser sur la bouche le jeune homme débraillé. Simon observe attentivement la jeune fille à queue-de-cheval. Il lit sur son profil le dépit, la colère rentrée, l'irrépressible sentiment d'infériorité qui monte en elle (évidemment infondé) et distingue dans les plis de sa bouche, sans erreur possible, les traces de lutte intérieure que l'amertume livre au mépris. À nouveau leurs regards se croisent. Les yeux de la jeune fille brillent l'espace d'une seconde d'un éclat indéfinissable. Elle se lève, se dirige vers lui, se penche sur sa table, le fixe droit dans les yeux et lui dit : « Qu'est-ce que t'as, ducon ? Tu veux ma photo ? » Simon, confus, bredouille quelque chose d'incompréhensible et se plonge dans un article sur Michel Rocard.

26

La bonne ville d'Urt n'avait jamais vu autant de Parisiens. Ils ont pris le train jusqu'à Bayonne, ils sont venus pour l'enterrement. Un vent glacé souffle sur le cimetière, il pleut des cordes, et tout le monde se serre par petits groupes, personne n'ayant eu l'idée de prendre un parapluie. Bayard a fait le voyage, lui aussi, il a de nouveau réquisitionné Simon Herzog et ils observent la faune détrempée de Saint-Germain. Nous sommes à 785 km du Flore, et à voir Sollers mordiller nerveusement son fume-cigarette ou BHL boutonner sa chemise, on se dit qu'il ne faudrait pas que la cérémonie s'éternise. Simon Herzog et Jacques Bayard, à eux deux, parviennent à identifier presque tout le monde : il y a le groupe Sollers, Kristeva, BHL ; le groupe Youssef, Paul et Jean-Louis ; le groupe Foucault avec Daniel Defert, Mathieu Lindon, Hervé Guibert, Didier Eribon ; le groupe fac : Todorov, Genette ; le groupe Vincennes : Deleuze, Cixous, Althusser, Châtelet ; le frère Michel et sa femme Rachel ; son éditeur et des étudiants, Eric Marty, Antoine Compagnon, Renaud Camus, d'anciens amants ainsi qu'un groupe de gigolos, Hamed, Saïd, Harold, Slimane ; des gens du cinéma : Téchiné, Adjani, Marie-France Pisier, Isabelle Huppert, Pascal Greggory ; deux jumeaux en tenue de cosmonaute noire (des voisins qui travaillent pour la télé, paraît-il) et des villageois…

Tout le monde l'aimait bien à Urt. À l'entrée du cimetière, deux hommes descendent d'une DS noire et ouvrent un parapluie. Quelqu'un dans l'assistance aperçoit la voiture et s'exclame : « Regardez : une DS ! » Un murmure ravi parcourt le public, qui y voit comme un hommage car c'est sous le patronage de la célèbre Citroën que Barthes avait publié ses *Mythologies*. Simon chuchote à Bayard : « Vous croyez que l'assassin est dans la foule ? » Bayard ne répond rien, il observe chaque personne présente et leur trouve à tous une bonne tête de coupables. Il sait que pour faire avancer l'enquête, il doit comprendre ce qu'il cherche. Qu'est-ce que possédait Barthes qui valait si cher pour que non seulement on le lui vole mais qu'en plus on veuille le tuer ?

27

On est chez Fabius, dans son splendide appartement du Panthéon, avec, tel que je l'imagine, des moulures partout et du parquet en pointes de Hongrie. Jack Lang, Robert Badinter, Régis Debray, Jacques Attali et Serge Moati sont réunis pour lister les forces et les faiblesses de leur candidat, en termes d'image et de – à l'époque le terme est encore un peu vulgaire – « communication ».

La première colonne est presque vide. Il y a juste inscrit : *a mis le Général en ballottage*. Et Fabius fait remarquer que ça remonte quand même à quinze ans.

La seconde colonne est plus fournie. Par ordre croissant d'importance :

Madagascar
Observatoire

guerre d'Algérie
trop vieux (trop IVe République)
canines trop longues (cynique)
perd tout le temps

Bizarrement, à l'époque, sa francisque, reçue des mains mêmes de Pétain, et ses fonctions, certes modestes, à Vichy, ne sont jamais évoquées, ni par les médias (amnésiques, comme toujours), ni par ses ennemis politiques (qui n'ont peut-être pas envie de fâcher leur propre électorat avec des souvenirs désagréables). À peine l'extrême droite, alors groupusculaire, colporte-t-elle ce que la nouvelle génération considère comme une calomnie.

Mais tout de même. Qu'est-ce qui motive cette bande de jeunes socialistes, brillants, ambitieux et, peut-être pour certains, encore idéalistes, rêvant avec mesure à des lendemains qui chantent, pour soutenir cet archéo-SFIO, ce débris de la FGDS, ce vestige de la IVe République, ce mollétiste colonialiste guillotineur (45 exécutions en Algérie pendant qu'il était ministre de l'Intérieur, puis ministre de la Justice), plutôt que Rocard, qui plaît à Mauroy, à Chevènement, qui a le soutien d'un européaniste comme Delors et d'un syndicaliste comme Edmond Maire ? Rocard, dira Moati, « c'était le socialisme "autogestionnaire" plus l'inspection des finances qui venait à notre rencontre ». Mais ce même Moati s'était rallié à Mitterrand quand, prenant acte du bordel de 68, celui-ci avait infléchi son discours vers une ligne nettement plus à gauche et déclaré : « Je crois à la socialisation des moyens de production, d'investissement et d'échange. Je crois à la nécessité d'un secteur public important capable d'entraîner l'ensemble de l'économie. »

La réunion de travail commence. Fabius a servi des boissons chaudes, des biscuits et des jus de fruits sur une grande table en bois verni. Pour bien mesurer l'ampleur de la tâche, Moati sort un vieil édito de Jean Daniel sur Mitterrand, qu'il a découpé dans un *Nouvel Obs* daté de 1966 : « Cet homme ne donne pas seulement l'impression de ne croire en rien : on se sent devant lui coupable de croire en quelque chose. Il insinue, comme malgré lui, que rien n'est pur, que tout est sordide et qu'aucune illusion n'est permise. »

Tous, autour de la table, s'accordent pour dire qu'il y a du boulot.

Moati mange des Palmitos.

Badinter plaide la cause de Mitterrand : le cynisme, en politique, est un handicap relatif, qui se rapporte aussi bien à l'habileté et au pragmatisme. Après tout, machiavélien n'est pas la même chose que machiavélique. Compromis ne signifie pas obligatoirement compromission. C'est l'essence même de la démocratie qui nécessite de la souplesse et du calcul. Diogène le chien était un philosophe particulièrement éclairé.

« D'accord, et pour l'Observatoire ? » demande Fabius.

Lang proteste : cette sombre affaire de faux attentat n'a jamais été éclaircie, et tout est fondé sur le témoignage douteux d'un ex-gaulliste passé à l'extrême droite qui a modifié plusieurs fois sa version des faits. Et on a quand même retrouvé la voiture de Mitterrand criblée de balles ! Lang a l'air réellement indigné.

« Soit », dit Fabius. Va pour la machination. Reste qu'il n'a pas eu l'air, jusqu'à maintenant, excessivement sympathique, ni excessivement socialiste.

Jack Lang rappelle que Jean Cau a dit que c'était un prêtre, et que son socialisme était « le gant retourné de son christianisme ».

Debray soupire : « N'importe quoi. »

Badinter allume une cigarette.

Moati mange des Chokinis.

Attali : « Il a décidé de barrer à gauche. Il pense que c'est nécessaire pour circonscrire le PC. Mais ça fait fuir les électeurs de gauche modérés. »

Debray : « Non, ce que tu appelles un électeur de gauche modéré, j'appelle ça un centriste. Ou un radical valoisien, à la rigueur. Ces gens-là votent à droite de toute façon. Ce sont des giscardiens. »

Fabius : « Tu inclus les radicaux de gauche ? »

Debray : « Naturellement. »

Lang : « Bon, et les canines ? »

Moati : « On lui a pris rendez-vous chez un dentiste du Marais. Il va lui faire le sourire de Paul Newman. »

Fabius : « L'âge ? »

Attali : « L'expérience. »

Debray : « Madagascar ? »

Fabius : « On s'en fout, tout le monde a oublié. »

Attali précise : « Il était ministre des Colonies en 51, les massacres ont eu lieu en 47. Certes, il a eu des phrases malheureuses, mais il n'a pas de sang sur les mains. »

Badinter ne dit rien. Debray non plus. Moati boit son chocolat chaud.

Lang : « Mais il y a eu ce film où on le voit avec un casque colonial devant des Africains en pagne… »

Moati : « La télé ne ressortira pas les images. »

Fabius : « Le thème du colonialisme n'est pas bon pour la droite, elle ne souhaite pas en faire un sujet. »

Attali : « C'est valable aussi pour la guerre d'Algérie. L'Algérie, c'est d'abord la trahison de De Gaulle. C'est trop sensible. Giscard ne prendra pas de risques avec le vote pied-noir. »

Debray : « Et les communistes ? »

Fabius : « Si Marchais nous sort l'Algérie, on lui sortira Messerschmitt. En politique comme ailleurs, personne n'a jamais trop intérêt à ce qu'on remue le passé. »

Attali : « Et s'il insiste, on lui balance le Pacte germano-soviétique ! »

Fabius : « Hum, bon, et les points positifs ? »

Silence.

On se ressert du café.

Fabius allume une cigarette.

Jack Lang : « Il a quand même une image d'homme de lettres. »

Attali : « On s'en fout. Les Français votent pour Badinguet, pas pour Victor Hugo. »

Lang : « C'est un grand orateur. »

Debray : « Oui. »

Moati : « Non. »

Fabius : « Robert ? »

Badinter : « Oui et non. »

Debray : « Il soulève les foules en meeting. »

Badinter : « Il est bon quand il a le temps de développer sa pensée, et quand il est en confiance. »

Moati : « Mais il est pas bon à la télé. »

Lang : « Il est bon en tête-à-tête. »

Attali : « Mais pas en face-à-face. »

Badinter : « Il n'est pas très à l'aise quand on lui résiste ou quand on le contredit. Il sait plaider, mais il ne veut pas être interrompu. Autant il peut être lyrique en meeting, porté par la foule, autant il peut être abscons et ennuyeux avec les journalistes. »

Fabius : « C'est qu'à la télé, en général, il méprise son interlocuteur. »

Lang : « Il aime prendre son temps, monter en régime, faire ses gammes. À la tribune, il chauffe sa voix, teste ses effets, s'adapte à son auditoire. À la télé, c'est impossible. »

Moati : « Mais la télé ne changera pas pour lui. »

Attali : « En tout cas, pas dans l'année qui vient. Quand on sera au pouvoir… »

Tous : « … on vire Elkabbach ! » (rires)

Lang : « Il faudrait qu'il appréhende la télé comme un meeting géant. Qu'il se dise que la foule est massée derrière la caméra. »

Moati : « Attention, le lyrisme en meeting, c'est une chose, mais ça passe moins bien dans un studio. »

Attali : « Il doit apprendre à être plus concis et plus direct. »

Moati : « Il faut qu'il progresse. Il faut qu'il s'entraîne. On va le faire répéter. »

Fabius : « Hm, je sens qu'il va adorer ça. »

28

Après quatre ou cinq jours passés dehors, Hamed se décide enfin à rentrer chez lui pour, au moins, vérifier s'il ne lui resterait pas un T-shirt propre quelque part, alors il gravit, éreinté, les six ou sept étages qui le mènent à sa chambre de bonne où il ne pourra pas prendre sa douche puisqu'il n'a pas de salle de bains mais au moins s'écrouler dans son lit pour se purger pendant quelques heures de la fatigue physique et nerveuse et de la vanité du monde et de l'existence, mais quand il tourne la clé dans la serrure, il sent un jeu inhabituel et constate que la porte a été fracturée, alors il pousse doucement le battant qui grince discrètement et découvre le spectacle de sa chambre mise à sac, le lit retourné, les tiroirs sortis de leurs glissières, les plinthes des murs arrachées, ses fringues répandues sur le parquet, son frigo ouvert avec une bouteille de Banga laissée intacte dans la porte, le miroir au-dessus du lavabo brisé en plusieurs morceaux, ses canettes de Gini et de Seven Up dispersées aux quatre coins de la pièce, sa collection de *Yacht Magazine* déchirée page par page ainsi que son histoire de France en bandes dessinées (le volume sur la Révolution française et celui sur Napoléon semblent avoir disparu), son Petit Larousse et ses livres éparpillés, les bandes de ses cassettes de musique méticuleusement déroulées et sa chaîne hi-fi partiellement désossée.

Hamed rembobine une cassette de Supertramp, la glisse dans le lecteur et presse *play* pour voir s'il fonctionne encore. Puis il se laisse tomber sur son matelas retourné et s'endort, tout habillé, la porte ouverte, sur les premiers accords de *Logical Song*, en songeant que lui aussi, quand il était jeune, il trouvait que la vie était belle, miraculeuse et magique mais que si maintenant les choses ont bien changé, il ne se sent pas encore pour autant très responsable ni très radical.

29

Une bonne queue de dix mètres s'est formée devant l'entrée du Gratte-Ciel, gardée par un cerbère sévère, noir et costaud. Hamed aperçoit Saïd et Slimane avec un grand gars noueux qui se fait appeler « le Sergent ». Ensemble, ils coupent la queue, saluent le cerbère par son prénom et lui disent que Roland, non, Michel, les attend à l'intérieur. Les portes du Gratte-Ciel s'ouvrent pour eux. À l'intérieur, ils sont assaillis par une odeur bizarre, comme un mélange d'écurie, de cannelle vanillée et de port de pêche. Ils croisent Jean-Paul Goude qui laisse sa ceinture au vestiaire et ils voient immédiatement à son comportement qu'il est déjà défoncé. Saïd se penche vers Hamed pour lui dire que non, décidément, les années Giscard, c'est plus possible, la vie est trop chère, mais qu'il lui faut de la dope. Slimane repère le jeune Bono Vox au bar. Sur scène, un groupe de reggae gothique assure un set vaporeux et vulgaire. Le Sergent se déhanche avec nonchalance sur le rythme à contretemps de la boîte à rythme, sous l'œil curieux et morne de Bono. Yves Mourousi parle au ventre de Grace Jones. Des danseurs brésiliens slaloment entre les clients en exécutant des mouvements déliés de capoeira. Un ancien ministre assez important sous la IVe République essaie de toucher les seins d'une jeune actrice qui commence à être connue. Et il y a toujours ce cortège de garçons et filles qui portent des homards vivants sur la tête ou les promènent en laisse, le homard étant, pour une raison inconnue, l'animal en vogue du Paris de 1980.

À l'entrée, deux moustachus mal fagotés glissent un billet de cinq cents francs au videur pour qu'il les fasse entrer. Ils laissent leurs parapluies au vestiaire.

Saïd interpelle Hamed au sujet de la drogue. Hamed lui fait signe de se détendre et roule un joint sur une table basse en forme de femme nue à quatre pattes, comme dans le Moloko Bar d'*Orange mécanique*. À côté d'Hamed, dans un canapé d'angle, Alice Sapritch tire sur son fume-cigarette, un sourire impérial aux lèvres, un boa autour du cou (un vrai boa, se dit Hamed, mais il pense aussitôt qu'il s'agit encore d'un gadget à la con). Elle se penche vers eux et leur crie : « Alors, mes petits chéris, la nuit est bonne ? » Hamed sourit en allumant son joint mais Saïd répond : « De quoi ? »

Au bar, le Sergent a réussi à se faire payer un verre par Bono et Slimane se demande en quelle langue ils communiquent mais en fait ils n'ont pas l'air de se parler. Les deux moustachus se sont mis dans un coin et ils ont commandé une bouteille de vodka polonaise, celle avec l'herbe de bison dedans, ce qui a pour effet d'attirer à leur table de beaux jeunes gens de sexes divers et, dans leur sillage, une ou deux vedettes de second rang. Près du bar, Victor Pecci, brun, chemise ouverte, diamant à l'oreille, discute avec Vitas Gerulaitis, blond, chemise ouverte, anneau clipé à l'oreille. Slimane salue de loin une jeune anorexique qui discute avec le chanteur de Taxi Girl. Juste à côté de lui, adossée à un pilier en béton imitant une colonne dorique carrée, la bassiste de Téléphone, impassible, se fait lécher la joue par une amie qui essaie de lui expliquer comment on boit les tequilas à Orlando. Le Sergent et Bono ont disparu. Slimane se fait entreprendre par Yves

Mourousi. Foucault surgit des toilettes et entame une discussion passionnée avec la chanteuse d'ABBA. Saïd apostrophe Hamed : « Je veux de la came, de la dope, de la chnouf, de la blanche, de la brune, du *sugar*, de l'éléphant, du rhino, n'importe quoi, mais trouve-moi quelque chose, merde ! » Hamed lui tend le joint qu'il saisit avec rage, l'air de dire « voilà ce que j'en fais de ton joint » et le porte à sa bouche en tirant dessus avec dégoût et avidité. Dans leur coin, les deux moustachus sympathisent avec leurs nouveaux amis et trinquent en s'exclamant : « *Na zdravé !* » Jane Birkin essaie de dire quelque chose à un jeune homme qui lui ressemble comme un frère mais celui-ci la fait répéter cinq fois avant de hausser les épaules en signe d'impuissance. Saïd crie à Hamed : « Qu'est-ce qui nous reste ? La PAC ? C'est ça, le plan ? » Hamed prend conscience que Saïd va être insupportable tant qu'il n'aura pas sa came, alors il le saisit par les épaules et lui dit « écoute » en le regardant droit dans les yeux comme il ferait avec quelqu'un en état de choc ou vraiment très raide et il sort de sa poche revolver un papier format A5 plié en deux. C'est une invitation pour l'Adamantium, la boîte qui vient d'ouvrir en face du Rex, et ce soir justement un dealer qu'il connaît doit y être pour animer, comme il est inscrit sur le flyer, au-dessous d'une grosse tête dessinée qui ressemble vaguement à Lou Reed, une soirée spécial années 70. Il demande un stylo à Alice Sapritch et écrit soigneusement en lettres capitales le prénom du dealer au dos du flyer qu'il tend solennellement à Saïd qui le range délicatement dans la poche intérieure de sa veste et qui décolle immédiatement. Dans leur coin, les deux moustachus mal habillés ont l'air de bien s'amuser avec leurs nouveaux amis, ils ont inventé un nouveau cocktail pastis-vodka-Suze et Inès de La Fressange a rejoint leur table, mais quand ils voient Saïd se diriger vers la sortie, ils arrêtent de rire, déclinent poliment les sollicitations du batteur de Trust qui veut leur faire un bisou en criant « *Brat ! Brat !* » et se lèvent de concert.

Sur les Grands Boulevards, Saïd marche avec résolution sans voir derrière lui les deux hommes, armés de leur parapluie, qui le suivent à distance. Il calcule le nombre de passes qu'il va devoir accomplir dans les chiottes de l'Adamantium pour se payer son gramme de cocaïne. Peut-être devrait-il prendre des amphétamines, c'est moins bon mais moins cher. Mais ça dure plus longtemps. Mais ça fait un peu débander. Mais ça donne envie de baiser quand même. Bref. Cinq minutes pour lever le client, cinq minutes pour trouver une cabine libre, cinq minutes la passe, à un quart d'heure tout compris, trois passes devraient suffire, peut-être deux s'il trouve des mecs friqués et vraiment en rut, il croit savoir que l'Adamantium veut attirer du chic et du lourd, pas trop le genre lesbiennes camées bon marché. S'il est bon, dans une heure il aura sa came. Mais les deux hommes derrière lui se sont rapprochés et alors qu'il s'apprête à traverser le boulevard Poissonnière, le premier pointe son parapluie vers le bas et lui pique la jambe à travers son jean *stone washed* tandis que le deuxième, pendant que Saïd sursaute en poussant un cri, lui passe la main dans son blouson et lui subtilise le flyer placé dans sa poche intérieure. Le temps qu'il se retourne, les deux hommes ont déjà franchi le passage clouté, et Saïd sent sa jambe qui le lance et il a senti aussi le contact furtif de la main sur son torse alors il se dit qu'il a affaire à deux pickpockets et vérifie qu'il a bien toujours ses papiers (il n'a pas d'argent) mais la tête lui tourne quand il comprend qu'on lui a volé son invitation, il les poursuit en criant « mon invitation ! mon invitation ! » mais un vertige le saisit, ses forces le quittent, sa vue se brouille, ses jambes ne répondent plus, il s'arrête au milieu de la chaussée, se passe la main sur les yeux et s'écroule au milieu des voitures qui klaxonnent.

Demain, dans *Le Parisien libéré*, on fera état du décès de deux personnes : un jeune Algérien de vingt ans victime d'une overdose en pleine rue et un revendeur de drogue torturé à mort dans les toilettes de l'Adamantium, un night-club récemment ouvert dont le préfet a aussitôt décidé la fermeture administrative.

30

« Ces types cherchent quelque chose. La seule question, Hamed, c'est pourquoi ils ne l'ont pas trouvé. »

Bayard mâchonne sa cigarette, Simon joue avec des trombones.

Barthes écrasé, Saïd empoisonné, son dealer massacré, son appartement saccagé, Hamed a estimé qu'il était temps d'aller à la police, car il n'a pas tout dit sur Roland Barthes : lors de leur dernière rencontre, Barthes lui a laissé un papier. Le cliquetis des machines à écrire résonne dans les bureaux. Le Quai des Orfèvres bruisse d'une activité policière et administrative.

Non, ceux qui ont fouillé son appartement ne l'ont pas trouvé. Non, il n'est pas en sa possession.

Comment peut-il être sûr, alors, qu'ils ne l'ont pas récupéré ? Parce qu'il n'était pas caché dans sa chambre. Et pour cause : il l'a brûlé.

D'accord.

Est-ce qu'il l'a lu ? Oui. Est-ce qu'il peut dire de quoi ça parle ? En quelque sorte. De quoi ça parle ? Silence.

Barthes lui a demandé d'apprendre par cœur le document et de le détruire ensuite. Apparemment, il considérait que l'accent du Midi était un moyen mnémotechnique qui facilitait la mémorisation. Hamed l'a fait parce que au fond, même s'il était vieux et moche avec son bide et son double menton, il l'aimait bien, ce vieux qui parlait de sa mère comme un gosse triste, et puis il était flatté que ce grand professeur lui confie une mission qui ne soit pas, pour une fois, d'ordre buccogénitale, et aussi parce que Barthes lui avait promis trois mille francs.

Bayard demande : « Pouvez-vous nous réciter ce texte ? » Silence. Simon a interrompu la confection de son collier en trombones. Dehors, le chant des machines à écrire continue.

Bayard propose une cigarette au gigolo qui l'accepte par réflexe de gigolo, même s'il ne fume pas de brunes.

Hamed fume et garde le silence.

Bayard souligne qu'il est manifestement en possession d'une information importante qui a provoqué la mort d'au moins trois personnes et que, tant que cette information ne sera pas rendue publique, sa vie est menacée. Hamed objecte qu'au contraire, tant que son cerveau est seul dépositaire de cette information, on ne peut pas le tuer. Son secret, c'est son assurance-vie. Bayard lui montre les photos du dealer qui a été torturé dans les toilettes de l'Adamantium. Hamed contemple longuement les photos. Puis il se renverse sur son siège et commence à réciter : « *Heureux qui comme Ulysse a fait un beau voyage/Ou comm-eu celui-là qui conquit la toison…* » Bayard jette un regard interrogateur à Simon qui lui explique que c'est un poème de Du Bellay : « *Quand reverrai-je, hélas, de mon petit village/ Fumer la cheminée et en quell-eu saison…* » Hamed dit qu'il l'a appris à l'école et qu'il s'en souvient encore, il a l'air fier de sa mémoire. Bayard signale à Hamed qu'il peut le retenir vingt-quatre heures en garde à vue. Hamed répond qu'il n'a qu'à faire ça. Bayard allume une autre gitane avec le mégot de la précédente en ajustant mentalement sa tactique. Hamed ne peut pas retourner chez lui. Est-ce qu'il a un endroit sûr où dormir ? Oui, Hamed peut dormir chez son ami Slimane, à Barbès. Il devra se faire oublier quelque temps, ne pas sortir dans les endroits qu'il a l'habitude de fréquenter, ne pas ouvrir la porte à des inconnus et faire attention quand il sort, se retourner fréquemment dans la rue, bref, se planquer. Bayard demande à Simon de l'accompagner en voiture. Son intuition lui dit que le gigolo se confiera plus facilement à un jeune non flic qu'à un vieux flic et puis, contrairement aux flics des romans ou des films, il a d'autres affaires en cours, il ne peut pas consacrer 100 % de son temps de travail à celle-ci, quand bien même Giscard l'a décrétée prioritaire, et même s'il a voté pour lui.

Il donne les ordres nécessaires pour qu'on mette un véhicule à leur disposition. Avant de les laisser partir, il demande à Hamed si le nom de Sophia lui évoque quelque chose mais Hamed dit qu'il ne connaît aucune Sophia. Un fonctionnaire en uniforme à qui il manque un doigt les amène au garage et leur remet les clés d'une R16 banalisée. Simon signe un formulaire, Hamed monte à la place du passager et ils quittent le Quai des Orfèvres en direction de Châtelet. Derrière eux, la DS noire, qui attendait sagement en double file, sans qu'aucun policier en faction s'en soit inquiété, démarre. Au carrefour, Hamed dit à Simon (avec sa pointe d'accent du Sud) : « Oh ! Uneu Fuego. » Elle est bleue.

Simon traverse l'île de la Cité, passe devant le Palais de justice, rejoint Châtelet. Il demande à Hamed pourquoi il est monté à Paris. Hamed lui explique qu'à Marseille, pour les pédés, c'est pas bien, Paris c'est mieux, même si ce n'est pas la panacée (Simon note l'emploi du mot « panacée »), les pédés y sont mieux considérés, parce qu'être pédé en province, c'est pire qu'être arabe. Et puis à Paris, il y a plein de pédés pleins de fric et on s'amuse mieux. Simon passe à l'orange à hauteur de la rue de Rivoli et la DS derrière lui grille le feu rouge pour rester au contact. En revanche, la Fuego bleue s'arrête. Simon explique à Hamed qu'il enseigne Barthes à la fac et lui demande prudemment : « Ça parle de quoi, ce texte ? » Hamed lui demande une cigarette et lui dit : « En vrai, je sais pas. »

Simon se demande si Hamed les a menés en bateau, mais Hamed lui dit qu'il a appris le texte par cœur sans chercher à comprendre. Les consignes étaient que si jamais il arrivait quelque chose, il fallait qu'il se rende quelque part pour le réciter à une personne bien précise, et pas une autre. Simon lui demande pourquoi il ne l'a pas fait. Hamed demande ce qui lui fait penser qu'il ne l'a pas fait. Simon lui dit qu'il pense qu'il ne serait jamais venu à la police s'il l'avait fait. Hamed avoue que non, il ne l'a pas fait, parce que c'est trop loin, la personne n'habite pas en France, et qu'il n'avait pas assez d'argent. Les trois mille francs que lui a donnés Barthes, il a préféré les dépenser autrement.

Simon remarque dans son rétroviseur que la DS est toujours derrière eux. À hauteur de Strasbourg-Saint-Denis, il grille un feu rouge et la DS derrière le grille aussi. Il ralentit, elle ralentit. Il s'arrête en double file, pour en avoir le cœur net. La DS s'arrête derrière lui. Il sent son cœur qui commence à battre un peu fort. Il demande à Hamed ce qu'il veut faire plus tard, quand il aura assez d'argent, si un jour il a de l'argent. Hamed ne comprend pas tout de suite pourquoi Simon s'est arrêté mais il ne pose pas de question et lui dit qu'il aimerait bien s'acheter un bateau et organiser des balades pour les touristes, parce qu'il aime bien la mer, parce qu'il allait pêcher dans les calanques avec son père quand il était petit (mais ça, c'était avant que son père le foute à la porte). Simon redémarre brutalement en faisant crisser ses pneus et il voit dans son rétroviseur les suspensions hydrauliques qui soulèvent la grosse Citroën noire et l'arrachent au goudron. Hamed se retourne et aperçoit la DS et alors il se souvient de la voiture en bas de chez lui, et de la soirée à Bastille, et il comprend qu'il est suivi depuis des semaines et qu'on aurait pu le tuer dix fois mais que ça ne signifie pas qu'on ne le tuera pas la onzième, alors il s'accroche à la poignée au-dessus de la vitre et ne dit plus rien sauf : « Prends à droite. »

Simon braque sans réfléchir et se retrouve engagé dans une petite rue parallèle au boulevard Magenta et ce qui l'effraie le plus, maintenant, c'est de constater que la voiture derrière lui ne fait rien pour ne pas signaler sa présence, et comme elle se rapproche alors, mû par une inspiration incertaine, il pile et la DS emboutit la R16.

Pendant quelques secondes, les deux voitures sont immobiles, l'une derrière l'autre, comme si elles avaient perdu connaissance, et les passants aussi sont pétrifiés, stupéfaits par l'accident. Puis il voit un bras qui sort de la DS et un objet métallique qui brille et il se dit que c'est une arme à feu alors il embraye et rate la première, ce qui provoque un craquement horrible et la R16 fait un bond en avant. Le bras disparaît et la DS redémarre à son tour.

Simon grille tous les feux et klaxonne en continu, si bien qu'on a l'impression qu'une sirène d'alerte déchire le Xe arrondissement comme pour annoncer un bombardement imminent ou le premier mercredi du mois et, derrière, la DS s'accroche à lui comme un chasseur qui aurait verrouillé un avion ennemi dans son viseur. Simon percute une 505, rebondit sur une camionnette, dérape sur le trottoir, manque d'écraser deux ou trois passants et s'engage place de la République. Derrière lui, la DS se faufile entre les obstacles comme un serpent. Simon slalome dans le trafic et évite les piétons et crie à Hamed : « Le texte ! Récite le texte ! » Mais Hamed n'arrive pas à se concentrer, sa main est crispée sur la poignée au-dessus de la vitre et aucun mot ne s'échappe de sa bouche.

Simon fait le tour de la place en essayant de réfléchir. Il ne sait pas où sont les commissariats dans le quartier mais il se souvient d'un bal du 14 Juillet à la caserne des pompiers près de Bastille, dans le Marais, alors il s'engouffre dans le boulevard des Filles-du-Calvaire et il aboie sur Hamed : « De quoi ça parle ? C'est quoi le titre ? » Et Hamed, livide, articule : « La septième fonction du langage. » Mais au moment où il va commencer à réciter, la DS se porte à la hauteur de la R16, la vitre s'ouvre côté passager et Simon aperçoit un moustachu qui braque un pistolet sur lui et, juste avant que la détonation éclate, Simon freine de toutes ses forces et la DS les dépasse quand le coup de feu part, mais derrière lui une 404 le percute et le choc projette la R16 en avant qui se retrouve à nouveau à la hauteur de la DS, alors Simon braque à gauche de toutes ses forces et envoie la DS sur la file d'en face mais par miracle, celle-ci évite une Fuego bleue qui arrive en sens inverse et elle s'échappe par une contre-allée à la hauteur du Cirque d'hiver puis disparaît dans la rue Amelot, parallèle au boulevard Beaumarchais qui prolonge les Filles-du-Calvaire.

Simon et Hamed pensent alors s'être débarrassés de leurs poursuivants mais Simon se dirige toujours vers Bastille, il n'a pas l'idée de se perdre dans les petites rues du Marais, si bien que lorsque Hamed commence à réciter mécaniquement : « Il existe une fonction qui échappe aux différents facteurs inaliénables de la communication verbale… et qui en quelque sorte les englobe tous. Cette fonction, nous l'appellerons… », à cet instant précis, la DS surgit d'une perpendiculaire et vient percuter le flanc de la R16 qui va s'écraser contre un arbre dans un hurlement d'acier et de verre.

Simon et Hamed sont encore sonnés quand un moustachu armé d'un pistolet et d'un parapluie jaillit de la DS fumante, se précipite sur la R16 et arrache la portière branlante du côté passager. Il pointe son pistolet à bout de bras sur le visage d'Hamed et appuie sur la détente, mais rien ne se passe, son pistolet s'est enrayé, il réessaie, clic clic, ça ne marche pas, alors il brandit comme une lance son parapluie fermé et veut le planter dans les côtes d'Hamed mais Hamed se protège avec le bras et détourne la pointe qui lui pique l'épaule, la douleur lui arrache un cri strident puis, la peur se muant en rage, il arrache le parapluie des mains du moustachu, détache sa ceinture de sécurité dans le même mouvement, se jette sur son agresseur et lui plante le parapluie en pleine poitrine.

Pendant ce temps, l'autre moustachu s'est approché du côté conducteur. Simon est conscient et il tente de s'extraire de la R16 mais sa portière est bloquée, il est coincé dans l'habitacle, et quand le deuxième moustachu pointe son arme et le vise, il est paralysé de terreur et regarde le trou noir d'où va jaillir la balle qui va lui perforer la tête et il a le temps de se dire « un éclair, puis la nuit » quand soudain un vrombissement déchire l'air et une Fuego bleue vient percuter le moustachu qui s'envole et va s'écraser sur la chaussée. Deux Japonais descendent de la Fuego.

Simon s'extrait du véhicule en rampant par le côté passager et court à quatre pattes vers Hamed qui s'est affalé sur le corps du premier moustachu, le retourne et constate avec soulagement qu'il bouge encore. L'un des deux Japonais vient soutenir la tête du jeune gigolo blessé, il lui tâte le pouls et dit : « poison » mais Simon entend d'abord « poisson » et il repense aux analyses de Barthes sur la nourriture japonaise avant de comprendre en regardant Hamed, le teint jaune et les yeux jaunes et le corps agité de spasmes, et il crie que quelqu'un appelle une ambulance et Hamed veut lui dire quelque chose, il se redresse péniblement, Simon se penche et lui demande la fonction mais Hamed est tout à fait incapable de réciter le texte et déjà tout s'envole dans sa tête, il revoit son enfance pauvre à Marseille et sa vie à Paris, les copains, les passes, les saunas, Saïd, Barthes, Slimane, le cinéma, les croissants à La Coupole et les reflets satinés des corps huileux auxquels il s'est frotté, mais juste avant de mourir, tandis que des sirènes retentissent dans le lointain, il a le temps de murmurer : « Écho. »

31

Quand Jacques Bayard arrive, la police a sécurisé le périmètre mais les Japonais ont disparu et le deuxième moustachu, celui qu'ils ont renversé avec la Fuego, aussi. Le corps d'Hamed est encore étendu sur la chaussée ainsi que celui de son agresseur, le parapluie planté dans la poitrine. Simon Herzog fume une cigarette, une couverture sur le dos. Non, il n'a rien. Non, il ne sait pas qui sont ces Japonais. Ils n'ont rien dit, ils lui ont sauvé la vie et ils sont repartis. Avec la Fuego. Oui, le deuxième moustachu est probablement blessé. Il faut déjà qu'il soit balèze pour s'être relevé d'un choc pareil. Jacques Bayard, perplexe, contemple les deux épaves encastrées. Pourquoi une DS ? La production s'est arrêtée en 1975. D'un autre côté, la Fuego est un modèle qui sort à peine des usines et qui n'est même pas encore commercialisé. On dessine le contour du cadavre d'Hamed à la craie. Bayard s'allume une gitane. Le calcul du gigolo était donc faux : l'information qu'il détenait ne l'a pas protégé. Bayard en conclut que ceux qui l'ont tué ne voulaient pas le faire parler mais le faire taire. Pourquoi ? Simon lui rapporte les dernières paroles d'Hamed. Bayard lui demande ce qu'il sait de cette septième fonction du langage. Éprouvé mais professoral par automatisme, Simon lui explique : « Les fonctions du langage sont des catégories linguistiques qui ont jadis été théorisées par un grand linguiste russe du nom de… »

Roman Jakobson.

Simon ne poursuit pas plus loin l'exposé qu'il s'apprêtait à entamer. Il se souvient du livre sur le bureau de Barthes, les *Essais de linguistique générale*, de Roman Jakobson, ouvert à la page des fonctions du langage, et de la feuille de notes qui servait de marque-page.

Il explique à Bayard que le document pour lequel on a déjà tué quatre personnes était peut-être sous leurs yeux quand ils ont perquisitionné l'appartement de la rue Servandoni, et il ne prend pas garde au policier qui se tient derrière eux puis qui s'éloigne pour aller passer un coup de téléphone quand il en a assez entendu. Il ne peut pas voir qu'il manque un doigt à la main gauche de ce policier.

Bayard aussi estime qu'il en sait assez, même s'il n'a toujours pas compris cette histoire de Jakobson ;

il embarque Simon dans sa 504 et fonce en direction du Quartier latin, escorté par une fourgonnette pleine de policiers en uniforme, dont celui au doigt coupé. Ils arrivent place Saint-Sulpice toutes sirènes hurlantes, et c'est sans doute une erreur.

Il y a un digicode à la lourde porte cochère et ils doivent tambouriner à la fenêtre de la concierge qui leur ouvre, ahurie.

Non, personne n'a demandé à voir la chambre de bonne. Rien de particulier à signaler depuis l'installation du digicode par le technicien de chez Vinci, le mois dernier. Oui, celui avec un accent russe, ou yougoslave, ou peut-être bien grec. Justement, c'est amusant, il est revenu aujourd'hui. Il a dit qu'il voulait faire un devis pour poser des interphones. Non, il n'a pas demandé la clé de la chambre du sixième, pourquoi ? Elle est accrochée sur le tableau, avec les autres, regardez. Oui, il est monté dans les étages, il n'y a pas cinq minutes.

Bayard prend la clé et grimpe les escaliers quatre à quatre, suivi d'une demi-douzaine de policiers. Simon reste en bas avec la concierge. Au sixième, la porte de la chambre de bonne est fermée. Bayard enfonce la clé dans la serrure mais celle-ci est obstruée par quelque chose : une clé *à l'intérieur*. La clé qu'on n'a pas retrouvée sur Barthes, se dit Bayard qui frappe en criant « Police ! » Dedans, on entend du bruit. Bayard fait enfoncer la porte. Le bureau semble intact mais le livre n'y est plus, pas de feuille de notes non plus, et il n'y a personne dans la pièce. Les fenêtres sont fermées.

Mais la trappe qui communique avec l'appartement du cinquième est ouverte.

Bayard hurle à ses hommes de redescendre mais le temps qu'ils fassent demi-tour, l'individu est déjà dans l'escalier et ils se heurtent au frère de Barthes, Michel, qui sort de chez lui, paniqué parce qu'un intrus a fait irruption par le plafond, ce qui permet au technicien de chez Vinci de prendre deux étages d'avance et en bas, évidemment, Simon qui n'a rien compris se fait bousculer par l'homme qui s'enfuit à toutes jambes et quand celui-ci referme la porte cochère, le mécanisme qu'il a lui-même installé se déclenche et bloque la serrure.

Bayard se rue dans la loge de la concierge et s'empare du téléphone. Il veut appeler du renfort mais c'est un téléphone à cadran, et le temps qu'il met à composer le numéro lui semble suffisant pour que l'homme atteigne la Porte d'Orléans ou même Orléans tout court.

Mais l'homme ne prend pas cette direction. Il veut s'enfuir en voiture, mais deux policiers laissés en faction l'empêchent de rejoindre son véhicule garé au bout de la rue, alors il court vers le Luxembourg pendant que derrière lui les deux policiers lancent leurs premières sommations. À travers la porte cochère, Bayard crie « Ne tirez pas ! » Il le veut vivant, naturellement. Quand ses hommes parviennent enfin à débloquer le mécanisme, en appuyant sur le bouton incrusté dans le mur, le fugitif a disparu mais Bayard a donné l'alerte, il sait que le quartier est en train d'être bouclé et qu'il n'ira pas loin.

L'homme traverse les jardins du Luxembourg au pas de course et on entend les sifflets des policiers derrière lui mais les passants, habitués aux joggeurs et aux sifflets des gardiens du parc, ne font pas attention jusqu'à ce qu'il tombe nez à nez avec un agent de police qui veut le plaquer au sol mais il le tamponne comme au rugby, le renverse, l'enjambe et continue sa course. Où va-t-il ? Le sait-il ? Il change de direction. Ce qui est sûr c'est qu'il doit quitter les jardins avant qu'on ait bouclé toutes les issues.

Bayard est maintenant dans la fourgonnette et donne des ordres par radio. Les forces de police se déploient dans tout le Quartier latin, il est cerné, il est foutu.

Mais l'homme a de la ressource, on le retrouve en train de dévaler la rue Monsieur-le-Prince, une rue étroite, en sens unique, ce qui empêche de le suivre en voiture. Pour une raison connue de lui seul, il doit passer Rive droite. Débouchant par la rue Bonaparte, il s'engage sur le Pont-Neuf mais c'est là que sa route s'achève, car au bout du pont, des camions de police sont déjà là et quand il se retourne, il voit la fourgonnette de Bayard qui vient bloquer sa retraite. Il est fait comme un rat, même s'il saute à l'eau, il n'ira pas loin, mais il se dit qu'il a peut-être une dernière carte à jouer.

Il monte sur le parapet et tend à bout de bras un papier qu'il a sorti de sa veste. Bayard s'approche, seul. L'homme lui dit qu'un pas de plus et il jette le papier dans la Seine. Bayard s'immobilise comme devant un muret invisible. « Du calme.

— Rrreculez !

— Qu'est-ce que tu veux ?

— Une voitourrre avec le plein. Sinon je jette le docoument.

— Vas-y, jette-le. »

L'homme fait un mouvement du bras. Bayard tressaille, malgré lui. « Attends ! » Il sait que ce bout de papier peut lui permettre de résoudre la mort d'au moins quatre personnes. « On va discuter, d'accord ? Comment tu t'appelles ? » Simon l'a rejoint. Aux deux bouts du pont, les policiers tiennent l'homme en joue. Essoufflé, le buste cassé par l'effort, celui-ci porte son autre main à sa poche. À cet instant précis retentit une détonation. L'homme pivote sur lui-même. Bayard pousse un cri : « Ne tirez pas ! » L'homme tombe comme une pierre mais le papier, lui, volette au-dessus du fleuve et Bayard et Simon, qui se sont précipités, contemplent, penchés sur la rambarde de pierre et comme hypnotisés, les courbes gracieuses de sa descente erratique. Finalement, le papier atterrit délicatement sur l'eau. Et flotte. Bayard, Simon, les policiers qui ont instinctivement compris que ce document était leur véritable objectif, tous observent, pétrifiés, retenant leur souffle, la feuille de papier qui dérive au gré du courant.

Puis Bayard s'arrache à cette torpeur contemplative et, décidant que tout espoir n'est pas perdu, enlève sa veste, sa chemise, son pantalon, enjambe le parapet, hésite une poignée de secondes. Saute. Disparaît dans une grande gerbe d'éclaboussures.

Lorsqu'il refait surface, il est à environ vingt mètres de la feuille et, du haut du pont, Simon et les policiers se mettent à crier tous ensemble pour lui indiquer la direction, comme des supporters qui braillent. Bayard se met à nager de toutes ses forces, il essaie de se rapprocher mais le papier s'éloigne, porté par le courant ; malgré tout, l'écart se réduit, il va l'avoir, encore quelques mètres, ils disparaissent sous le pont, Simon et les policiers courent de l'autre côté et attendent qu'ils réapparaissent et quand ils réapparaissent, les cris reprennent, dans un mètre il pourra le toucher, mais un bateau-mouche passe à ce moment-là et crée de petites vagues qui submergent le papier, juste quand Bayard l'a à portée de main, le papier coule, alors Bayard s'enfonce lui aussi, pendant un instant on ne voit plus que son slip qui dépasse et quand il remonte, il a le papier détrempé à la main et il regagne laborieusement la rive sous les hourras et les vivats.

Mais lorsqu'on le hisse sur la berge, il ouvre la main et constate que la feuille n'est plus qu'une pâte informe et que l'écriture a été effacée car Barthes écrivait au stylo plume. Et comme on n'est pas chez *Les Experts*, il n'y aura pas moyen de faire réapparaître le texte, pas de scanner magique, pas de lumière violette, le document est irrémédiablement perdu.

Le flic qui a tiré vient s'expliquer, il a vu que l'homme allait sortir une arme de sa poche et il n'a pas eu le temps de réfléchir, il a tiré. Bayard note qu'il lui manque une phalange à la main gauche. Il lui demande ce qui est arrivé à son doigt. Le policier répond qu'il se l'est tranché en coupant du bois chez ses parents, à la campagne.

Quand les plongeurs de la police repêcheront le cadavre, ils trouveront dans la poche de son blouson non pas une arme mais l'exemplaire de Barthes des *Essais de linguistique générale* et Bayard, à peine séché, demandera à Simon : « Bordel, mais qui c'est, ce Jakobson ? » Alors, enfin, Simon pourra reprendre son exposé.

32

Roman Jakobson est un linguiste russe, né à la fin du XIXe siècle, qui est à l'origine d'un mouvement appelé « Structuralisme ». Après Saussure (1857-1913) et Peirce (1839-1914) et avec Hjelmslev (1899-1965), c'est sans doute le théoricien le plus important parmi les fondateurs de la linguistique.

À partir des deux figures de style issues de la rhétorique antique que sont la métaphore (on remplace un mot par un autre avec lequel il entretient un rapport de ressemblance quelconque, par exemple « oiseau de métal » pour le Concorde ou « taureau enragé » pour le boxeur Jake La Motta) et la métonymie (on remplace un mot par un autre avec lequel il entretient un rapport de contiguïté, par exemple « une fine lame » pour désigner un escrimeur ou « boire un verre » pour dire qu'on boit le liquide dans le verre – le contenant pour le contenu), il a réussi à expliquer le fonctionnement du langage selon deux axes, l'axe paradigmatique et l'axe syntagmatique.

En gros, l'axe paradigmatique est vertical et il concerne le choix du vocabulaire : chaque fois que vous prononcez un mot, vous le choisissez parmi une liste de mots que vous avez en tête et que vous faites défiler. Par exemple, « la chèvre », « l'économie », « la mort », « le pantalon », « je-tu-il », que sais-je.

Puis vous enchaînez avec d'autres mots, « de Monsieur Seguin », « malade », « avec sa faux », « froissé », « soussigné », pour former une phrase : cette chaîne, c'est l'axe horizontal, l'ordre des mots qui va vous permettre de faire une phrase, puis plusieurs phrases, et enfin un discours. C'est l'axe syntagmatique.

Après un nom, vous devez décider si vous enchaînez par un adjectif, un adverbe, un verbe, une conjonction de coordination, une préposition… et vous devez choisir quel adjectif ou quel adverbe ou quel verbe : vous renouvelez l'opération paradigmatique à chaque étape syntagmatique.

L'axe paradigmatique vous fait choisir parmi une liste de mots de classe grammaticale équivalente, un nom ou un pronom, un adjectif ou une proposition relative, un adverbe, un verbe, etc.

L'axe syntagmatique vous fait choisir l'ordre des mots : sujet-verbe-complément ou verbe-sujet ou complément-sujet-verbe…

Vocabulaire et syntaxe.

Chaque fois que vous formulez une phrase, vous pratiquez ces deux opérations, sans vous en rendre compte. En gros, l'axe paradigmatique mobilise votre disque dur et le syntagmatique relève de votre processeur. (Je doute toutefois que Bayard ait des notions d'informatique.)

Mais ce n'est pas ça, en l'occurrence, qui nous intéresse.

(Bayard grommelle.)

Jakobson a, par ailleurs, synthétisé le processus de communication sous la forme d'un schéma qui comporte les pôles suivants : l'émetteur, le récepteur, le message, le contexte, le canal et le code. C'est à partir de ce schéma qu'il a dégagé les fonctions du langage.

Jacques Bayard n'a pas envie d'en savoir plus mais, pour les besoins de l'enquête, il est nécessaire qu'il comprenne, au moins dans les grandes lignes. Donc voici les fonctions :

— la fonction « référentielle » est la première fonction du langage et la plus évidente. On utilise le langage pour parler de quelque chose. Les mots utilisés renvoient à un certain contexte, une certaine réalité, au sujet de laquelle il s'agit de donner des informations.

— la fonction dite « émotive » ou « expressive » vise à manifester la présence et la position de l'émetteur par rapport à son message : interjections, adverbes de modalisation, traces de jugement, recours à l'ironie... La façon dont l'émetteur exprime une information se référant à un sujet extérieur donne elle-même des informations sur l'émetteur. C'est la fonction du « Je ».

— la fonction « conative » est la fonction du « Tu ». Elle est dirigée vers le récepteur. Elle s'exerce principalement avec l'impératif ou le vocatif, c'est-à-dire l'interpellation de celui ou ceux à qui on s'adresse : « Soldats, je suis content de vous ! » par exemple. (Et vous pouvez noter au passage qu'une phrase ne se réduit quasiment jamais à une seule fonction mais en combine plusieurs en général. Quand il s'adresse à ses troupes après Austerlitz, Napoléon marie la fonction émotive – « je suis content » – avec la conative – « Soldats/de vous ! »)

— la fonction « phatique » est la plus amusante, c'est la fonction qui envisage la communication comme une fin en soi. Quand vous dites « allô » au téléphone, vous ne dites rien d'autre que « je vous écoute », c'est-à-dire « je suis en situation de communication ». Quand vous discutez des heures au bistro avec vos amis, quand vous parlez du temps qu'il fait ou du match de foot de la veille, vous ne vous intéressez pas vraiment à l'information en soi, mais vous parlez pour parler, sans autre objectif que d'entretenir la conversation. Autant dire qu'elle est à la source de la majorité de nos prises de parole.

— la fonction « métalinguistique » vise à vérifier que l'émetteur et le récepteur se comprennent, c'est-à-dire utilisent bien le même code. « Tu comprends ? », « Tu vois ce que je veux dire ? », « Tu connais ? », « Laisse-moi t'expliquer… » ou bien, côté récepteur, « Qu'est-ce que tu veux dire ? », « Qu'est-ce que ça signifie ? » etc. Tout ce qui concerne la définition d'un mot ou l'explicitation d'un développement, tout ce qui se rapporte au processus d'apprentissage du langage, tout propos sur le langage, tout métalangage, renvoie à la fonction métalinguistique. Un dictionnaire n'a pas d'autre fonction que métalinguistique.

— enfin, la dernière fonction est la fonction « poétique ». Elle envisage le langage dans sa dimension esthétique. Les jeux avec la sonorité des mots, les allitérations, assonances, répétitions, effets d'écho ou de rythme, relèvent de cette fonction. On la trouve dans les poèmes, évidemment, mais aussi dans les chansons, dans les titres des journaux, dans les discours oratoires, dans les slogans publicitaires ou politiques… Par exemple, « CRS = SS » utilise la fonction poétique du langage.

Jacques Bayard s'allume une cigarette et dit : « Ça fait six.

— Pardon ?

— Ça fait six fonctions.

— Ah oui, tiens.

— Il n'y a pas de septième fonction ?
— Hum hum, eh bien… apparemment, si. »
Simon sourit bêtement.

Bayard se demande à haute voix pour quoi on paie Simon. Simon rappelle qu'il n'a rien demandé et qu'il est là contre son gré, sur ordre exprès d'un président fasciste à la tête d'un État policier.

Néanmoins, en y réfléchissant, ou plutôt en relisant Jakobson, Simon Herzog trouve trace d'une potentielle septième fonction, désignée sous le nom de « fonction magique ou incantatoire », dont le mécanisme est décrit comme « la conversion d'une troisième personne, absente ou inanimée, en destinataire d'un message conatif ». Et Jakobson donne comme exemple une formule magique lituanienne : « Puisse cet orgelet se dessécher, tfu tfu tfu tfu ». Ouais ouais ouais, se dit Simon.

Il mentionne aussi cette incantation du nord de la Russie : « Eau, reine des rivières, aurore ! Emporte le chagrin au-delà de la mer bleue, au fond de la mer, que jamais le chagrin ne vienne alourdir le cœur léger du serviteur de Dieu… » Et pour faire bonne mesure, une citation de la Bible : « Soleil, arrête-toi sur Gabaôn, et toi, lune, sur la vallée d'Ayyalôn. Et le soleil s'arrêta et la lune se tint immobile. » (Josué 10 : 12)

D'accord, mais tout ça semble anecdotique, on ne peut pas parler vraiment d'une fonction à part entière, tout au plus d'une utilisation légèrement délirante de la fonction conative, pour un usage essentiellement cathartique, au mieux poétique, mais absolument non effectif : l'invocation magique ne fonctionne que dans les contes, par définition. Simon a la conviction que ceci n'est pas la septième fonction du langage, et d'ailleurs Jakobson ne l'évoque que par acquit de conscience, par souci d'exhaustivité, avant de reprendre le cours sérieux de son analyse. La « fonction magique ou incantatoire » ? Une curiosité négligeable. Une petite connerie mentionnée en passant. Pas de quoi tuer pour ça en tout cas.

33

« Par les mânes de Cicéron, ce soir, je vous le dis, mes amis, il va pleuvoir de l'enthymème ! J'en vois qui ont révisé leur Aristote, j'en sais qui savent leur Quintilien, mais serâââ-ce suffisant pour surmonter les embûches du lexique dans le slalom de la syntaxe ? Croâ croâ ! C'est l'esprit de Corax qui vous parle. Gloire aux pères fondateurs ! Le vainqueur, ce soir, gagne un séjour à Syracuse. Quant aux vaincus… ils se coinceront les doigts dans la porte. Ça vaut toujours mieux que la langue… N'oubliez pas que les orateurs d'aujourd'hui sont les tribuns de demain. Gloire au logos ! Vive le Logos Club ! »

34

Simon et Bayard sont dans une pièce qui tient à moitié du labo, à moitié de l'armurerie. Devant eux, un homme en blouse examine le pistolet du moustachu qui aurait dû éclater la cervelle de Simon. (« C'est Q », pense Simon.) L'expert en balistique, tout en manipulant l'arme à feu, commente à voix haute : « 9 mm ; 8 coups ; double action ; acier, finition en bronze, crosse en noyer ; poids : 730 grammes sans le chargeur. » Ça ressemble à un Walther PPK mais le levier de sûreté est inversé : c'est un Makarov PM, un pistolet soviétique. Sauf que.

Les armes à feu, explique l'expert, c'est comme les guitares électriques. Fender, par exemple, est une firme américaine qui produit la Telecaster utilisée par Keith Richards ou la Stratocaster de Jimi Hendrix, mais il existe aussi des modèles mexicains ou japonais produits sous franchise, qui sont les répliques de la version US originale, moins chers et en général moins bien finis, quoique souvent de facture honorable.

Ce Makarov-là n'est pas un modèle russe mais bulgare. C'est sans doute la raison pour laquelle il s'est enrayé : les modèles russes sont très fiables, les copies bulgares un peu moins.

« Or, vous allez rire, monsieur le commissaire », dit l'expert en montrant le parapluie qu'on a retiré de la poitrine du moustachu. « Vous voyez ce trou ? La pointe est creuse. Elle fonctionne comme une seringue qu'on alimente par le manche. Il suffit de presser cette gâchette installée sur la poignée et ça ouvre une soupape qui libère le liquide à l'aide d'un cylindre à air comprimé. Le mécanisme est d'une redoutable simplicité. Il est identique à celui qui a servi à éliminer Georgi Markov, le dissident bulgare, il y a deux ans, à Londres, vous vous rappelez ? » Le meurtre avait été attribué, le commissaire Bayard s'en souvient en effet, aux services secrets bulgares. À l'époque, ils utilisaient de la ricine. Mais maintenant ils ont recours à un poison plus fort, la toxine botulique, qui agit en bloquant la transmission neuromusculaire, provoquant ainsi la paralysie des muscles et entraînant le décès en quelques minutes, par asphyxie ou par arrêt du cœur.

Bayard, pensif, joue avec le mécanisme du parapluie.

Est-ce que, par hasard, Simon Herzog connaîtrait des Bulgares dans le milieu universitaire ? Simon réfléchit.

Oui, il en connaît un.

35

Les deux Michel, Poniatowski et d'Ornano, sont au rapport dans le bureau du Président. Giscard, soucieux, se tient devant la fenêtre, au premier étage, qui donne sur les jardins de l'Élysée. Comme Ornano est en train de fumer, Giscard lui demande une cigarette. Poniatowski, assis dans l'un des vastes fauteuils du coin salon, s'est servi un whisky qu'il a posé devant lui, sur la table basse. C'est lui qui prend la parole : « J'ai eu mes contacts qui sont en liaison avec Andropov. » Giscard ne dit rien parce que, comme tout homme de pouvoir arrivé à ce niveau, il attend de ses collaborateurs qu'ils le dispensent de formuler les questions importantes. Poniatowski répond donc à la question muette : « D'après eux, le KGB n'est pas impliqué. »

Giscard : « Qu'est-ce qui te fait penser qu'on peut accorder crédit à cette opinion ? »

Ponia : « Plusieurs éléments. Le plus probant étant qu'ils n'auraient pas, dans l'immédiat, usage d'un tel document. Sur un plan politique. »

Giscard : « La propagande est un facteur décisif dans ces pays-là. Le document pourrait leur être très utile. »

Ponia : « J'en doute. On ne peut pas dire que Brejnev ait tellement favorisé la liberté d'expression depuis qu'il a succédé à Khrouchtchev. Il n'y a pas de débats en URSS, et s'il y en a, ils sont internes au Parti, qui ne les porte pas à la connaissance du public. Le critère n'est donc pas la force de persuasion mais le rapport de forces politique. »

Ornano : « On peut très bien imaginer que Brejnev ou un autre membre du Parti souhaite en faire un usage interne, justement. Le Comité central est un panier de crabes. L'atout ne serait pas négligeable. »

Ponia : « Je n'imagine pas Brejnev désireux d'affirmer sa prééminence de cette façon. Il n'en a pas besoin. L'opposition est inexistante. Le système est verrouillé. Et aucun autre membre du Comité central ne pourrait commanditer une telle opération pour son propre profit sans que l'appareil en soit informé. »

Ornano : « Sauf Andropov. »

Ponia (agacé) : « Andropov est un homme de l'ombre. Il a plus de pouvoir en tant que chef du KGB qu'à aucun autre poste. Je le vois mal se lancer dans une aventure politique. »

Ornano (ironique) : « C'est vrai, ce n'est pas le genre des hommes de l'ombre. Talleyrand, Fouché, n'avaient aucune ambition politique, c'est bien connu. »

Ponia : « En tout cas, ils ne les ont pas réalisées. »

Ornano : « Ça se discute. Au congrès de Vienne… »

Giscard : « Bref ! Quoi d'autre ? »

Ponia : « Il semble hautement improbable que l'opération ait été montée par les services bulgares sans l'aval du grand frère. En revanche, on peut envisager des agents bulgares ayant vendu leurs services à des intérêts privés, dont il nous reste à déterminer la nature. »

Ornano : « Les services bulgares tiendraient si peu leurs hommes ? »

Ponia : « La corruption est généralisée et n'épargne aucun secteur de la société, les services de renseignement moins que le reste. »

Ornano : « Des agents qui font des extras sur leur temps libre ? Franchement… »

Ponia : « Des agents qui travaillent pour plusieurs employeurs, ça te semblerait inédit ? » (Il vide son verre.)

Giscard (écrasant sa cigarette dans un petit hippopotame en ivoire qui sert de cendrier) : « Soit. Autre chose ? »

Ponia (se renversant dans son fauteuil, les mains derrière la nuque) : « Eh bien, il paraît que le frère de Carter est un agent à la solde des Libyens. »

Giscard (étonné) : « Lequel ? Billy ? »

Ponia : « Andropov semblait tenir cette information de la CIA. Apparemment, ça l'a fait beaucoup rire. »

Ornano (recentrant le débat) : « Qu'est-ce qu'on fait, alors ? On liquide, dans le doute ? »

Ponia : « Le Président n'a pas besoin du document, il a juste besoin de savoir que la partie adverse ne l'a pas. »

Personne n'a, à ma connaissance, relevé que le fameux chuintement de Giscard s'accentuait dans les situations de gêne ou de plaisir. Il dit : « Chertes, chertes… Mais si on pouvait le retrouver… Au moins le localiser, et si possible le récupérer, je serais plus tranquille. Pour la France. Imaginez si ce document tombait, hum, en de mauvaises mains… Non pas que… Mais enfin. »

Ponia : « Donc il faut préciser sa mission à Bayard : rapporter le document, sans le faire lire à personne. N'oublions pas que le jeune linguiste dont il s'est attaché les services est capable de le décrypter, donc de l'utiliser. Ou sinon s'assurer qu'il est détruit, jusqu'à la dernière copie. (Il se lève et se dirige vers le bar, en marmonnant.) Gauchiste. Forcément gauchiste… »

Ornano : « Mais comment savoir si le document a déjà servi ? »

Ponia : « D'après mes informations, si quelqu'un s'en sert, on devrait s'en apercevoir très vite… »

Ornano : « Mais s'il est discret ? S'il fait profil bas ? »

Giscard (s'adossant au buffet sous le tableau de Delacroix, et tripotant les médailles de la Légion d'honneur rangées dans leur coffret) : « Cela paraît peu plausible. Un pouvoir, quel qu'il soit, a vocation à s'exercer. »

Ornano (curieux) : « C'est valable pour la bombe atomique ? »

Giscard (professoral) : « Surtout la bombe atomique. »

L'évocation d'une possible fin du monde plonge un instant le Président dans une rêverie légère. Il songe à l'A71 qui doit traverser l'Auvergne, à la mairie de Chamalières, à la France dont il a la charge. Ses deux collaborateurs attendent respectueusement qu'il reprenne la parole. « En attendant, un seul objectif doit gouverner tous nos actes : empêcher la gauche d'arriver au pouvoir. »

Ponia (humant une bouteille de vodka) : « Moi vivant, il n'y aura pas de ministres communistes en France. »

Ornano (allumant une cigarette) : « Justement, tu devrais freiner si tu veux passer la présidentielle. »

Ponia (levant son verre) : « *Na zdrowie !* »

36

« Camarade Kristoff, tu sais, naturellement, qui est le plus grand homme politique du XXe siècle ? »

Emil Kristoff n'a pas été convoqué à la Loubianka, mais il aurait préféré.

« Naturellement, Youri Vladimirovitch. C'est Georgi Dimitrov. »

Le caractère faussement informel de son rendez-vous avec Youri Andropov, le directeur du KGB, dans un vieux bar en sous-sol, comme le sont presque tous les bars de Moscou, n'est pas fait pour le rassurer et le fait qu'ils se trouvent dans un lieu public ne change rien à l'affaire. On peut se faire arrêter dans un lieu public. On peut même y mourir. Il est bien placé pour le savoir.

« Un Bulgare. » Andropov rit. « Qui l'eût cru ? »

Le serveur a posé deux petits verres de vodka et deux grands verres de jus d'orange sur la table, avec deux gros cornichons sur une petite assiette, et Kristoff se demande s'il s'agit d'un indic. Autour de lui, les gens fument, boivent et parlent fort, et c'est la règle de base lorsque l'on veut être sûr qu'une conversation ne sera pas écoutée : se tenir dans un endroit bruyant, avec des bruits aléatoires, de sorte qu'un éventuel microphone ne puisse pas isoler une voix en particulier. Si l'on est dans un appartement, il faut faire couler un bain. Mais le plus simple est encore d'aller boire un verre. Kristoff regarde les visages des clients et repère au moins deux agents dans la salle, mais il suppose qu'il y en a plus.

Andropov insiste sur Dimitrov : « C'est fou comme, dès 1933, durant le procès du Reichstag, tout est écrit. L'affrontement entre Göring, cité comme témoin, et Dimitrov, sur le banc des accusés, annonce et représente l'agression fasciste à venir, la résistance héroïque des communistes et notre victoire finale. Ce procès est hautement symbolique de la supériorité communiste à tout point de vue, politique et moral. Dimitrov, impérial et moqueur, maîtrisant parfaitement la dialectique historique, alors même qu'il risque sa tête, face à un Göring éructant et montrant le poing… Quel spectacle ! Göring, président du Reichstag, Premier ministre et ministre de l'Intérieur de Prusse, rien que ça. Mais Dimitrov renverse les rôles, et c'est Göring qui doit répondre à ses questions. Dimitrov le démolit complètement. Göring est fou de rage, il trépigne, on dirait un petit garçon qu'on a privé de dessert. En face de lui, impérial sur son banc des accusés, Dimitrov expose aux yeux de tous la folie des nazis. Le président du Tribunal lui-même en a pris conscience. C'est hilarant parce qu'on dirait qu'il demande à Dimitrov d'excuser le comportement du gros Göring. Il lui dit, je m'en souviens comme si c'était hier : "Vu que vous vous livrez à de la propagande communiste, vous ne devriez pas être surpris si le témoin est aussi agité." Agité ! Et Dimitrov qui répond qu'il est pleinement satisfait de la réponse du Premier ministre. Haha ! Quel homme ! Quel talent ! »

Kristoff voit des allusions et des sous-entendus partout, mais il essaie de faire la part des choses car il sait que son degré de paranoïa l'empêche d'évaluer correctement les propos du chef du KGB. Cependant, sa convocation à Moscou est en elle-même un indice incontestable. Il ne se demande pas si Andropov sait quelque chose. Il se demande ce qu'il sait. C'est une question beaucoup plus compliquée à traiter.

« À l'époque, dans le monde entier, on disait : "Il ne reste qu'un seul homme en Allemagne, et cet homme est bulgare." Je l'ai connu, tu sais, Emil. Un orateur-né. Un maître. »

Pendant qu'il écoute Andropov exalter le grand Dimitrov, le camarade Kristoff évalue sa propre situation. Il n'y a rien de plus inconfortable pour quelqu'un qui s'apprête à mentir que d'ignorer le niveau d'information de son interlocuteur. À un moment ou un autre, il sait qu'il va devoir faire un pari.

Et ce moment arrive : Andropov, refermant la page Dimitrov, demande à son homologue bulgare des précisions sur les derniers rapports qui sont parvenus sur son bureau, à la Loubianka. Qu'est-ce que c'est au juste que cette opération à Paris ?

Nous y voilà. Kristoff sent son cœur qui s'accélère mais veille à ne pas respirer plus fort. Andropov croque dans un cornichon. Il faut décider maintenant. Soit assumer l'opération, soit prétendre n'être au courant de rien, mais cette deuxième option a l'inconvénient de vous faire passer pour incompétent, ce qui, dans le milieu du renseignement, n'est jamais un très bon calcul. Kristoff sait parfaitement comment fonctionne un bon mensonge : il doit être noyé dans un océan de vérité. Avouer à 90 % permet d'une part de crédibiliser les 10 % qu'on cherche à dissimuler, et d'autre part cela réduit les risques de se couper. On gagne du temps et on évite de s'embrouiller. Quand on ment, il faut mentir sur un point et un seul, et être parfaitement honnête sur tout le reste. Emil Kristoff se penche vers Andropov et dit : « Camarade Youri, tu connais Roman Jakobson ? C'est un compatriote à toi. Il a écrit de très belles choses sur Baudelaire. »

37

« Ma Julenka,

Je suis rentré de Moscou hier, ma visite s'est bien passée, du moins je crois. En tout cas, je suis rentré. Nous avons bien bu avec le vieux. Il était aimable et il avait l'air soûl à la fin de la soirée mais je ne crois pas qu'il l'était. Moi aussi, je fais parfois semblant d'être soûl pour gagner la confiance des gens ou abaisser leur garde. Mais moi, comme tu t'en doutes, je n'ai pas abaissé la mienne. Je lui ai dit tout ce qu'il voulait savoir sauf que, évidemment, je n'ai pas parlé de toi. J'ai dit que je ne croyais pas au pouvoir du manuscrit et que c'est pour ça que je ne l'avais pas informé de la mission à Paris, parce que je voulais d'abord être sûr. Mais comme certains dans mes services y croyaient, alors dans le doute j'ai dépêché quelques agents, et j'ai dit qu'ils avaient fait de l'excès de zèle. Il paraît que les services français enquêtent en ce moment, mais apparemment Giscard fait celui qui n'est pas au courant. Peut-être que tu pourrais utiliser les relations de ton mari pour te renseigner ? En tout cas, tu dois faire très attention, et maintenant que le vieux m'a à l'œil, je ne pourrai plus t'envoyer d'hommes supplémentaires.

Le chauffeur de la camionnette est bien arrivé, le faux docteur qui t'a remis le document aussi. Les Français ne pourront jamais les retrouver, ils prennent des vacances sur les bords de la mer Noire, et ce sont les seuls qui pouvaient permettre de remonter jusqu'à toi, avec les deux autres agents qui sont morts, et celui qui reste pour surveiller l'enquête. Je sais qu'il a été blessé mais il est solide, tu peux compter sur lui. Si la police trouve quelque chose, il saura quoi faire.

Laisse-moi te donner un conseil. Il faut que tu archives ce document. Nous avons l'habitude, nous autres, de conserver et de cacher un document précieux qu'on ne peut se permettre de perdre mais dont il ne faut divulguer le contenu à aucun prix. Tu dois en faire une copie, et une seule, et la donner à garder à quelqu'un digne de confiance, qui ignorera de quoi il s'agit. L'original, tu dois le garder avec toi.

Encore une chose, méfie-toi des Japonais.

Voilà ces quelques conseils, ma Julechka. Fais-en bon usage. J'espère que tu vas bien et que tout se passera comme prévu, même si je sais, par expérience, que rien ne se passe jamais comme prévu.

Ton vieux père qui veille sur toi,

Tatko

PS : Réponds-moi en français, c'est plus sûr et ça me fait pratiquer. »

38

Il y a des logements de fonction à l'École normale supérieure, derrière le Panthéon. Nous sommes dans un grand appartement et l'homme aux cheveux blancs, aux poches sous les yeux, à l'air las, dit :

« Je suis seul.

— Où est Hélène ?

— Je ne sais pas. On s'est encore engueulés. Elle a fait une crise horrible pour un motif absurde. Ou alors, c'est moi.

— Nous avons besoin de toi. Tu peux garder ce document ? Tu ne dois pas l'ouvrir, tu ne dois pas le lire, tu ne dois en parler à personne, même à Hélène.

— D'accord. »

39

Difficile d'imaginer ce que pense Kristeva de Sollers en 1980. Que son dandysme histrionique, son libertinage *so French*, sa vantardise pathologique, son style de pamphlétaire ado et sa culture épate-bourgeois aient pu séduire la petite Bulgare fraîchement débarquée d'Europe orientale, dans les années 60, admettons. Quinze ans plus tard, on pourrait supposer qu'elle est moins sous le charme, mais qui sait ? Ce qui semble évident, c'est que leur association est solide, qu'elle a parfaitement fonctionné dès le début et qu'elle fonctionne encore : une équipe soudée où les rôles sont bien répartis. À lui l'esbroufe, les mondanités et le n'importe quoi clownesque. À elle le charme slave vénéneux, glacial, structuraliste, les arcanes du monde universitaire, la gestion des mandarins, les aspects techniques, institutionnels et, comme il se doit, bureaucratiques de leur ascension. (Lui ne sait pas « remplir un CCP », dit la légende.) À eux deux, déjà, une machine de guerre politique en marche vers ce qui sera, au siècle suivant, l'apothéose d'une carrière exemplaire : lorsque Kristeva acceptera de recevoir la Légion d'honneur des mains de Nicolas Sarkozy, Sollers, présent à la cérémonie, n'oubliera pas de se moquer du Président qui prononce « Barthès » au lieu de « Barthes ». *Good cop, bad cop*, le beurre des honneurs et l'argent du beurre de l'insolence. (Plus tard, François Hollande élèvera Kristeva au rang de commandeur. Les présidents passent, les décorés reviennent.)

Duo infernal, couple politique : gardons ça en mémoire pour l'instant.

Quand Kristeva ouvre la porte et constate qu'Althusser est venu avec sa femme, elle ne peut ou ne veut pas réprimer une grimace de déplaisir et, en retour, Hélène, la femme d'Althusser, parfaitement au fait de la considération que lui portent ces gens chez qui elle débarque ce soir, affiche un mauvais sourire, la haine instinctive des deux femmes l'une pour l'autre confinant d'emblée à une forme de complicité. Althusser, lui, arbore un air d'enfant coupable en tendant un petit bouquet. Kristeva s'empresse d'aller mettre les fleurs dans un lavabo. Sollers, visiblement déjà un peu attaqué par l'apéro, accueille les deux arrivants en poussant des exclamations affectées : « Mais comment donc, chers amis… Nous n'attendions plus que vous… pour passer à table… Cher Louis, un martini… comme d'habitude ?… rouge !… houhou !… Hélène… qu'est-ce qui vous ferait plaisir ?… Je sais… Un bloody mary !… hi hi !… Julia… tu apportes le céleri… ma chérie ?… Louis !… Comment va le Parti ?… »

Hélène observe les autres invités comme un vieux chat craintif et ne reconnaît personne à part BHL qu'elle a vu à la télé et Lacan qui est venu avec une grande jeune femme en tailleur de cuir noir. Sollers fait les présentations pendant qu'on s'installe, mais Hélène ne se donne pas la peine de retenir les prénoms : il y a un jeune couple new-yorkais en tenue sport, une Chinoise attachée d'ambassade ou trapéziste au Cirque de Pékin, un éditeur parisien, une féministe canadienne et un linguiste bulgare. « L'avant-garde du prolétariat », ricane Hélène intérieurement.

Les convives sont à peine installés que Sollers, mielleux, entame une discussion sur la Pologne : « En voilà, un sujet indémodable !... Solidarnosc, Jaruzelski, oui, oui... de Mickiewicz et Slovacki à Walesa et Wojtyla... On peut en parler dans cent ans, dans mille ans, elle sera toujours à ployer sous le joug de la Russie... c'est pratique... ça rend nos conversations immortelles... Et quand ce n'est pas la Russie, c'est l'Allemagne, évidemment, hm ?... rhôôô, allons, allons... camarades... Mourir pour Gdansk... mourir pour Dantzig... Quel délicieux bégaiement !... Comment dites-vous, déjà ?... Ah oui : bonnet blanc et blanc bonnet... »

La provocation s'adresse à Althusser mais le vieux philosophe à l'œil éteint trempe doucement ses lèvres dans son martini, on dirait qu'il va se noyer dedans, alors Hélène, avec la hardiesse des petits animaux sauvages, répond pour lui : « Je comprends votre sollicitude envers le peuple polonais : ils n'ont pas, je crois, envoyé de membres de votre famille à Auschwitz. » Et comme Sollers hésite une seconde (une seule) à enchaîner par une provocation sur les Juifs, elle décide de pousser son avantage : « Mais ce nouveau pape vous plaît ? (Elle plonge le nez dans son assiette.) J'aurais pas cru. » (Elle appuie sur l'intonation populaire.)

Sollers écarte les bras comme s'il battait des ailes, et déclare avec enthousiasme : « Ce pape est tout à fait à mon goût ! (Il croque dans une asperge.) N'est-il pas sublime quand il descend de son avion pour baiser le sol qui l'accueille ?... Quel que soit le pays, le pape se met à genoux, comme une prostituée magnifique qui s'apprête à vous prendre dans sa bouche, et il baise le sol... (Il brandit son asperge à demi croquée.) Ce pape est un baiseur, que voulez-vous… Comment pourrais-je ne pas l'aimer ?… »

Le couple de New-Yorkais glousse de concert. Lacan émet un petit cri d'oiseau en levant la main mais renonce à prendre la parole. Hélène, qui a de la suite dans les idées, comme tout bon communiste, demande : « Et lui, vous croyez qu'il aime les libertins ? Aux dernières nouvelles, il n'est pas très ouvert sur la sexualité. (Elle jette un regard à Kristeva.) Politiquement, je veux dire. »

Sollers émet un rire bruyant qui annonce une stratégie dont il est coutumier et qui consiste à embrayer, à partir du sujet de départ, sur à peu près n'importe quoi sans transition : « C'est parce qu'il est mal conseillé… Du reste, je suis sûr qu'il est entouré d'homosexuels… Les homosexuels sont les nouveaux jésuites… mais sur ces choses-là, ils ne sont pas forcément d'aussi bon conseil… Quoique… il paraît qu'il y a une nouvelle maladie qui les décime… Dieu a dit : croissez et multipliez… La capote… Quelle abomination !… Le sexe aseptisé… Les corps calleux qui ne se touchent plus… Pouah… Je n'ai jamais utilisé une capote anglaise de ma vie… Pourtant, vous connaissez mon anglophilie… Envelopper ma bite comme un bifteck… Jamais !… »

À cet instant, Althusser se réveille :

« Si l'URSS a attaqué la Pologne, c'était pour des raisons hautement stratégiques. Il fallait à tout prix empêcher Hitler de s'approcher de la frontière russe. Staline s'est servi de la Pologne comme d'un tampon : en prenant position sur le sol polonais, il prenait une assurance contre l'invasion à venir…

— … et cette stratégie, comme chacun sait, a fonctionné à merveille, dit Kristeva.

— Après Munich, le Pacte germano-soviétique était devenu une nécessité, que dis-je, une évidence », renchérit Althusser.

Lacan émet un bruit de hibou, Sollers se ressert à boire. Hélène et Kristeva se dévisagent, on ne sait toujours pas si la Chinoise parle français, ni le linguiste bulgare ni la féministe canadienne, ni même le couple new-yorkais, jusqu'à ce que Kristeva leur demande, en français, s'ils ont joué au tennis récemment (ce sont leurs partenaires de double, apprend-on, et Kristeva insiste bien sur leur dernière rencontre où elle a fait preuve d'une combativité éblouissante, à sa propre surprise car elle ne sait pas bien jouer à la base, croit-elle utile de préciser). Mais Sollers ne les laisse pas répondre, toujours heureux de changer de sujet :

« Ah, Borg !… Le messie qui venait du froid… Quand il tombe à genoux sur l'herbe de Wimbledon… les bras en croix… les cheveux blonds… Son bandeau… Sa barbe… C'est Jésus-Christ sur la pelouse… Si Borg gagne Wimbledon, c'est pour la rédemption de tous les hommes… Comme il y a beaucoup à faire, il gagne tous les ans… Combien faudra-t-il de victoires pour nous laver de nos péchés ?… Cinq… Dix… Vingt… Cinquante… Cent… Mille…

— *Je pensais que vous préférez McEnroe*, dit le jeune New-Yorkais avec son accent new-yorkais.

— Ah, McEnroe… *the man you love to hate*… un danseur, celui-là… la grâce du diable… Mais il aura beau voler sur le court… McEnroe, c'est Lucifer… le plus beau de tous les anges... Lucifer tombe toujours à la fin... »

Pendant qu'il s'embarque dans une exégèse biblique où il compare saint Jean à McEnroe (*Saint... John*), Kristeva, sous prétexte de desservir l'entrée, s'éclipse dans la cuisine avec la Chinoise. La jeune maîtresse de Lacan se déchausse sous la table, la féministe canadienne et le linguiste bulgare se jettent des regards interrogateurs, Althusser joue avec l'olive de son martini. BHL tape du poing sur la table et dit : « Il faut intervenir en Afghanistan ! »

Hélène surveille tout le monde.

Elle dit : « Et pas en Iran ? » Le linguiste bulgare ajoute mystérieusement : « L'hésitation est la mère du fantastique. » La féministe canadienne sourit. Kristeva revient avec le gigot et la Chinoise. Althusser dit : « Le Parti a eu tort d'appuyer l'invasion en Afghanistan. Faut pas envahir un pays par communiqué de presse. Les Soviétiques sont plus malins, ils vont se retirer. » Sollers demande, goguenard : « Le Parti, combien de divisions ? » L'éditeur regarde sa montre et dit : « La France retarde. » Sollers sourit en regardant Hélène et dit : « On n'est pas sérieux quand on a soixante-dix ans. » La maîtresse de Lacan caresse de son pied nu la braguette de BHL qui bande sans broncher.

La conversation dérive sur Barthes. L'éditeur lui fait un éloge funèbre ambigu. Sollers explique : « Beaucoup d'homosexuels m'ont donné, à un moment ou à un autre, la même impression étrange, celle d'être comme mangés de l'intérieur... » Kristeva précise pour l'ensemble des onze convives : « Vous n'êtes pas sans savoir que nous étions très liés. Roland adorait Philippe et...

(elle prend un air modeste et un peu mystérieux) il m'aimait beaucoup. » BHL tient à ajouter : « Il n'a JAMAIS pu souffrir le marxisme-léninisme. » L'éditeur : « Il adorait Brecht, quand même. » Hélène, venimeuse : « Et la Chine ? Il avait trouvé ça comment ? » Althusser fronce les sourcils. La Chinoise lève la tête. Sollers répond, décontracté : « Ennuyeux, mais pas plus que le reste du monde. » Le linguiste bulgare, qui le connaissait bien : « À part le Japon. » La féministe canadienne, qui a fait sa maîtrise sous sa direction, se souvient : « Il était très bienveillant et très seul. » L'éditeur, d'un air entendu : « Oui et non. Il savait s'entourer… quand il le voulait. Il avait de la ressource, malgré tout. » La maîtresse de Lacan s'affaisse de plus en plus sur sa chaise pour masser les bourses de BHL du bout du pied.

BHL, imperturbable : « C'est très bien d'avoir un maître. Encore faut-il savoir s'en détacher. Moi, par exemple, à l'École normale… » Kristeva le coupe, en riant d'un rire sec : « Pourquoi les Français sont-ils si attachés à leur scolarité ? On dirait qu'ils ne peuvent pas rester deux heures sans l'évoquer. Ça fait anciens combattants, je trouve. » L'éditeur confirme : « C'est vrai, en France, nous avons tous la nostalgie de l'école. » Sollers, taquin : « D'ailleurs, certains y restent toute leur vie. » Mais Althusser ne réagit pas. Hélène maugrée intérieurement contre cette manie des bourgeois de prendre leur cas pour une généralité. Elle n'avait pas aimé l'école, et d'ailleurs elle n'y était pas restée très longtemps.

On sonne à la porte. Kristeva se lève pour aller ouvrir. Dans le vestibule, on l'aperçoit qui s'entretient avec un moustachu mal habillé. La conversation dure moins d'une minute. Puis elle revient s'asseoir comme si de rien n'était, en disant simplement (et son accent ressort une seconde) : « Excusez-moi, des affairrres ennuyeuses. Pour mon cabinet. » L'éditeur poursuit : « En France, le poids de nos succès scolaires pèse excessivement dans notre réussite sociale. » Le linguiste bulgare fixe Kristeva : « Mais heureusement, ce n'est pas le seul facteur. N'est-ce pas, Julia ? » Kristeva lui répond quelque chose en bulgare. Ils se mettent à parler tous les deux dans leur langue natale, des répliques courtes, prononcées à mi-voix. Dans l'atmosphère ambiante, s'il y a de l'hostilité entre eux, les autres convives ne sont pas en mesure de la détecter. Sollers intervient : « Allons, les enfants, pas de messes basses, haha… » Puis il s'adresse à la féministe canadienne : « Alors chère amie, votre roman avance ? Je suis d'accord avec Aragon, vous savez… La femme est l'avenir de l'homme… donc de la littérature… puisque la femme, c'est la mort… et la littérature est toujours du côté de la mort… » Et pendant qu'il imagine avec netteté la Canadienne en train de le décalotter, il demande à Kristeva si elle veut bien aller chercher le dessert. Kristeva se lève et commence à débarrasser, aidée par la Chinoise, et tandis que les deux femmes disparaissent de nouveau dans la cuisine, l'éditeur sort un cigare dont il découpe le bout avec le couteau à pain. La maîtresse de Lacan continue à se contorsionner sur sa chaise. Le couple new-yorkais se tient sagement par la main en souriant poliment. Sollers imagine un plan à quatre avec la Canadienne et des raquettes de tennis. BHL, qui bande comme un cerf, dit que la prochaine fois, il faudrait inviter Soljenitsyne. Hélène gronde Althusser : « Cochon ! Tu t'es taché ! »

Elle lui essuie la chemise avec une serviette trempée d'un peu d'eau gazeuse. Lacan chantonne à voix basse une sorte de comptine juive. On fait semblant de ne rien remarquer. Dans la cuisine, Kristeva attrape la Chinoise par la taille. BHL dit à Sollers : « Quand on y pense, Philippe, tu es plus fort que Sartre : stalinien, maoïste, papiste... On dit qu'il s'est toujours trompé, mais toi !... Tu changes d'avis si vite que tu n'as pas le temps de te tromper. » Sollers cale une cigarette dans son fume-cigarette. Lacan marmonne : « Sartre, ça n'existe pas. » BHL enchaîne : « Moi, dans mon prochain livre... » Sollers le coupe : « Sartre disait que tout anticommuniste est un chien... Moi, je dis que tout anticatholique est un chien... D'ailleurs, c'est bien simple, il n'y a pas un Juif valable qui n'ait été tenté de se convertir au catholicisme... N'est-ce pas ?... Chérie, tu nous apportes le dessert ?... » De la cuisine, la voix étouffée de Kristeva répond que ça vient.

L'éditeur dit à Sollers qu'il va peut-être publier Hélène Cixous. Sollers répond : « Ce pauvre Derrida... Ce n'est pas Cixous qui va le dérider... Huhu... » BHL à nouveau tient à préciser : « J'ai beaucoup d'affection pour Derrida. Il a été mon maître à l'École. Avec vous, cher Louis. Mais ce n'est pas un philosophe. Des philosophes français encore en vie, je n'en connais que trois : Sartre, Levinas et Althusser. » Althusser ne réagit pas à la petite flatterie. Hélène dissimule son irritation. L'Américain demande : *« Et Pierre Bowrdieu, il n'est pas un bon philosophe ? »* BHL répond qu'il est normalien mais que ce n'est sûrement pas un philosophe. L'éditeur précise à l'attention de l'Américain que c'est un sociologue qui travaille beaucoup sur les inégalités invisibles, le capital culturel, social, symbolique… Sollers bâille ostensiblement : « Il est surtout parfaitement emmerdant… Ses *habitus*… Oui, nous ne sommes pas tous égaux, grande nouvelle ! Eh bien je vais vous faire une confidence… chut… rapprochez-vous… Cela a toujours été ainsi et cela ne changera jamais… Incroyable, n'est-ce pas ?… »

Sollers s'agite de plus en plus : « De la hauteur ! De la hauteur ! De l'abstrait, vite !… Nous ne sommes pas Elsa et Aragon, pas plus que Sartre et Beauvoir, faux !… L'adultère est une conversation criminelle… Ouais… Ouais… Tant qu'à faire… Le Souffle, c'est toujours lui qu'on oublie… Ici. Maintenant. Vraiment ici… Vraiment maintenant… La mode est souvent vraie… » Son regard va et vient de la Canadienne à Hélène. « L'affaire maoïste ? C'était l'amusement de l'époque… La Chine… Romantisme… Il a dû m'arriver d'écrire des choses incendiaires, c'est vrai… Je suis un grand siffleur… Le meilleur du pays… »

Lacan est ailleurs. Le pied de sa maîtresse est toujours à caresser l'entrejambe de BHL. L'éditeur attend que ça passe. La Canadienne et le Bulgare se sentent liés par une solidarité muette. Hélène endure avec une rage silencieuse le monologue du grand écrivain français. Althusser sent monter en lui quelque chose de dangereux.

Kristeva et la Chinoise reviennent enfin avec une tarte aux abricots et un clafoutis ; leur rouge à lèvres fraîchement refait brûle d'un feu ardent. La Canadienne demande comment les Français voient les élections de l'an prochain. Sollers pouffe : « Mitterrand a un destin : la défaite… il l'accomplira jusqu'au bout… » Hélène, toujours prompte à de petits rappels, lui demande : « Vous qui avez déjeuné avec Giscard, comment est-il ?

— Qui, Giscard ?... Peuh, une fausse fin de race... Vous savez qu'il tient sa particule de sa femme, n'est-ce pas ?... C'est notre cher Roland qui avait raison... un spécimen de bourgeois très réussi, disait-il... Ah, nous ne serions pas à l'abri d'un nouveau Mai 68... si nous étions encore en 68...

— Les structures... dans la rue..., murmure Lacan, à bout de forces.

— Chez nous, son image est celle d'un patricien brillant, dynamique et ambitieux, dit l'Américain. Mais il n'a pas laissé une grande empreinte sur le plan international, jusqu'à maintenant.

— Il n'a pas bombardé le Vietnam, c'est sûr, grince Althusser en s'essuyant la bouche.

— Il est quand même intervenu au Zaïre, dit BHL, et puis, il aime l'Europe.

— Ce qui va nous ramener à la Pologne, dit Kristeva.

— Ah non, fini pour aujourd'hui, la Pologne ! dit Sollers en tirant sur son fume-cigarette.

— Oui, on pourrait parler du Timor oriental, par exemple, dit Hélène, ça changerait. Je n'ai pas entendu le gouvernement français condamner les massacres commis par l'Indonésie.

— Pensez-vous, dit Althusser, qui semble émerger à nouveau : 130 millions d'habitants, un marché énorme et un allié précieux des États-Unis dans une région du monde où ils n'en ont pas tellement, n'est-ce pas ?

— C'était délicieux, dit l'Américaine en finissant le clafoutis.

— Un autre cognac, messieurs ? » dit Sollers.

La jeune femme qui continue à faire du pied aux couilles de BHL demande soudain qui est ce Charlus dont tout le monde parle à Saint-Germain. Sollers sourit : « C'est le Juif le plus intéressant du monde, ma chère… Encore un inverti, du reste… »

La Canadienne dit qu'elle aussi, elle boirait bien un cognac. Le Bulgare lui offre une cigarette qu'elle allume à la bougie. Le chat de la maison vient se frotter aux jambes de la Chinoise. Quelqu'un évoque Simone Veil, Hélène la déteste, du coup Sollers la défend. Le couple d'Américains pense que Carter va repasser. Althusser se met à draguer la Chinoise. Lacan allume l'un de ses fameux cigares. On parle un peu de foot et du jeune Platini que tout le monde s'accorde à trouver prometteur.

La soirée touche à sa fin. La maîtresse de Lacan va rentrer avec BHL. Le linguiste bulgare va raccompagner la féministe canadienne. La Chinoise va regagner seule sa délégation. Sollers va s'endormir en rêvant à l'orgie qui n'a pas eu lieu. Lacan, soudain, fait cette observation, sur un ton d'une infinie lassitude : « C'est curieux comment une femme, quand elle cesse d'être une femme, peut écrabouiller l'homme qu'elle a sous la main… Écrabouiller, oui, pour son bien, évidemment. » Silence gêné des autres invités. Sollers déclare : « Le roi est celui qui porte sur lui l'expérience de la castration la plus vive. »

40

Il faut tirer au clair cette histoire de doigts coupés et Bayard décide de faire suivre le policier qui a abattu le Bulgare du Pont-Neuf. Mais comme il a la désagréable impression que la police est infiltrée par un ennemi dont il ignore l'identité et à vrai dire jusqu'à la nature, il ne s'adresse pas à l'IGS et il demande à Simon de se charger de la filature. Comme d'habitude, Simon proteste, mais cette fois il pense avoir une objection valable : le policier en question l'a croisé sur le Pont-Neuf, Simon était avec les autres quand Bayard a plongé et puis ils ont été vus ensemble, en pleine discussion, après sa sortie de l'eau.

Qu'à cela ne tienne, il va se déguiser.

Comment ça ?

On va lui couper les cheveux et on va lui changer ses frusques d'étudiant attardé.

Cette fois-ci, c'en est trop, il a été assez conciliant comme ça, Simon est définitif : c'est absolument hors de question.

Bayard, qui connaît la fonction publique, évoque l'épineuse question des mutations. Que va-t-il devenir, le jeune Simon (plus si jeune, d'ailleurs, quel âge a-t-il ?), quand il aura achevé sa thèse ? On pourrait bien lui trouver un poste dans un collège à Bobigny. Ou peut-être qu'on pourrait lui faciliter sa titularisation à Vincennes ?

Simon pense que les choses ne marchent pas comme ça dans l'Éducation nationale et qu'un piston de Giscard en personne (surtout de Giscard !) ne servirait à rien pour obtenir un poste à Vincennes (la fac de Deleuze, de Balibar !), mais il n'en est pas tout à fait sûr. Par contre, il est sûr qu'une mutation disciplinaire est absolument envisageable. Alors il va chez le coiffeur, se fait couper les cheveux, assez court pour ressentir un véritable malaise quand il contemple le résultat, comme s'il était étranger à lui-même, reconnaissant son visage mais pas l'identité qu'il s'était construite, sans s'en rendre compte, années après années, et se laisse payer un costume-cravate par le ministère de l'Intérieur. Le costume, malgré son prix raisonnable, est assez quelconque, inévitablement un peu trop grand aux épaules, un peu trop court aux chevilles, et Simon doit apprendre non seulement à faire un nœud de cravate mais aussi à viser juste pour que le grand côté et le petit côté se superposent. Et cependant, une fois achevée sa métamorphose, il se surprend à éprouver devant la glace, outre ce sentiment d'étrangeté mêlé de répulsion, une sorte de curiosité, d'intérêt pour cette image de lui, lui sans être lui, un lui d'une autre vie, lui qui aurait décidé de travailler dans la banque ou dans les assurances, ou dans un organisme officiel, ou dans la diplomatie. Simon, instinctivement, ajuste le nœud de sa cravate et, sous sa veste, tire sur les manches de sa chemise. Il est prêt à partir en mission : une part de lui, plus sensible aux propositions ludiques de l'existence, décide de goûter cette petite aventure.

Il attend devant le Quai des Orfèvres que le policier à la phalange manquante ait fini son service et il fume une Lucky Strike payée par la France, car l'autre bon côté de ce service commandé est qu'il a droit à des notes de frais, alors il a gardé le ticket de caisse du bureau de tabac (trois francs).

Finalement le policier apparaît, en civil, et la filature commence, à pied. Simon suit l'homme, qui traverse le pont Saint-Michel et remonte le boulevard jusqu'au croisement avec Saint-Germain où il prend un bus. Simon arrête un taxi et, prononçant cette phrase étrange, « Suivez ce bus », il éprouve un sentiment mélangé, l'impression d'être dans un film au registre incertain. Le chauffeur obtempère néanmoins sans poser de questions et à chaque arrêt, Simon doit bien s'assurer que le policier en civil ne descend pas. L'homme, entre deux âges, a un physique ordinaire et une taille moyenne, il ne se repère pas particulièrement dans la foule, aussi Simon doit-il être vigilant. Le bus remonte la rue Monge et l'homme descend à Censier. Simon arrête le taxi. L'homme entre dans un bar. Simon attend une minute avant de le suivre. À l'intérieur, l'homme s'est assis à une table au fond de la salle. Simon s'assoit près de la porte et se rend immédiatement compte que c'est une erreur car l'homme ne cesse de regarder dans sa direction. Ce n'est pas qu'il l'a repéré, c'est juste qu'il attend quelqu'un. Pour ne pas attirer l'attention, Simon regarde par la fenêtre. Il contemple le ballet des étudiants qui entrent et sortent du métro, stationnent en fumant une cigarette ou s'attroupent, indécis encore sur la suite des événements, heureux d'être ensemble, impatients du futur.

Mais soudain, ce n'est pas un étudiant qu'il voit sortir du métro, c'est le Bulgare qui a failli le tuer lors de la course-poursuite avec la DS. Il porte le même costume chiffonné et n'a pas jugé utile de raser sa moustache.

Il jette un regard circulaire sur la place, puis vient dans sa direction. Il boite. Simon plonge le nez dans le menu. Le Bulgare pousse la porte du café. Simon a un mouvement de recul instinctif mais le Bulgare passe devant lui sans le voir et se dirige vers le fond de la salle où il va rejoindre le policier.

Les deux hommes entament une conversation à voix basse. C'est ce moment que choisit le serveur pour venir voir Simon. L'apprenti détective commande un martini sans réfléchir. Le Bulgare allume une cigarette, une marque étrangère que Simon ne reconnaît pas. Simon aussi s'allume une Lucky Strike, tire une bouffée pour se calmer les nerfs en se persuadant que le Bulgare ne l'a pas vu et que personne ne l'a reconnu car son déguisement le protège. Ou bien le café entier a-t-il repéré son ourlet trop court, sa veste un peu trop flottante, son air louche de détective amateur ? Il n'est pas difficile, se dit-il, de percevoir la dichotomie entre l'enveloppe dont il s'est affublé et la réalité profonde de son être. Simon se sent assailli par le sentiment atroce, familier peut-être, mais plus intense cette fois, d'être un imposteur sur le point d'être démasqué. Les deux hommes ont commandé des bières. Ils semblent, tout bien pesé, ne pas avoir remarqué Simon, tout comme, à la grande surprise de celui-ci, les autres clients. Alors Simon se restructure. Il essaie d'écouter la conversation en se concentrant sur les voix des deux hommes, en les isolant au milieu de celles des autres clients, comme un ingénieur du son isolerait une piste parmi d'autres instruments de musique. Il croit entendre « papier »… « scénario »… « contact »… « étudiant »… « service »… « voiturrre »… Mais peut-être est-il le jouet d'un mécanisme d'autosuggestion, peut-être entend-il ce qu'il veut entendre, peut-être construit-il par lui-même les éléments de son propre dialogue ? Il croit entendre : « *Sophia* ». Il croit entendre : « *Logos Club* ».

À cet instant, il sent une présence, une forme qui s'est glissée devant lui, il n'a pas pris garde au courant d'air provoqué par la porte du café mais il entend le bruit d'une chaise qu'on tire, tourne la tête et voit une jeune femme qui s'assoit à sa table.

Souriante, blonde, les pommettes hautes, les sourcils froncés. Elle lui dit : « Vous étiez avec le policier à la Salpêtrière, n'est-ce pas ? » À nouveau, Simon a un haut-le-cœur. Il jette un coup d'œil furtif au fond de la salle, les deux hommes, absorbés par leur conversation, n'ont pas pu entendre. Elle ajoute, et il tressaille encore : « Ce pauvrrre monsieur Barthes. » Il la reconnaît, c'est l'infirmière aux jambes fuselées, celle qui a trouvé Barthes désintubé, le jour où Sollers, BHL et Kristeva sont venus faire leur scandale. Il se dit surtout qu'elle l'a reconnu, lui, ce qui tempère à nouveau son optimisme en ce qui concerne la qualité de son déguisement. « Il avait tant de chagrrrin. » L'accent est léger mais Simon l'a détecté. « Vous êtes bulgare ? » La jeune femme prend un air étonné. Elle a de grands yeux marron. Elle n'a pas vingt-deux ans. « Mais non, pourquoi ? Je suis rrrusse. » Du fond de la salle, Simon croit entendre un ricanement. Il risque un nouveau coup d'œil. Les deux hommes trinquent. « Je m'appelle Anastasia. »

Simon a les idées un peu embrouillées mais il se demande quand même ce que fait une infirmière russe dans un hôpital français, en 1980, à une époque où les Soviétiques commencent à se détendre mais pas au point de tellement ouvrir leurs frontières. Il ne savait pas non plus que les hôpitaux français recrutaient à l'Est.

Anastasia lui raconte son histoire. Elle est arrivée à Paris quand elle avait huit ans. Son père dirigeait l'agence Aeroflot des Champs-Élysées, il avait reçu l'autorisation de faire venir sa famille, et quand Moscou l'a rappelé pour le nommer au siège, il a demandé l'asile politique et ils sont restés, avec sa mère et son petit frère. Anastasia est devenue infirmière, son frère est encore au lycée.

Elle commande un thé. Simon ne sait toujours pas ce qu'elle veut. Il essaie de calculer son âge à partir de sa date d'arrivée en France. Elle lui adresse un sourire juvénile : « Je vous ai vu par la fenêtre. Je me suis dit que je devais vous parler. » Bruit de chaise au fond de la salle. Le Bulgare se lève pour aller pisser ou téléphoner. Simon incline la tête et porte la main à sa tempe pour masquer son profil. Anastasia trempe son sachet de thé et Simon se fait la réflexion qu'il y a quelque chose de gracieux dans le mouvement du poignet de la jeune femme. Au comptoir, on entend un client commenter à voix haute la situation en Pologne, puis le match de Platini contre la Hollande, puis l'invincibilité de Borg à Roland-Garros. Simon sent bien qu'il perd sa concentration, l'apparition de la jeune femme le trouble, sa nervosité augmente au fil des minutes, et maintenant, allez savoir pourquoi, il a l'hymne soviétique dans la tête, avec ses bruits de cymbales et ses chœurs de l'Armée rouge. Le Bulgare sort des toilettes et retourne à sa place.

« *Soïouz nerouchymyï respoublik svobodnykh*… »

Des étudiants entrent et rejoignent leurs amis à une table bruyante. Anastasia demande à Simon s'il est de la police. D'abord Simon se récrie, bien sûr que non, il n'est pas flic ! Mais, pour une raison inconnue de lui, il précise quand même qu'il joue auprès du commissaire Bayard un rôle, disons, de consultant.

« *Splotila naveki Velikaïa Rous'*… »

À la table du fond, le policier dit « ce soir ». Simon croit entendre le Bulgare répondre une phrase courte avec le mot « Christ » dedans. Il contemple le sourire juvénile et songe qu'à travers les orages rayonnent le soleil et la liberté.

Anastasia lui demande de lui parler de Barthes. Simon dit qu'il aimait beaucoup sa mère et Proust. Anastasia connaît Proust, naturellement. *Et le grand Lénine a éclairé notre voie.* Anastasia dit que la famille de Barthes s'inquiétait parce qu'il n'avait pas ses clés sur lui, alors ils voulaient changer les serrures et cela occasionnerait des frais. *Staline nous a élevés, nous a inspiré la foi dans le peuple.* Simon récite ce couplet à Anastasia qui lui signale qu'après le rapport Khrouchtchev, l'hymne a été modifié pour supprimer la référence à Staline. (Il a fallu attendre 1977, quand même.) Qu'importe, se dit Simon, *notre armée est sortie renforcée des combats*… Le Bulgare se lève et met sa veste, il va partir. Simon hésite à le suivre. Mais il choisit prudemment de s'en tenir à sa mission. *Nos batailles décideront de l'avenir du peuple*. Le Bulgare a croisé son regard quand il a voulu l'exécuter. Pas le policier. C'est moins dangereux, c'est plus sûr, et il sait désormais que ce flic est mêlé à l'affaire. En sortant, le Bulgare dévisage Anastasia qui lui adresse son beau sourire. Simon sent la mort le frôler, tout son corps s'est raidi, il a baissé la tête. Puis, c'est le policier qui sort. Anastasia lui sourit aussi. C'est une femme, se dit Simon, qui a l'habitude qu'on la regarde. Il voit le policier remonter vers Monge et sait qu'il faut réagir vite s'il ne veut pas le perdre, alors il sort un billet de vingt francs pour payer le thé et le martini et, sans attendre la monnaie (mais en prenant le ticket de caisse), il entraîne l'infirmière avec lui en la tirant par le bras. Elle semble un peu surprise mais elle se laisse faire. « *Partiia Lenina, sila narodnaïa...* » Simon lui sourit à son tour, il a envie de prendre l'air et il est un peu pressé, est-ce qu'elle veut l'accompagner ? Dans sa tête, il achève le refrain : « *... Nas k torjestvou kommounizma vediot !* » Le père de Simon est communiste mais il ne croit pas utile de le préciser à la jeune femme qui semble s'amuser, c'est une chance, de son comportement légèrement excentrique.

Ils marchent une dizaine de mètres derrière le policier. La nuit est tombée. Il fait un peu froid. Simon tient toujours le bras de l'infirmière. Si Anastasia trouve son attitude bizarre ou cavalière, elle n'en laisse rien paraître. Elle lui dit que Barthes était très entouré, trop, d'après elle, il y avait toujours des gens qui cherchaient à entrer dans sa chambre. Le policier bifurque vers la Mutualité. Elle lui dit que le jour de l'incident, quand on l'a retrouvé par terre, les trois personnes venues faire du scandale l'ont copieusement insultée. Le policier s'engage dans une petite rue à la hauteur du parvis de Notre-Dame. Simon repense à l'amitié des peuples. Il explique à Anastasia que Barthes était très fort pour détecter les codes symboliques qui régissent nos comportements. Anastasia acquiesce en fronçant les sourcils. Le policier fait halte devant une lourde porte en bois, légèrement en contrebas du trottoir. Quand Simon et Anastasia arrivent à la hauteur de la porte, il a disparu à l'intérieur. Simon s'arrête. Il n'a toujours pas lâché le bras d'Anastasia. Comme si elle avait perçu la tension qui monte dans l'air, la jeune femme se tait. Les deux jeunes gens regardent le portail en fer, l'escalier de pierre, la porte en bois. Anastasia fronce les sourcils.

Un couple que Simon n'a pas entendu arriver les contourne, franchit le portail, descend l'escalier et sonne. La porte s'entrouvre, un homme sans âge, le teint blafard, une cigarette à la bouche, une écharpe de laine autour du cou, les dévisage et les laisse passer.

Simon se demande : « Qu'est-ce que je ferais si j'étais dans un roman ? » Il sonnerait, évidemment, et entrerait avec Anastasia à son bras.

À l'intérieur, ce serait un cercle de jeu clandestin, il s'assiérait à la table du policier et le défierait au poker pendant qu'Anastasia, à ses côtés, siroterait un bloody mary. Il s'adresserait à l'homme d'un air entendu pour lui demander ce qui est arrivé à son doigt. Et l'homme, d'un air non moins entendu, lui répondrait, menaçant : « accident de chasse ». Alors Simon remporterait la main avec un full aux as par les dames.

Mais la vie n'est pas un roman, se dit-il, et ils reprennent leur marche comme si de rien n'était. Au bout de la rue, néanmoins, lorsqu'il se retourne, il voit encore trois personnes sonner à la porte et entrer. En revanche, il ne voit pas la Fuego cabossée garée sur le trottoir d'en face. Anastasia recommence à lui parler de

Barthes : lorsqu'il était conscient, il a demandé plusieurs fois sa veste, il avait l'air de chercher quelque chose. Est-ce que Simon a une idée de quoi il s'agissait ? Simon, prenant conscience que sa mission est terminée pour ce soir, a l'impression de se réveiller. Il se retrouve désemparé face à la jeune infirmière. Il bredouille que, peut-être, si elle est libre, ils pourraient boire un verre ensemble. Anastasia sourit (et Simon ne parvient pas à interpréter la vérité de ce sourire) : n'est-ce pas ce qu'ils viennent de faire ? Simon, piteusement, lui en propose un autre, une autre fois. Anastasia plonge ses yeux dans les siens, sourit encore, comme si elle renchérissait sur son sourire naturel, et lui dit simplement : « Peut-être. » Simon prend ça pour une rebuffade, et il a sans doute raison car la jeune femme le quitte en répétant « une autrrre fois » sans lui laisser son numéro de téléphone.

Dans la rue, derrière lui, les yeux de la Fuego s'allument.

41

« Approchez, beaux parleurs, fins rhéteurs, orateurs au long souffle ! Prenez place dans l'antre de la folie et de la raison, le théâtre de la pensée, l'académie des rêves, le lycée de la logique ! Venez entendre le fracas des mots, admirer l'entrelacs des verbes et des adverbes, goûter les circonlocutions venimeuses des dompteurs de discours ! Aujourd'hui, pour cette nouvelle session, le Logos Club vous offre non pas un combat digital ni deux mais trois,

oui, trois combats digitaux, mes amis ! Et pour aiguiser votre appétit, tout de suite, la première joute met aux prises deux rhéteurs avec l'épineuse question suivante, catégorie géopolitique : l'Afghanistan sera-t-il le Vietnam des Soviétiques ?

Gloire au logos, mes amis ! Vive la dialectique ! Que la fête commence ! Que le verbe soit avec vous ! »

42

Tzvetan Todorov est un maigrichon à lunettes affublé d'une grosse touffe de cheveux frisés. C'est aussi un chercheur en linguistique qui vit en France depuis vingt ans, un disciple de Barthes qui a travaillé sur les genres littéraires (spécialement le fantastique), un spécialiste de la rhétorique et de la sémiologie.

Bayard est venu l'interroger, sur les recommandations de Simon, parce qu'il est né en Bulgarie.

Qu'il ait grandi dans un pays totalitaire semble avoir développé chez lui une très forte conscience humaniste qui s'exprime jusque dans ses théories linguistiques. Par exemple, il pense que la rhétorique ne peut réellement s'épanouir qu'en démocratie parce qu'elle a besoin d'un espace de débat que, par définition, la monarchie ou la dictature n'offrent pas. Il en veut pour preuve que dans la Rome impériale, puis dans l'Europe féodale, la science du discours a abandonné l'objectif de persuader et a cessé de se focaliser sur la réception de l'interlocuteur pour se centrer sur le verbe lui-même.

On n'attendait plus du discours qu'il soit efficace mais simplement qu'il soit beau. Aux enjeux politiques se sont substitués des enjeux purement esthétiques. En d'autres termes, la rhétorique est devenue poétique. (C'est ce qu'on a appelé la *seconde rhétorique*.)

Il explique à Bayard, dans un français immaculé mais avec un accent encore très prononcé, que les services secrets bulgares (le KDC), autant qu'il sache, sont actifs et dangereux. Ils bénéficient du soutien du KGB et sont de fait en mesure de monter des opérations sophistiquées. Peut-être pas d'assassiner le pape mais à tout le moins d'éliminer des individus gênants, oui, sans aucun doute. Ceci dit, il ne voit pas bien pourquoi ils seraient impliqués dans l'accident de Barthes. En quoi un critique littéraire français aurait-il pu les intéresser ? Barthes ne faisait pas de politique et n'a jamais eu de contact avec la Bulgarie. Certes, il est allé en Chine, mais on ne peut pas dire qu'il en soit revenu maoïste, pas plus qu'anti-maoïste. Ni Gide, ni Aragon. La colère de Barthes, au retour de Chine, s'était essentiellement portée, Todorov s'en souvient encore, sur la qualité des plateaux Air France : il avait même songé à écrire un article.

Bayard sait que Todorov pointe la difficulté principale à laquelle se heurte son enquête : le mobile. Mais il sait aussi que, faute d'informations supplémentaires, il doit faire avec les éléments objectifs dont il dispose – un pistolet, un parapluie – et bien qu'il ne voie a priori aucune intrication géopolitique dans le meurtre de Barthes, il continue à interroger le critique bulgare sur les services de son pays d'origine.

Qui les dirige ? Un certain colonel Emil Kristoff. Quelle est sa réputation ? Pas spécialement libéral, mais pas non plus tellement versé dans la sémiologie. Bayard a la désagréable impression de s'enfoncer dans une impasse. Après tout, si les deux tueurs avaient été marseillais, yougoslaves ou marocains, qu'en aurait-il déduit ? Bayard, sans le savoir, pense en structuraliste : il se demande si la variable bulgare est un critère pertinent. Il recense mentalement les autres indices dont il dispose et qu'il n'a pas encore exploités. Par acquit de conscience, il demande :

« Est-ce que le nom de Sophia évoque quelque chose pour vous ?

— Oui, c'est la ville où je suis né. »

Sofia.

Il y a donc bien une piste bulgare.

À cet instant, une belle jeune femme rousse en peignoir fait son apparition et traverse la pièce en saluant discrètement le visiteur. Bayard croit distinguer un accent anglais. Il se dit que l'intello à lunettes ne s'emmerde pas. Il note machinalement la connivence érotique muette qui unit l'apparition anglophone au critique bulgare, signe d'une relation qu'il estime, non qu'il s'en soucie mais c'est un réflexe professionnel, soit naissante soit adultère soit les deux.

Tant qu'il y est, il demande à Todorov si « écho », le dernier mot prononcé par Hamed, lui évoque quelque chose. Et le Bulgare de répondre : « Oui, vous avez de ses nouvelles ? »

Bayard ne comprend pas.

« Umberto, il va bien ? »

43

Louis Althusser tient à la main la précieuse feuille de papier. La discipline du Parti à laquelle il a été formé, son tempérament de bon élève, ses années de prisonnier de guerre docile, lui intiment de ne pas lire le mystérieux document. En même temps, son individualisme peu communiste, son goût des cachotteries, sa propension historique à tricher, le poussent à déplier la feuille. S'il le faisait, lui qui ignore mais qui soupçonne ce qu'elle contient, il inscrirait son geste dans la longue chaîne de tricheries inaugurée par un 17/20 malhonnêtement acquis à une dissert de philo en hypokhâgne (épisode suffisamment fondateur dans sa mythologie personnelle d'imposteur pour qu'il y repense tout le temps). Mais il a peur. Il sait de quoi ils sont capables. Il décide, sagement (lâchement, se dit-il), de ne pas lire la feuille.

Mais alors où la cacher ? Il regarde l'accumulation de bordel qui s'entasse sur son bureau et pense à Poe : il glisse le document dans une enveloppe ouverte qui contenait une publicité quelconque, pour une pizzeria du quartier, mettons, ou peut-être pour une banque, je ne me souviens plus des pubs qu'on distribuait dans nos boîtes aux lettres à cette époque, l'important est qu'il pose cette enveloppe bien en évidence sur son bureau, au milieu de tout un fatras de manuscrits, d'études en cours et de brouillons tous plus ou moins consacrés à Marx, au marxisme, et spécialement, afin de tirer les conséquences « pratiques » de sa récente « autocritique antithéoriciste », au rapport matériel aléatoire entre d'une part les « mouvements populaires », et d'autre part les idéologies qu'ils se sont données ou dans lesquelles ils se sont investis. Ici, sa lettre sera en lieu sûr. Il y a aussi quelques livres, Machiavel, Spinoza, Raymond Aron, André Glucksmann… Ceux-là ont l'air d'avoir été lus, ce qui n'est pas le cas (il y pense souvent dans le cadre de sa névrose d'imposteur patiemment construite étage par étage) de la plupart des milliers de livres qui ornent ses étagères : Platon (lu, quand même), Kant (pas lu), Hegel (feuilleté), Heidegger (parcouru), Marx (lu le tome 1 du *Capital* mais pas le tome 2), etc.

Il entend la clé dans la porte, c'est Hélène qui rentre.

44

« C'est à quel sujet ? »

Le videur ressemble à tous les videurs du monde sauf qu'il porte une écharpe de laine épaisse et qu'il est blanc, sans âge, le teint gris, un mégot à la bouche et l'œil, non pas inexpressif regardant derrière vous comme si vous n'étiez pas devant lui, mais mauvais et comme essayant de lire dans votre âme. Bayard sait qu'il ne peut pas sortir sa carte parce qu'il faut rester incognito pour pouvoir assister à ce qui se déroule derrière cette porte, alors il s'apprête à inventer un mensonge piteux mais Simon, mû par une subite inspiration, le devance et dit : « Elle sait. »

Le bois grince, la porte s'ouvre, le videur s'écarte et, d'un geste ambigu, les invite à entrer. Ils pénètrent dans une cave voûtée qui sent la pierre, la sueur et la fumée de cigarette. La salle est pleine comme pour un concert, mais les gens ne sont pas venus voir Boris Vian et les murs n'ont pas gardé mémoire des accords de jazz qu'ils ont fait ricocher jadis. À la place, dans le brouhaha diffus des conversations d'avant spectacle, une voix déclame sur un ton de bateleur :

« *Bienvenue au Logos Club, mes amis, venez démontrer, venez délibérer, venez louer et blâmer pour la beauté du Verbe ! Ô verbe qui entraînes les cœurs et commandes à l'univers ! Venez assister au spectacle des plaideurs joutant pour la suprématie oratoire et pour votre plus grand plaisir !* »

Bayard interroge Simon du regard. Simon lui souffle à l'oreille que ce n'était pas un début de phrase qu'avait murmuré Barthes, mais des initiales : « *LC* » pour « Logos Club ». Bayard fait une moue impressionnée. Simon hausse les épaules modestement. La voix continue à chauffer la salle :

« *Il est beau, mon zeugme ! Elle est belle, mon asyndète ! Mais il y a un prix à payer. Ce soir, encore, vous connaîtrez le prix du langage. Car telle est notre devise, telle devrait être la loi sur terre : Nul ne parle impunément ! Au Logos Club, on ne se paie pas de mots, n'est-ce pas, mes chéris ?* »

Bayard aborde un vieil homme aux cheveux blancs auquel il manque deux phalanges à la main gauche. Sur un ton qui se veut le moins professionnel, mais pas non plus touristique, il demande : « Qu'est-ce qui se passe, ici ? » Le vieil homme le dévisage sans hostilité : « C'est la première fois ? Alors je vous conseille de regarder. Ne vous précipitez pas pour vous inscrire. Vous avez tout le temps d'apprendre. Écoutez, apprenez, progressez.

— M'inscrire ?…

— Vous pouvez toujours faire un match amical, bien sûr, ça n'engage à rien, mais si vous n'avez jamais vu de session, il vaut mieux que vous restiez spectateur. L'impression que vous laisserez à votre premier combat posera les fondements de votre réputation, et la réputation est un élément important : c'est votre *ethos.* »

Il tire sur sa cigarette coincée entre ses doigts mutilés tandis que le chauffeur de salle, invisible, caché dans quelque coin sombre sous les voûtes de pierre, continue à s'époumoner : « *Gloire au Grand Protagoras ! Gloire à Cicéron ! Gloire à l'Aigle de Meaux !* » Bayard demande à Simon qui sont ces gens. Simon lui dit que l'Aigle de Meaux, c'est Bossuet. Bayard a de nouveau envie de le gifler.

« *Mangez des cailloux comme Démosthène ! Vive Périclès ! Vive Churchill ! Vive de Gaulle ! Vive Jésus ! Vive Danton et Robespierre ! Pourquoi ont-ils tué Jaurès ?* » Ceux-là, Bayard les connaît, à part les deux premiers.

Simon demande au vieil homme quelles sont les règles du jeu. Le vieil homme leur explique : tous les matchs sont des duels, on tire un sujet, il s'agit toujours d'une question fermée à laquelle on peut répondre par oui ou par non, ou bien d'une question de type « pour ou contre » de façon que les deux adversaires puissent défendre des positions antagonistes.

« *Tertullien, Augustin, Maximilien avec nous !* » crie la voix.

La première partie de la soirée est constituée de matchs amicaux. Les vrais matchs sont à la fin. En général, il y en a toujours un, parfois deux, trois c'est assez rare mais ça arrive. En théorie, le nombre de matchs officiels n'est pas limité mais, pour des raisons apparemment évidentes que le vieil homme juge inutile de leur préciser, les volontaires ne se bousculent pas.

« Disputatio in utramque partem ! *Que la controverse commence ! Et voici deux beaux parleurs, qui vont s'affronter sur cette gouleyante question : Giscard est-il fasciste ?* »

Cris et sifflets dans la salle. « *Que les dieux de l'antithèse soient avec vous !* »

Un homme et une femme prennent place sur l'estrade, chacun derrière un pupitre, face au public, et se mettent à gribouiller des notes. Le vieil homme explique à Bayard et Herzog : « Ils ont cinq minutes pour se préparer, puis ils font une présentation où ils exposent leur point de vue et les grandes lignes de leur argumentaire, et ensuite ils engagent la dispute. La durée de la rencontre est variable et, comme à la boxe, le jury peut sonner la fin du match à tout moment. Celui qui parle en premier a un avantage car il choisit la position qu'il va défendre. L'autre est obligé de s'adapter et de défendre la position inverse. Pour les matchs amicaux qui opposent des adversaires de même grade, on tire au sort celui qui commence. Mais dans les combats homologués, qui mettent aux prises des adversaires de rangs différents, c'est le grade le plus faible qui commence. Là, vous voyez le genre de sujet, c'est une rencontre de niveau 1. Les deux, là, c'est des *parleurs*. C'est le grade le plus bas dans la hiérarchie du Logos Club. Des troufions, en somme. Au-dessus, vous avez les *rhéteurs*, et ensuite les *orateurs*, les *dialecticiens*, les *péripatéticiens*, les *tribuns* et, tout en haut, les *sophistes*. Mais ici, on dépasse rarement le niveau 3. Les sophistes, on dit qu'ils sont très peu nombreux, une dizaine, et qu'ils ont tous des noms de code. À partir du niveau 5, c'est très cloisonné. Il y en a même qui disent que les sophistes n'existent pas, qu'on a inventé le niveau 7 pour donner aux gars du Club une espèce de but inaccessible, qu'ils fantasment sur une idée de perfection inatteignable. Moi, je suis sûr qu'ils existent. À mon avis, de Gaulle en faisait partie. C'était peut-être même le Grand Protagoras en personne. On dit que le président du Logos Club se fait appeler comme ça. Moi, je suis un rhéteur, j'ai été orateur, une année, mais je me suis pas maintenu. » Il lève sa main mutilée. « Et ça m'a coûté cher. »

La joute commence, il faut se taire, et Simon ne peut pas demander au vieil homme ce qu'il entend par « vrai match ». Il observe le public : majoritairement masculin, tous les âges et tous les types sont représentés. Si le club est élitiste, le tri ne se fait apparemment pas sur des critères financiers.

La voix bien timbrée du premier jouteur retentit, qui explique qu'en France, le Premier ministre est un fantoche ; que l'article 49-3 châtre le Parlement qui n'a aucun pouvoir ; que de Gaulle était un aimable monarque en comparaison de Giscard qui concentre tous les pouvoirs, y compris la presse ; que Brejnev, Kim Il-sung, Honecker et Ceausescu, au moins, ont des comptes à rendre à leur parti ; que le président des États-Unis possède beaucoup moins de pouvoir que le nôtre et que si le président du Mexique n'est pas rééligible, le nôtre, si.

En face, c'est une jouteuse assez jeune. Elle répond qu'il suffit de lire les journaux pour vérifier qu'on n'est pas dans une dictature (ainsi quand *Le Monde* titre, encore cette semaine, en parlant du gouvernement, « Pourquoi avoir échoué dans tant de domaines » : on a connu censure plus sévère...) et elle en veut pour preuve les éructations de Marchais, Chirac, Mitterrand, etc. Pour une dictature, la liberté d'expression se porte assez bien. Et puisqu'on a évoqué de Gaulle, rappelons-nous ce qu'on disait de lui : de Gaulle fasciste. La Ve République fasciste. La Constitution fasciste. *Le Coup d'État permanent*, etc. Sa péroraison : « Dire de Giscard qu'il est fasciste est une insulte faite à l'Histoire ; c'est cracher sur les victimes de Mussolini et d'Hitler. Allez demander aux Espagnols ce qu'ils en pensent. Allez demander à Jorge Semprún si Giscard, c'est Franco ! Honte à la rhétorique quand elle trahit la mémoire ! » Applaudissements nourris. Après une brève délibération, les juges déclarent la jouteuse vainqueur. La jeune femme, ravie, serre la main de son adversaire et se fend d'une petite révérence au public.

Les joutes se succèdent, les candidats sont plus ou moins heureux, le public applaudit ou conspue, ça siffle, ça crie, puis on arrive au clou de la soirée, la « joute digitale ».

Sujet : *L'écrit contre l'oral.*

Le vieil homme se frotte les mains : « Ah ! Un méta-sujet ! Le langage qui parle du langage, il y a rien de plus beau. Moi, j'adore ça. Vous voyez, le niveau est affiché sur le tableau : c'est un jeune rhéteur qui défie un orateur pour lui prendre sa place. C'est donc à lui de commencer. Je me demande ce qu'il va choisir comme point de vue. Il y a souvent une thèse plus difficile que l'autre mais alors justement on peut avoir intérêt à la prendre si on veut impressionner le jury et le public. Inversement, les positions les plus évidentes peuvent être moins payantes parce qu'on risque d'avoir plus de mal à briller dans l'argumentation, on va énoncer des banalités et le discours sera moins spectaculaire... »

Le vieil homme se tait, ça commence, tout le monde écoute dans un silence fébrile, l'aspirant orateur prend la parole d'un air décidé :

« Des religions du Livre ont forgé nos sociétés et nous avons sacralisé les textes : Tables de la Loi, dix commandements, rouleaux de la Torah, Bible, Coran, etc. Il fallait que ce soit gravé pour que ce soit valable. Je dis : fétichisme. Je dis : superstitions. Je dis : lit du dogmatisme.

Ce n'est pas moi qui affirme la supériorité de l'oral mais celui qui nous a faits tels que nous sommes, ô penseurs, ô rhéteurs, le père de la dialectique, notre ancêtre à tous, l'homme qui, sans avoir jamais écrit un livre, a posé les bases de toute la pensée occidentale.

Souvenez-vous ! Nous sommes en Égypte, à Thèbes, et le roi demande : à quoi sert l'écriture ? Et le dieu répond : c'est le remède ultime à l'ignorance. Et le roi dit : au contraire ! En effet, cet art produira l'oubli dans l'âme de ceux qui l'ont appris parce qu'ils cesseront d'exercer leur mémoire. La remémoration n'est pas la mémoire et le livre n'est qu'un pense-bête. Il ne donne pas la connaissance, il ne donne pas la compréhension, il ne donne pas la maîtrise.

Pourquoi les étudiants auraient-ils besoin de professeurs, si tout s'apprenait dans les livres ? Pourquoi ont-ils besoin qu'on leur explique ce qui est écrit dans les livres ? Pourquoi y a-t-il des écoles et pas juste des bibliothèques ? C'est que l'écrit seul jamais ne suffit. Toute pensée est vivante à condition qu'elle s'échange, elle n'est pas figée ou bien elle est morte. Socrate compare l'écriture à la peinture : les êtres qu'engendre la peinture se tiennent debout comme s'ils étaient vivants ; mais qu'on les interroge, ils restent figés dans une pose solennelle et gardent le silence. Et il en va de même pour les écrits. On pourrait croire qu'ils parlent ; mais si on les interroge, parce qu'on souhaite comprendre ce qu'ils disent, ils répéteront toujours la même chose, au mot près.

Le langage sert à produire un message, qui ne prend sens que dans la mesure où il y a un destinataire. Je vous parle en ce moment, vous êtes la raison d'être de mon discours. Seuls les fous parlent dans le désert. Encore le fou se parle-t-il à lui-même. Mais un texte, à qui parle-t-il ? À tout le monde ! Donc à personne. Quand une fois pour toutes il a été écrit, chaque discours passe indifféremment auprès de ceux qui s'y connaissent comme auprès de ceux dont ce n'est point l'affaire, sans savoir quels sont ceux à qui il doit ou non s'adresser. Un texte qui n'a pas de destinataire précis est une garantie d'imprécision, de propos vagues et impersonnels. Comment un message pourrait-il convenir à tout le monde ? Même une lettre est inférieure à n'importe quelle conversation : elle est écrite dans un certain contexte, elle est reçue dans un autre. Ailleurs, plus tard, la situation de l'auteur et celle du destinataire ont changé. Elle est déjà obsolète, elle s'adressait à quelqu'un qui n'existe plus, et son auteur n'existe pas davantage, disparu dans le puits du temps, sitôt cachetée l'enveloppe.

Alors voilà : l'écrit, c'est la mort. La place des textes est dans les manuels scolaires. Il n'y a de vérité que dans les métamorphoses du discours, et l'oral seul est suffisamment réactif pour rendre compte à vitesse réelle du cours éternel de la pensée en marche. L'oral, c'est la vie : je le prouve, nous le prouvons, rassemblés aujourd'hui pour parler et pour écouter, pour échanger, pour discuter, pour contester, pour créer ensemble de la pensée vivante, pour communier dans le mot et l'idée, animés par les forces de la dialectique, vibrant de cette vibration sonore qu'on appelle la parole et dont l'écrit n'est somme toute que le pâle symbole : ce que la partition est à la musique, rien de plus. Et je finirai par une ultime citation de Socrate, puisque je parle sous son haut patronage : "*des semblants de savants, au lieu d'être des savants*", voilà ce que produit l'écriture. Merci de votre attention. »

Applaudissements fournis. Le vieux a l'air emballé : « Ah ah ! Il connaît ses classiques, le gosse. Son truc, c'est du solide. Socrate, le mec qui n'a jamais écrit un bouquin, une valeur sûre, dans le milieu ! C'est un peu le Elvis de la rhétorique, hein. Enfin, tactiquement, il a joué la sécurité parce que défendre l'oral, c'est légitimer l'activité du Club, évidemment : la mise en abyme ! L'autre va devoir répondre maintenant. Il faut qu'il trouve un truc solide sur lequel s'appuyer, lui aussi. Moi, je la ferais bien à la Derrida : démonter tout le truc du contexte, là, expliquer qu'une conversation n'est pas plus personnalisée qu'un texte ou qu'une lettre, parce que personne, quand il parle, ou quand il écoute, ne sait jamais vraiment qui il est ni qui est son interlocuteur. Il n'y a jamais de contexte, c'est un attrape-couillon, le contexte n'existe pas : voilà le cap ! En tout cas, ce serait mon axe de réfutation. Il faut démolir ce bel édifice, et ensuite, bon, il faut juste être précis : la supériorité de l'écrit, ça fait un peu question de cours, vous voyez, c'est assez technique, mais c'est pas folichon. Moi ? Oui, j'ai suivi les cours du soir à la Sorbonne. J'étais facteur. Ah ! Chut ! Chut ! Allez, mon gars, montre-nous que t'as pas volé ton rang ! »

Et toute la salle fait chut quand l'orateur, un homme plus âgé, grisonnant, plus posé, moins fougueux dans son langage corporel, prend la parole. Il regarde le public, son adversaire, le jury, et il dit juste, en levant l'index :

« De Platon. »

Puis il se tait, suffisamment longtemps pour produire le malaise qui accompagne toujours un silence qui dure. Et quand il sent que le public se demande pourquoi il gaspille ainsi de précieuses secondes sur son temps de parole, il reprend :

« Mon honorable adversaire a attribué sa citation à Socrate, mais vous avez corrigé de vous-mêmes, n'est-ce pas ? »

Blanc.

« Il voulait dire Platon. Sans les écrits duquel Socrate, sa pensée, et sa magnifique apologie de l'oral dans *Phèdre*, que mon honorable adversaire nous a restituée dans sa quasi-intégralité, nous seraient restés inconnus. »

Blanc.

« Merci de votre attention. » Il se rassoit.

Toute la salle se tourne alors vers son adversaire. Il peut, s'il le souhaite, reprendre la parole et engager la dispute mais, livide, il ne dit rien. Il n'a pas besoin d'attendre le verdict des trois juges pour savoir qu'il a perdu.

Lentement, courageusement, le jeune homme s'avance et pose la main à plat sur la table des jurés. Toute la salle retient son souffle. Ceux qui fument tirent nerveusement sur leur cigarette. Chacun croit entendre l'écho de sa propre respiration.

L'homme assis au milieu lève un hachoir et lui tranche le petit doigt d'un coup sec.

Le jeune homme ne pousse pas un cri mais se plie en deux. On vient immédiatement le soigner et le panser dans un silence de cathédrale. On ramasse le bout de doigt au passage, mais Simon ne voit pas si on le jette ou si on le garde quelque part pour l'exposer dans des bocaux avec des étiquettes sur lesquelles on inscrira la date et le sujet.

La voix retentit à nouveau : « *Hommage aux jouteurs !* » Le public psalmodie : « Hommage aux jouteurs. »

Dans le silence de la cave, le vieil homme explique à voix basse : « En général, quand on perd, il se passe un peu de temps avant qu'on retente sa chance. C'est un bon système, ça évite les challengers compulsifs. »

45

Cette histoire possède un point aveugle qui est aussi son point de départ : le déjeuner de Barthes avec

Mitterrand. C'est la grande scène qui n'aura pas lieu. Mais elle a eu lieu pourtant… Jacques Bayard et Simon Herzog ne sauront jamais, n'ont jamais su ce qui s'était passé ce jour-là, ce qui s'était dit. À peine pourront-ils accéder à la liste des invités. Mais moi, je peux, peut-être… Après tout, tout est affaire de méthode, et je sais comment procéder : interroger les témoins, recouper, écarter les témoignages fragiles, confronter les souvenirs tendancieux avec la réalité de l'Histoire. Et puis, au besoin… Vous savez bien. Il y a quelque chose à faire avec ce jour-là. Le 25 février 1980 n'a pas encore tout dit. Vertu du roman : il n'est jamais trop tard.

46

« Oui, ce qu'il faut à Paris, c'est un Opéra. »

Barthes voudrait être ailleurs, il a mieux à faire que ces mondanités, il regrette d'avoir accepté ce déjeuner, il va encore se faire engueuler par ses amis gauchistes, mais comme ça, au moins, Deleuze sera content. Foucault, bien sûr, l'accablera de quelques moqueries méprisantes, et s'arrangera pour qu'on les répète.

« La fiction arabe n'hésite plus à interroger ses frontières, elle veut sortir du cadre classique, rompre avec le roman à thème… »

C'est le prix à payer, sans doute, pour avoir déjeuné avec Giscard, n'est-ce pas ? « Un grand bourgeois très réussi », oui, certainement, mais enfin ceux-là ne sont pas mal non plus… Allons, quand le vin est tiré, il faut le boire. D'ailleurs, il est bon, ce blanc, qu'est-ce que c'est ? Je dirais du chardonnay.

« Vous avez lu le dernier Moravia ? J'aime beaucoup Leonardo Sciascia. Vous lisez l'italien ? »

Qu'est-ce qui les distingue ? Rien, a priori.

« Vous aimez Bergman ? »

Regarde leur façon de se tenir, de parler, de s'habiller… Incontestablement des *habitus* de droite, comme dirait Bourdieu.

« Nul autre artiste que Michel-Ange, à l'exception peut-être de Picasso, ne peut revendiquer une semblable fortune critique. Pourtant, rien n'a été dit sur la dimension démocratique de son œuvre ! »

Et moi ? Est-ce que j'ai des *habitus* de droite ? Il ne suffit pas d'être mal habillé pour y échapper. Barthes tâte le dossier de sa chaise pour vérifier que sa vieille veste est toujours là. Du calme. Personne ne va te voler. Ha ha ! Tu penses comme un bourgeois.

« En fait de modernité, Giscard rêve d'une France féodale. Nous verrons bien si les Français se cherchent un maître ou un guide. »

Il plaide quand il parle. C'est bien un avocat. Ça sent bon dans la cuisine.

« Ça arrive, c'est presque prêt ! Et vous-même, cher monsieur, sur quoi travaillez-vous en ce moment ? »

Sur des mots. Sourire. Prendre un air entendu. Pas la peine d'entrer dans les détails. Un peu de Proust, ça plaît toujours.

« Vous ne me croirez pas, mais j'ai une tante qui a connu les Guermantes. » La jeune actrice est piquante. Très française.

Je me sens fatigué. Ce que j'aurais vraiment voulu, c'est suivre une voie anti-rhétorique. Mais il est trop tard maintenant. Barthes soupire tristement. Il déteste s'ennuyer et pourtant, tant d'occasions lui sont offertes, et il les accepte sans trop savoir pourquoi. Mais aujourd'hui, c'est un peu différent. Ce n'est pas comme s'il n'avait pas mieux à faire.

« Je suis assez ami avec Michel Tournier, il n'est pas du tout aussi sauvage qu'on l'imagine, haha. »

Ah, tiens, du poisson. D'où le blanc.

« Venez vous asseoir, "Jacques" ! Vous n'allez tout de même pas passer tout le repas en cuisine ! »

« *En* » cuisine : trahi par une préposition… Le jeune homme bouclé à tête de bouc achève de servir sa potée et vient se joindre à nous. Il s'appuie sur le dossier de la chaise de Barthes avant de prendre place à côté de lui.

« C'est une cautriade : un mélange de poissons, du rouget, du merlan, de la sole, du maquereau, avec des crustacés et des légumes, relevés d'un filet de vinaigrette, et j'ai mis un peu de curry avec une pincée d'estragon. Bon appétit ! »

Ah oui, c'est bon. C'est chic et en même temps, ça fait peuple. Barthes a souvent écrit sur la nourriture : le steak frites, le jambon beurre, le lait et le vin… Mais là c'est autre chose, évidemment. Ça veut rester simple mais c'est cuisiné. Il faut qu'on sente qu'il y a eu effort, soin, amour dans la préparation. Et puis, toujours, démonstration de force. Il l'avait déjà théorisé dans son livre sur le Japon : *la nourriture occidentale, accumulée, dignifiée, gonflée jusqu'au majestueux, liée à quelque opération de prestige, s'en va toujours vers le gros, le grand, l'abondant, le plantureux ; l'orientale suit le mouvement inverse, elle s'épanouit vers l'infinitésimal : l'avenir du concombre n'est pas son entassement ou son épaississement, mais sa division.*

« C'est un plat de pêcheurs bretons : il était cuisiné à bord avec de l'eau de mer. La vinaigrette servait à conjurer l'effet assoiffant du sel. »

Souvenirs de Tokyo... *La baguette, pour diviser, sépare, écarte, chipote, au lieu de couper et d'agripper, à la façon de nos couverts ; elle ne violente jamais l'aliment...*

Barthes se laisse resservir un verre et, tandis qu'autour de la table les invités mangent dans un silence un peu intimidé, il observe ce petit homme aux lèvres dures qui aspire ses bouchées de merlan dans un léger bruit de succion qu'une bonne éducation bourgeoise a dû scrupuleusement étalonner pour de semblables situations.

« J'ai déclaré que le pouvoir, c'était la propriété. Ce n'est pas entièrement faux, bien sûr. »

Mitterrand pose sa cuillère. L'auditoire silencieux arrête de manger pour signifier au petit homme qu'on se concentre sur sa parole.

Si la cuisine japonaise se fait toujours devant celui qui va manger (marque fondamentale de cette cuisine), c'est que peut-être il importe de consacrer par le spectacle la mort de ce qu'on honore...

On dirait qu'ils ont peur de faire du bruit, comme au théâtre.

« Mais ce n'est pas vrai. Vous le savez mieux que moi, n'est-ce pas ? »

Aucun plat japonais n'est pourvu d'un centre (centre alimentaire impliqué chez nous par le rite qui consiste à ordonner le repas, à entourer ou napper les mets) ; tout y est ornement d'un autre ornement : d'abord parce que sur la table, sur le plateau, la nourriture n'est jamais qu'une collection de fragments…

« Le vrai pouvoir, c'est le langage. »

Mitterrand sourit, sa voix a pris une inflexion cajoleuse que Barthes ne lui soupçonnait pas et il comprend que c'est à lui qu'il s'adresse. Adieu Tokyo. Voilà qu'arrive le moment qu'il redoutait (mais qu'il savait inévitable), où il doit donner la réplique et faire ce qu'on attend de lui, jouer au sémiologue, ou tout du moins à l'intellectuel vaguement spécialisé dans le langage. Il dit, en espérant qu'on prendra son laconisme pour de la profondeur : « Surtout sous un régime démocratique. »

Mitterrand, sans cesser de sourire, lâche un « vraiment ? » en retour, dont il est difficile de déterminer s'il s'agit d'une demande d'explicitation, d'un assentiment poli ou d'une discrète objection. Le jeune homme à tête de bouc, qui porte manifestement la responsabilité de la rencontre, croit bon d'intervenir dans la conversation naissante, de peur peut-être qu'elle n'avorte dans l'œuf : « Comme disait Göbbels, "quand j'entends le mot culture, je sors mon revolver"… » Barthes n'a pas le temps de s'expliquer la signification de la citation en contexte, que Mitterrand rectifie sèchement : « Non, c'est Baldur von Schirach. » Silence gêné des invités autour de la table. « Vous voudrez bien pardonner à M. Lang qui, s'il est né avec la guerre, est trop jeune pour s'en souvenir. N'est-ce pas, "Jacques" ? » Mitterrand plisse les yeux comme un Japonais. Il prononce « Jack » à la française. Pourquoi Barthes, à cet instant, a-t-il l'impression qu'il se joue quelque chose entre lui et ce petit homme au regard perçant ? Comme si ce déjeuner n'avait été organisé que pour lui, comme si les autres invités n'étaient là que pour donner le change, des leurres, ou pire, des complices. Ce n'est pourtant pas le premier déjeuner culturel organisé pour Mitterrand : il en fait une fois par mois. Il n'a pas fait les autres juste pour donner le change, se dit Barthes.

Dehors, on croit entendre une calèche passer dans la rue des Blancs-Manteaux.

Barthes s'autoanalyse rapidement : vu les circonstances et le document qui est plié dans la poche intérieure de sa veste, la logique veut qu'il soit sujet à des bouffées de paranoïa. Il choisit de reprendre la parole, en partie pour tirer d'embarras le jeune homme aux boucles brunes, toujours souriant quoiqu'un peu contrit : « Les grandes époques de la rhétorique correspondent toujours à celles des républiques, athénienne, romaine, française… Socrate, Cicéron, Robespierre… Des éloquences certes différentes, liées à des époques différentes, mais toutes se sont dépliées comme une tapisserie sur le canevas démocratique. » Mitterrand a l'air intéressé, il objecte : « Puisque notre ami "Jacques" a cru bon d'inviter la guerre dans la conversation, je vous rappellerai qu'Hitler était un grand orateur. » Et il ajoute, sans donner à ses interlocuteurs aucun signe d'ironie à laquelle ils pourraient se raccrocher : « De Gaulle aussi. Dans son genre. »

Quitte à jouer le jeu, Barthes demande : « Et Giscard ? »

Mitterrand, comme s'il attendait ça depuis le début, comme si ces préliminaires n'avaient eu d'autres visées qu'emmener la conversation exactement à cet endroit, se renverse sur sa chaise : « Giscard est un bon technicien. Sa force, c'est la connaissance précise qu'il a de lui-même, de ses moyens et de ses faiblesses. Il sait qu'il a le souffle court, mais sa phrase en épouse exactement le rythme. Un sujet, un verbe, un complément direct. Un point, pas de virgule : on entrerait dans l'inconnu. » Il marque une pause pour laisser enfin les sourires de complaisance s'épanouir sur le visage des invités, puis il poursuit : « Pas de lien nécessaire non plus entre deux phrases. Chacune se suffit à elle-même, aussi lisse et pleine qu'un œuf. Un œuf, deux œufs, trois œufs, une ponte en série, régulière comme un métronome. » Encouragé par les gloussements prudents qu'il recueille autour de la table, Mitterrand s'échauffe : « La belle mécanique ! J'ai connu un mélomane qui prêtait à son métronome plus de génie qu'à Beethoven... Naturellement, le spectacle ravit. Par-dessus le marché, c'est très pédagogique. Tout le monde comprend qu'un œuf est un œuf, n'est-ce pas ? »

Jack Lang, soucieux de son travail de médiateur culturel, intervient : « C'est exactement ce que M. Barthes dénonce dans son travail : les ravages de la tautologie. »

Barthes confirme : « Oui, c'est-à-dire... la fausse démonstration par excellence, l'équation inutile, A = A, "Racine est Racine", c'est le degré zéro de la pensée. »

Mitterrand, heureux de cette convergence de points de vue théoriques, n'en perd pas pour autant le fil de son discours : « Voilà, c'est exactement cela. "La Pologne est la Pologne, la France est la France." » Il adopte un ton faussement geignard : « Allez donc, après ça, expliquer le contraire ! Je veux dire par là que Giscard possède, à un rare degré, l'art d'énoncer les évidences. »

Barthes, conciliant, abonde : « Une évidence ne se démontre pas. Elle s'évide. »

Mitterrand répète, triomphant : « Non, une évidence ne se démontre pas. » À cet instant, une voix se fait entendre à l'autre bout de la table : « Il paraît cependant *évident*, si l'on suit votre démonstration, que la victoire ne peut pas vous échapper. Les Français ne sont pas si bêtes. Ils ne se feront pas avoir deux fois par cet imposteur. »

C'est un jeune dégarni avec la bouche en cul de poule, un peu du genre de Giscard, qui a pris la parole et qui, contrairement aux autres convives, n'a pas l'air impressionné par le petit homme. Mitterrand se tourne méchamment vers lui : « Oh, je sais bien ce que vous pensez, Laurent ! Vous pensez, comme la plupart de nos contemporains, qu'il n'est pas de plus éblouissant démonstrateur que lui. »

Laurent Fabius proteste avec une moue dédaigneuse : « Je n'ai pas dit ça… »

Mitterrand, hargneux : « Mais si ! Mais si ! Quel bon téléspectateur vous faites ! C'est parce qu'il y a beaucoup de bons téléspectateurs comme vous que Giscard est si bon à la télévision. »

Le jeune dégarni ne bronche pas, Mitterrand s'embrase : « Je reconnais qu'il explique admirablement comment les choses se passent sans lui. Les prix ont monté en septembre ? Parbleu, c'est le bœuf. (Barthes note que Mitterrand dit “parbleu”.) En octobre, c'est le melon. En novembre, c'est le gaz, l'électricité, les chemins de fer et les loyers. Comment voulez-vous que les prix ne montent pas ? Lumineux. » Son visage se fend d'un mauvais rictus, sa voix se voile : « On s'émerveille d'accéder aussi aisément aux mystères de l'économie, de pénétrer à la suite de ce guide savant dans les arcanes de la haute finance. » Il crie, maintenant : « Hé oui, c'est le bœuf ! Odieux melon ! Traître loyer ! Vive Giscard ! »

Les invités sont pétrifiés, mais Fabius répond en allumant une cigarette : « Vous exagérez. »

Le rictus de Mitterrand reprend son aspect enjôleur et, de son timbre le plus normal, il dit, sans qu'on sache s'il répond au jeune dégarni ou s'il souhaite rassurer l'ensemble des convives : « Bien entendu, je plaisantais. Enfin pas tout à fait. Mais rendons les armes : il faut une belle intelligence pour convaincre les autres à ce point que gouverner consiste à n'être responsable de rien. »

Jack Lang s'éclipse.

Barthes se dit qu'il a en face de lui un très beau spécimen de maniaque obsessionnel : cet homme veut le pouvoir, et il a cristallisé dans son adversaire direct toute la rancœur qu'il pouvait éprouver envers une fortune trop longtemps contraire. C'est comme s'il enrageait déjà de sa prochaine défaite, et en même temps on le sent prêt à tout sauf à renoncer. Il ne croit peut-être pas à sa victoire mais c'est dans sa nature de se battre pour l'emporter, ou c'est la vie qui l'a fait ainsi. La défaite est décidément la plus grande école. Barthes, envahi par une mélancolie légère, allume une cigarette à son tour pour se donner une contenance. Mais la défaite ancre aussi l'individu dans des pathologies lourdes. Barthes se demande ce que veut vraiment ce petit homme. Sa détermination n'est pas en cause mais ne s'est-il pas enfermé dans un système ? 1965, 1974, 1978… À chaque fois, des défaites prestigieuses, dont on ne lui impute pas personnellement la responsabilité, alors il se sent autorisé à persévérer dans son être, et son être, c'est la politique, bien sûr, mais c'est peut-être aussi la défaite.

Le jeune dégarni reprend la parole : « Giscard est un orateur brillant, vous le savez très bien. De plus, son style est taillé pour la télé. C'est ça, être moderne. »

Mitterrand prend un air faussement conciliant : « Mais, mon cher Laurent, il y a beau temps que j'en suis convaincu. J'admirais déjà ses dons d'exposition lorsqu'il intervenait à la tribune de l'Assemblée nationale. À l'époque, je m'étais fait la remarque que je n'avais pas entendu meilleur orateur depuis… Pierre Cot. Oui, un radical qui fut ministre pendant le Front populaire. Mais je m'égare. M. Fabius est si jeune que c'est à peine s'il a connu le Programme commun, alors le Front populaire… (Rires timides autour de la table.) Revenons, si vous le voulez bien, à Giscard, ce phare de l'éloquence ! La clarté du discours, la fluidité du débit entrecoupé de pauses qui donnaient à ses auditeurs l'impression d'être admis à penser, comme le ralenti des images sportives à la télévision, vous projette du fauteuil où vous caliez vos reins dans l'héroïque intimité de l'effort musculaire, le port même de la tête, tout préparait Giscard à s'installer sur nos petits écrans. Sans doute a-t-il ajouté à ses qualités naturelles beaucoup de travail. Finis les amateurs ! Mais il a reçu sa récompense. Avec lui, on entend la télévision respirer. Le triomphe des poumons d'acier. »

Le jeune dégarni ne se laisse toujours pas impressionner : « À l'arrivée, c'est d'une efficacité redoutable. Les gens l'écoutent et il y en a même qui votent pour lui. »

Mitterrand répond, pensif, comme pour lui-même : « Je m'interroge pourtant. Vous parliez d'un style moderne. Je le crois dépassé. On a moqué la rhétorique des gammes littéraires et des élans du cœur. (Barthes entend l'écho du débat de 1974, plaie jamais refermée pour le candidat malheureux.) À juste titre le plus souvent. (Ô combien cette concession doit lui arracher les entrailles, ô combien Mitterrand a-t-il dû travailler sur la maîtrise de soi pour en arriver là…) Les apprêts du langage blessent l'oreille comme le fard la vue. »

Fabius attend, Barthes attend, tout le monde attend. Mitterrand a l'habitude qu'on l'attende, il prend son temps avant de poursuivre : « Mais à rhétorique, rhétorique et demie. Celle du technocrate s'use déjà. Hier elle était précieuse. Elle devient ridicule. Qui disait récemment : "J'ai mal à ma balance des comptes" ? »

Jack Lang revient s'asseoir en demandant : « Ce n'était pas Rocard ? »

Mitterrand laisse à nouveau percer son irritation : « Non, c'est Giscard. » Il fusille du regard le jeune homme bouclé qui lui a gâché son effet, puis il reprend comme si de rien n'était : « On a envie de se tâter. Mal à la tête ? Mal au cœur ? Mal aux reins ? Mal au ventre ? On sait où c'est. Mais la balance des comptes ? Entre la sixième et la septième côte ? Une glande inconnue ? L'un des osselets du coccyx ? Giscard n'en est pas là. »

Les invités ne savent plus s'ils doivent rire ou pas. Dans le doute, ils s'abstiennent.

Mitterrand poursuit en regardant par la fenêtre : « Il a du sens commun et, technicien de l'à-peu-près, connaît et sent la politique comme pas un. »

Barthes comprend toute l'ambiguïté du compliment : pour quelqu'un comme Mitterrand, c'est évidemment une reconnaissance supérieure, mais par une forme de schizophrénie propre au politique, tirant parti d'une polysémie très riche, le terme de « politique » a aussi quelque chose de dévalorisant, voire d'insultant, dans sa bouche.

Mitterrand, qu'on n'arrête plus : « Mais sa génération s'efface en même temps que l'économisme. Margot, qui a séché ses yeux, commence à s'ennuyer. »

Barthes se demande si Mitterrand n'est pas ivre.

Fabius, qui semble s'amuser de plus en plus, interpelle son patron : « Méfiez-vous, il bouge encore, et il sait viser juste. Souvenez-vous de sa flèche : "Vous n'avez pas le monopole du cœur." »

Les invités arrêtent de respirer.

Contre toute attente, Mitterrand répond presque posément : « Et je n'y prétends pas ! Mes réflexions, au demeurant, visent l'homme public et je me garde de juger l'homme privé que je ne connais pas. » Puis, ayant concédé ce qu'il devait, et par là même ayant montré son esprit de fair-play, il peut conclure : « Mais nous parlions technique, il me semble. Elle a pris chez lui tant de place, qu'il ne sait pas lui-même où loger l'imprévu. Le moment difficile d'une vie, la sienne, la vôtre, la mienne, de toute vie qui se veut ambitieuse, est celui où s'inscrit le signe sur le mur qui vous apprend que l'on commence à s'imiter soi-même. »

Entendant ces paroles, Barthes plonge le nez dans son verre. Il sent sourdre en lui un rire nerveux, mais il se contient en se récitant mentalement cette maxime : « Chacun rit pour lui. »

La réflexivité, toujours.

DEUXIÈME PARTIE

Bologne

47

16 h 16

« Quelle chaleur, putain. » Simon Herzog et Jacques Bayard arpentent les rues dentelées de Bologne la rouge, cherchant refuge sous les arcades qui maillent la ville, dans l'espoir d'échapper un instant au soleil de plomb sous lequel ploie encore une fois l'Italie du Nord, en cet été 1980. Sur un mur, inscrit à la bombe, ils peuvent lire : « *Vogliamo tutto ! Prendiamoci la città !* » Trois ans plus tôt, ici même, des carabiniers tuaient un étudiant, déclenchant une véritable insurrection populaire que le ministre de l'Intérieur choisissait de mater en envoyant les chars : la Tchécoslovaquie, en 1977, en Italie. Mais aujourd'hui, tout est calme, les blindés sont retournés dans leurs terriers, la ville entière semble faire la sieste.

« C'est là ? On est où ?

— Fais voir le plan.

— Mais c'est toi qui l'as !

— Mais non, je te l'ai rendu ! »

Via Guerrazzi, au cœur du quartier étudiant de la plus vieille ville universitaire du continent, Simon Herzog et Jacques Bayard pénètrent dans un vieux palais bolonais où siège le DAMS : *Discipline Arte Musica e Spettacolo*. C'est ici que, chaque semaine, le professeur Eco a donné son cours semestriel, d'après ce qu'ils parviennent à déchiffrer d'un tableau d'affichage aux intitulés obscurs. Mais le professeur n'est pas là, une concierge leur explique dans un français impeccable que les cours sont finis (« Je savais, dit Simon à Bayard, que c'était débile de venir à la fac pendant l'été ! ») mais que, selon toute probabilité, il sera au bistro : « D'habitude, il va à la Drogheria Calzolari ou à l'Osteria del Sole. *Ma*, la Drogheria, elle ferme plus tôt. Alors ça dépend si *il professore*, il a très soif. »

Les deux hommes traversent la sublime piazza Maggiore, avec sa basilique inachevée du XIVe siècle, moitié de marbre blanc, moitié de pierre ocre, et sa fontaine de Neptune bordée de sirènes grasses et obscènes qui se touchent les seins en chevauchant des dauphins démoniaques. Ils trouvent l'Osteria del Sole dans un minuscule passage, déjà remplie d'étudiants. Sur le mur, dehors, on peut lire : « *Lavorare meno – lavorare tutti !* » Grâce à ses notions de latin, Simon déchiffre : « Travailler moins – travailler tous. » Bayard pense : « Jean-foutres partout, travailleurs nulle part. »

Dans l'entrée, un grand soleil stylisé à la manière des enseignes d'alchimiste s'affiche sur un poster géant. Ici, on boit du vin pas cher et on peut apporter son manger. Simon commande deux verres de Sangiovese tandis que Bayard s'enquiert de la présence d'Umberto Eco. Tout le monde semble le connaître mais, comme ils disent : « *Non ora, non qui.* » Les deux Français décident néanmoins de rester un peu, à l'abri de la chaleur accablante, au cas où Eco débarquerait.

Au fond de la salle en L, un groupe d'étudiants fête bruyamment l'anniversaire d'une jeune fille, à qui ses amis offrent un grille-pain qu'elle exhibe avec reconnaissance. Il y a aussi des vieux mais Simon remarque qu'ils sont tous regroupés au comptoir, à l'entrée, et il comprend que c'est parce que ça leur fait moins de trajet pour commander car il n'y a pas de service en salle. Derrière le bar, une vieille femme habillée de noir, l'air austère, le chignon gris impeccablement tiré, dirige la manœuvre. Simon devine que c'est la mère du tenancier, alors il le cherche des yeux et ne tarde pas à le repérer : à une table, un grand gars dégingandé qui joue aux cartes. À sa façon de râler et à son air désagréable un peu surjoué, Simon devine qu'il travaille ici et que, vu qu'il ne travaille pas, justement, puisqu'il joue aux cartes (des cartes d'un type inconnu, un genre de tarot, note Simon), c'est bien lui, le patron. Sa mère l'appelle, de temps à autre : « Luciano ! Luciano ! » Il répond par des grognements.

Dans le creux du L de la salle, on peut accéder à une petite cour intérieure qui fait terrasse ; Simon et Bayard y observent des couples en train de se peloter gentiment et trois jeunes avec des foulards qui arborent des mines de comploteurs. Simon détecte également quelques étrangers, dont la non-italianité se trahit d'une manière ou d'une autre par les vêtements, la gestuelle ou le regard. Rendu quelque peu paranoïaque par les événements des mois passés, il croit voir des Bulgares partout.

Pourtant l'ambiance se prête peu à la paranoïa. Les gens déballent des petites galettes qu'ils fourrent avec du lard et du pesto ou grignotent des artichauts.

Évidemment, tout le monde fume. Simon ne voit pas les jeunes comploteurs s'échanger un paquet sous la table, dans la petite cour. Bayard reprend un verre de vin. Bientôt, l'un des étudiants du fond de la salle les aborde pour leur proposer une coupe de Prosecco et une part de gâteau aux pommes. Il s'appelle Enzo, il est extrêmement volubile et lui aussi parle français. Il les invite à rejoindre ses amis qui s'engueulent joyeusement sur des sujets politiques, si l'on en juge par les « *fascisti* », « *comunisti* », « *coalizione* », « *combinazione* » et autres « *corruzione* » qui fusent de partout. Simon demande ce que signifie « *pitchi* », qui revient beaucoup dans la conversation. Une petite brune au teint mat s'interrompt pour lui expliquer en français que c'est comme ça qu'on prononce « PC » en italien. Elle lui dit que tous les partis sont pourris, même les communistes qui sont des *notabili* prêts à marcher avec le patronat et à s'allier avec les démocrates-chrétiens. Heureusement, les Brigades rouges ont fait capoter le *compromesso strorico* en kidnappant Aldo Moro. D'accord, ils l'ont tué, mais c'est la faute du pape et de ce *porco* d'Andreotti qui n'a pas voulu négocier.

Luciano, qui l'a entendue parler avec les Français, l'interpelle avec de grands gestes : « *Ma, che dici ! Le Brigate Rosse sono degli assassini !* Ils l'ont tué et ils l'ont jeté dans le coffre de la *macchina*, comme *un cane* ! »

La jeune fille fait volte-face : « *Il cane sei tu !* Ils sont en guerre, ils voulaient l'échanger contre des camarades, des prisonniers politiques, ils ont attendu 55 jours que le gouvernement accepte de parler avec eux, presque deux mois entiers ! Il a refusé, même pas un seul prisonnier, il a dit, Andreotti ! Moro, il a supplié : mes amis, sauvez-moi, je suis innocent, il faut *negoziare* ! Et tous ses bons amis, ils ont dit : c'est pas lui, il est drogué, on l'a forcé, il a changé ! C'est pas le Aldo que j'ai connu, ils ont dit, *'sti figli di putana !* »

Et elle fait mine de cracher avant d'avaler son verre cul sec, puis elle se retourne vers Simon en souriant pendant que Luciano retourne à son *tarocchino* en maugréant quelques insanités.

Elle s'appelle Bianca, elle a des yeux très noirs et des dents très blanches, elle est napolitaine, elle fait des études de sciences politiques, elle voudrait être journaliste, mais pas dans la presse bourgeoise. Simon hoche la tête en souriant bêtement. Il marque des points quand il lui dit qu'il fait sa thèse à Vincennes. Bianca bat des mains : il y a trois ans, un énorme colloque s'est tenu ici, à Bologne, avec les grands intellectuels français, Guattari, Sartre, et ce jeune en chemise blanche, Lévy… Elle avait interviewé Sartre et Simone de Beauvoir pour *Lotta Continua*. Sartre avait dit, elle cite de mémoire en levant un doigt : « Je ne puis accepter qu'un jeune militant soit assassiné dans les rues d'une ville gouvernée par le Parti communiste. » Et, tout compagnon de route qu'il était, il avait déclaré : « Je me mets du côté du jeune militant. » C'était *magnifico* ! Elle se rappelle que Guattari avait été accueilli comme une rock star ; dans la rue, on aurait dit John Lennon, c'était la folie. Un jour, il participait à une manif, il rencontre Bernard-Henri Lévy, alors il le fait partir du cortège, parce que les étudiants étaient vraiment excités et que le philosophe à la *camicia bianca*, il allait se faire taper. Bianca rit aux éclats et se ressert du Prosecco.

Mais Enzo, qui bavardait avec Bayard, vient se mêler à la conversation : « Les *Brigate Rosse* ? *Ma*, les terroristes de gauche, ça reste des terroristes, *no* ? »

Bianca s'enflamme à nouveau : « *Ma che terroristi ?* Des militants qui font l'action violente comme moyen d'action, *ecco* ! »

Enzo éclate d'un rire amer : « *Si*, et Moro était un *lacchè* du capital, *io so*. Il était rien qu'un *strumento* avec un costume et une cravate dans les mains d'Agnelli et des Américains. *Ma*, derrière la cravate, il y avait un *uomo*. Ah, s'il avait pas écrit ces lettres, à sa femme, à son petit-fils… on n'aurait vu que le *strumento*, sans doute, et pas l'*uomo*. C'est pour ça que ses amis ont paniqué : ils peuvent dire qu'il les avait écrites sous la contrainte, tout le monde savait bien que *no*, ces mots-là, ils étaient pas dictés par un *carceriere* mais ils venaient du fond du cœur d'un *pover'uomo* qui va mourir. Et toi, tu es d'accord avec ses amis qui l'ont abandonné : tu veux oublier ses lettres pour oublier que tes amis brigadistes ont tué un *vecchietto* qui aimait son petit-fils. *Va bene !* »

Bianca a les yeux qui brillent. Après une telle sortie, elle n'a comme seul recours que la surenchère dans le pathos, avec si possible une dose de lyrisme, mais pas trop quand même car elle sait que tout lyrisme politisé menace de sonner comme du catéchisme, alors elle dit : « Son petit-fils s'en remettra, il ira dans les meilleures écoles, n'aura jamais faim, se fera recommander pour trouver un stage à l'UNESCO, à l'OTAN, à l'ONU, à Rome, à Genève, à New York ! Tu as déjà été à Naples ? Tu as vu les enfants napolitains qui vivent dans des maisons que l'État, celui d'Andreotti et de ton ami Moro, laisse s'écrouler ? Combien de femmes et d'enfants la politique corrompue des démocrates-chrétiens, elle a abandonnés ? »

Enzo ricane en remplissant le verre de Bianca : « Combattre le mal par le mal, *giusto* ? »

À cet instant, l'un des jeunes comploteurs se lève, jette sa serviette, il a couvert le bas de son visage avec son foulard, il s'avance jusqu'à la table des joueurs de cartes, brandit un pistolet en direction du patron du bar et lui tire dans la jambe.

Luciano s'écroule en râlant.

Bayard n'est pas armé et la cohue qui s'ensuit l'empêche d'atteindre le jeune homme qui sort en marchant, escorté par ses deux amis, l'arme fumante à la main.

En un clin d'œil, le gang des foulards a disparu.

À l'intérieur, ce n'est pas exactement la panique, même si la vieille derrière le bar s'est précipitée vers son fils en hurlant, mais les jeunes et les vieux s'égosillent dans tous les sens. Luciano repousse sa mère. Enzo crie à l'adresse de Bianca, avec un fiel ironique : « *Brava, brava ! Continua a difenderli i tuoi amici brigatisti ? Bisognava punire Luciano, vero ? Questo sporco capitalista proprietario di bar. È un vero covo di fascisti, giusto ?* » Bianca se porte au secours de Luciano allongé par terre et répond à Enzo, en italien, que ce n'étaient sûrement pas des brigadistes, il existe des centaines de groupuscules d'extrême gauche ou d'extrême droite qui pratiquent la *gambizzazione* à coups de P38. Luciano dit à sa mère : « *Basta, mamma !* » La pauvre femme émet un long sanglot d'angoisse. Bianca ne voit pas pourquoi les Brigades rouges auraient attaqué Luciano. Pendant qu'elle essaie d'arrêter l'hémorragie avec un torchon, Enzo lui fait remarquer que le simple fait qu'elle hésite à attribuer cette attaque à l'extrême gauche ou à l'extrême droite est en soi révélateur d'un léger problème. Quelqu'un dit qu'il faut appeler la police mais Luciano émet un grognement catégorique : *niente polizia*. Bayard se penche sur la blessure : la trace de l'impact se situe au-dessus du genou, dans la cuisse, et vu le saignement, la balle n'a pas touché l'artère fémorale. Bianca répond à Enzo, en français, si bien que Simon comprend qu'elle s'adresse aussi à lui : « Tu sais bien que c'est comme ça, la stratégie de la tension. C'est comme ça depuis la piazza Fontana. » Simon demande de quoi il s'agit. Enzo lui explique qu'à Milan, en 69, une bombe a tué quinze personnes dans une banque située piazza Fontana. Bianca ajoute que pendant l'enquête, la police a tué un syndicaliste anarchiste en le jetant par la fenêtre du commissariat. « On a dit que c'étaient les anarchistes mais ensuite on a compris que c'était l'extrême droite, avec l'État complice, qui a fait sauter la bombe pour faire accuser l'extrême gauche et justifier la politique fasciste. C'est la *strategia della tensione*. Ça dure depuis dix ans. Même le pape est complice. » Enzo confirme : « Ça, c'est vrai. Un Polonais ! » Bayard demande : « Et ces, euh, jambisations, c'est fréquent ? » Bianca réfléchit pendant qu'elle bricole un garrot avec sa ceinture : « Non, pas très. Même pas une par semaine, je dirais. »

Alors, puisque Luciano n'a pas l'air aux portes de la mort, les clients se dispersent dans la nuit, et Simon et Bayard prennent la route de la Drogheria Calzolari, guidés par Enzo et Bianca, qui n'ont pas envie de rentrer chez eux.

19 h 42

Les deux Français s'enfoncent dans les rues de Bologne comme dans un rêve, la ville est un théâtre d'ombres, des silhouettes furtives dansent un ballet étrange selon une chorégraphie mystérieuse, des étudiants surgissent et disparaissent derrière les piliers, des drogués et des prostituées stationnent sous des porches voûtés, des carabiniers courent silencieusement dans le vide. Simon lève la tête. Deux belles tours médiévales surplombent la porte qui ouvrait jadis la route de Ravenne la byzantine, mais la deuxième est penchée comme la tour de Pise et plus basse que sa sœur, c'est la Tour coupée, la *Torre Mezza*, celle que Dante a placée dans la dernière fosse de l'Enfer, quand elle était plus haute et menaçante : « Telle paraît s'incliner la *Garisenda* dans le sens contraire, si d'en bas on regarde lorsque passe un nuage vers le côté qui penche. » L'étoile des Brigades rouges orne des murs en brique rouge. On entend, au loin, des sifflets de policiers et des chants de partisans. Un mendiant accoste Bayard pour lui demander une cigarette et lui dire qu'il faut faire la révolution mais Bayard ne comprend pas et continue son chemin obstinément, alors même que l'enfilade des arcades, rue après rue, lui semble ne devoir jamais se terminer. Dédale et Icare au pays du communisme italien, se dit Simon, à la vue des affiches électorales placardées sur la pierre et les poutres. Et bien sûr, parmi ce peuple de spectres, il y a les chats qui sont, comme partout en Italie, les vrais habitants de la ville.

La vitrine de la Drogheria Calzolari brille dans la nuit grasse. À l'intérieur, des profs et des étudiants boivent du vin en picorant des *antipasti*. Le patron dit qu'il va fermer, mais l'animation qui règne dément cette prédiction. Enzo et Bianca commandent une bouteille de Manaresi.

Un barbu raconte une histoire drôle, tout le monde rit, sauf un homme avec des gants et un autre avec une sacoche ; Enzo traduit pour les deux Français : « C'est un *uomo*, il rentre chez lui, le soir, il est complètement soûl, mais sur le chemin, il rencontre une bonne sœur, avec sa robe et son chapeau. Alors il se jette sur elle, et il lui casse la gueule. Et une fois qu'il l'a bien tapée, il la ramasse et il lui dit : "*Ma*, Batman, je te croyais plus fort !" » Enzo rit, Simon aussi, Bayard hésite.

Le barbu discute avec une jeune fille à lunettes et un homme que Bayard identifie immédiatement comme prof parce qu'il ressemble à un étudiant mais en plus vieux. Quand le barbu finit son verre, il se ressert à la bouteille posée sur le comptoir, mais sans remplir les verres vides de la jeune fille et du prof. Bayard lit l'étiquette : *Villa Antinori*. Il demande au serveur si c'est bon. C'est un blanc de Toscane, non, pas très bon, lui répond le serveur dans un excellent français. Il s'appelle Stefano et fait des études de sciences politiques. « Ici, tout le monde fait des études et de la politique ! » dit-il à Bayard, et il ajoute en portant un toast : « *Alla sinistra !* » Bayard trinque avec lui et répète : « *Alla sinistra !* » Le patron du bar s'inquiète : « *Piano col vino, Stefano !* » Stefano rit et dit à Bayard : « Ne fais pas attention à lui, c'est mon père. »

L'homme avec des gants réclame la libération de Toni Negri et dénonce Gladio, cette officine d'extrême droite financée par la CIA. « *Negri complice delle Brigate Rosse, è altrettanto assurdo che Trotski complice di Stalin !* »

Bianca s'offusque : « *Gli stalinisti stanno a Bologna !* »

Enzo aborde une jeune fille en essayant de deviner ce qu'elle étudie et trouve du premier coup. (Sciences politiques.)

Bianca explique à Simon qu'en Italie, le Parti communiste est très fort, il compte 500 000 membres, et contrairement à la France, il n'a pas rendu les armes en 44, d'où le nombre phénoménal de P38 allemands en circulation dans le pays. Et Bologne la rouge, c'est un peu la vitrine du PCI, avec son maire communiste qui travaille pour Amendola, le représentant du courant gestionnaire. « L'aile droite, dit Bianca avec une moue de mépris. Cette saloperie de compromis historique, c'est lui. » Comme Bayard voit Simon pendu à ses lèvres, il lève son verre de rouge dans sa direction : « Alors, le gauchiste, ça te plaît, Bologne ? T'es pas mieux que dans ton souk de Vincennes ? » Bianca répète, les yeux brillants : « Vincennes… Deleuze ! » Bayard demande à Stefano, le serveur, s'il connaît Umberto Eco.

À ce moment-là, un hippie en sandales entre dans la boutique et vient directement taper sur l'épaule du barbu. Le barbu se retourne, le hippie ouvre sa braguette solennellement et lui pisse dessus. Le barbu se recule horrifié, tout le monde se met à crier, il y a un moment de confusion générale, le hippie se fait sortir par les fils du patron. On s'affaire autour du barbu qui gémit : « *Ma io non parlo mai di politica !* » Le hippie, avant de sortir, lui lance : « *Appunto !* »

Stefano revient derrière le comptoir et désigne le barbu à Bayard : « Umberto, c'est lui. »

L'homme avec la sacoche part en l'oubliant au pied du comptoir mais heureusement les autres clients le rattrapent et la lui rendent. L'homme, confus, s'excuse bizarrement, dit merci puis disparaît dans la nuit.

Bayard s'approche du barbu qui essuie symboliquement son pantalon (car la pisse a déjà imprégné le tissu) et sort sa carte : « Monsieur Eco ? Police française. » Eco s'agite : « La police ? *Ma*, il fallait arrêter le hippie, alors ! » Puis, considérant le public d'étudiants gauchistes qui peuple la Drogheria, il décide de ne pas poursuivre sur ce terrain. Bayard lui résume les raisons de sa présence : Barthes avait demandé à un jeune homme de le joindre en cas de malheur mais le jeune homme est mort, avec son nom sur les lèvres. Eco semble sincèrement surpris. « Roland, je le connaissais bien mais nous n'étions pas des amis intimes. C'est terrible, cette histoire, *ma* c'est un accident, non ? »

Bayard comprend qu'il va encore devoir s'armer de patience, alors il termine son verre, allume une cigarette, regarde l'homme avec des gants agiter les bras en parlant de *materialismo storico*, Enzo faire du gringue à la jeune étudiante en jouant avec ses cheveux, Simon et Bianca trinquer à « l'autonomie désirante », et dit : « Réfléchissez. Il y a bien une raison pour laquelle Barthes a expressément demandé de vous contacter, vous. »

Ensuite, il écoute Eco ne pas répondre à sa question : « Roland, sa grande leçon de sémiologie que j'ai retenue, c'est montrer du doigt n'importe quel événement de l'univers et avertir qu'il signifie quelque chose. Il répétait toujours que le sémiologue, quand il se promène dans les rues, il flaire de la signification là où les autres voient des événements. Il savait qu'on dit quelque chose dans la façon de s'habiller, de tenir son verre, de marcher… Vous par exemple, je peux vous dire que vous avez fait la guerre d'Algérie et que…

— C'est bon ! Je connais, maugrée Bayard.

— Ah ? *Bene.* Et en même temps, ce qu'il aimait dans la littérature, c'est qu'on n'est pas obligé de fixer un sens, *ma* on joue avec le sens. *Capisce* ? C'est *geniale.* C'est pour ça qu'il a autant aimé le Japon : un monde où il ne connaissait aucun code, enfin. Aucune possibilité de tricher mais pas d'enjeu idéologique ou politique, juste esthétique, et peut-être anthropologique. Mais peut-être même pas anthropologique. Le plaisir de l'interprétation pure, ouverte, débarrassée du référent. Il me disait : "Et surtout, d'accord, Umberto, il faut tuer le référent !" Ha ha ha ha ! *Ma attenzione*, ça veut pas dire que le signifié n'existe pas, *eh* ! Tout a du signifié. (Il boit une lampée de vin blanc.) Tout. Mais ça veut pas dire non plus une infinité d'interprétations. Ça, c'est les kabbalistes qui pensent comme ça ! Il y a deux courants : les kabbalistes qui pensent qu'on peut interpréter la Torah dans tous les sens à l'infini pour produire des nouvelles choses, et saint Augustin. Saint Augustin, il savait que le texte de la Bible était une *foresta infinita di sensi* – "*infinita sensuum silva*", comme disait saint Jérôme – mais qu'on pouvait toujours le soumettre à une règle de falsification, afin d'exclure ce que le contexte ne permettait pas de lire, quelle que soit la violence herméneutique à laquelle on le soumettait. Vous voyez ? Il est impossible de dire si une interprétation est valable ni si c'est la meilleure, mais il est possible de dire si le texte refuse une interprétation incompatible avec sa propre contextualité. Ça veut dire qu'on peut pas raconter n'importe quoi, quand même. *Insomma*, Barthes, il était augustinien, pas kabbaliste. »

Et pendant qu'Eco envahit son espace sonore, dans le brouhaha des conversations et le tintement des verres, au milieu des bouteilles rangées sur les étagères du marchand de vin, tandis que les jeunes corps souples et fermes des étudiants exsudent leur croyance en l'avenir, Bayard regarde l'homme aux gants haranguer ses interlocuteurs sur un sujet inconnu.

Et il se demande pourquoi un homme porte des gants quand il fait trente degrés.

Le prof à qui Eco racontait des blagues intervient, en français, sans accent : « Le problème, et tu le sais, Umberto, c'est que Barthes n'étudiait pas des signes, au sens saussurien du terme, mais des symboles, à la rigueur, et le plus souvent des indices. Interpréter un indice, ce n'est pas le propre de la sémiologie, c'est la vocation de TOUTE la science : physique, chimie, anthropologie, géographie, économie, philologie… Barthes n'était pas un sémiologue, Umberto, il ne comprenait pas ce qu'était la sémiologie, parce qu'il ne comprenait pas la spécificité du signe qui, à la différence de l'indice qui n'est qu'une trace fortuite relevée par un récepteur, doit être volontairement émis par un émetteur. C'était un généraliste assez inspiré, soit, mais en définitive, c'était seulement un critique à l'ancienne, exactement comme Picard et ceux contre qui il se battait.

— *Ma no*, tu te trompes, Georges. L'interprétation des indices n'est pas TOUTE la science, mais le moment sémiologique de toute science et l'essence de la sémiologie elle-même. Les *Mythologies* de Roland étaient de brillantes analyses sémiologiques car la vie quotidienne est soumise à un bombardement continuel de messages qui ne manifestent pas toujours une intentionnalité directe mais qui tendent le plus souvent, en raison de leur finalité idéologique, à se présenter sous une apparente "naturalité" du réel.

— Ah bon, carrément ? Je ne vois pas bien pourquoi tu tiens absolument à nommer sémiologie ce qui n'est au bout du compte qu'une épistémologie générale.

— *Ma*, c'est exactement ça. La sémiologie, elle offre des instruments pour reconnaître que faire de la science, c'est avant tout apprendre à voir le monde, dans sa globalité, comme un ensemble de faits signifiants.

— Dans ce cas, autant dire tout de suite que la sémiologie est la mère de toutes les sciences ! »

Umberto écarte les mains, paumes ouvertes, en souriant de toute sa barbe : « *Ecco !* »

Le bruit des bouteilles qu'on débouche produit une suite de pop, pop, pop. Simon allume galamment la cigarette de Bianca. Enzo essaie d'embrasser sa jeune étudiante qui se dérobe en riant. Stefano ressert tout le monde.

Bayard voit l'homme aux gants poser son verre sans le finir et sortir dans la rue. La boutique est agencée de telle manière, avec un comptoir fermé qui interdit aux clients l'accès à toute l'arrière-salle, que Bayard en déduit qu'il n'y a pas de WC mis à la disposition de la clientèle. Donc, selon toute vraisemblance, l'homme aux gants ne veut pas faire comme le hippie et va pisser dehors. Bayard a quelques secondes pour prendre une décision. Il saisit une cuillère à café qui traîne sur le comptoir et sort après lui.

L'homme aux gants n'est pas allé très loin, ce ne sont pas les ruelles sombres qui manquent dans le quartier. Il est face au mur, en train de se soulager, quand Bayard l'attrape par les cheveux, le renverse en arrière et le plaque au sol en lui aboyant au visage : « Tu gardes tes gants pour pisser ? Tu n'aimes pas te salir les mains ? » L'homme est de corpulence moyenne mais il est trop stupéfait pour se débattre ou même crier, alors il se contente de rouler des yeux terrorisés. Bayard l'immobilise en appuyant son genou sur la poitrine et lui attrape les mains. Il sent quelque chose de mou sous le cuir de la main gauche, il arrache le gant et découvre deux phalanges manquantes, sur l'auriculaire et l'annulaire.

« Et alors ? Toi aussi, tu aimes couper du bois ? »

Il lui écrase la tête contre le pavé humide.

« Où est la réunion ? »

L'homme aux gants émet des borborygmes incompréhensibles, alors Bayard relâche sa pression et il entend : « *Non lo so ! Non lo so !* »

Bayard, peut-être infecté par le climat de violence qui flotte sur la ville, ne semble pas disposé à faire preuve de patience. Il sort la petite cuillère de la poche de sa veste et la cale profondément sous l'œil de l'homme qui se met à piailler comme un oiseau terrifié. Derrière lui, il entend Simon qui accourt en criant : « Jacques ! Jacques ! Qu'est-ce que tu fais ? » Simon l'agrippe par les épaules mais Bayard est beaucoup trop fort pour qu'il puisse l'arrêter. « Jacques ! Bordel ! T'es malade ! »

Le flic enfonce la cuillère dans l'orbite.

Il ne répète pas sa question.

Il veut porter la détresse et le désespoir à leur intensité maximale le plus rapidement possible, en profitant de l'effet de surprise. Il vise l'efficacité, comme en Algérie. Il y a moins d'une minute, l'homme aux gants pensait passer une soirée tranquille et maintenant un Français surgi de nulle part essaie de l'énucléer pendant qu'il se pisse dessus.

Quand il sent que l'homme terrorisé est prêt à prendre la plus petite porte de sortie qu'on lui offrira pour sauver son œil et sa vie, Bayard consent enfin à préciser sa question.

« Le Logos Club, petite merde ! Il est où ? » Et l'homme aux doigts coupés de bredouiller : « *Archiginnasio ! Archiginnasio !* » Bayard ne comprend pas. « Archi quoi ? » Et derrière lui, il entend une voix qui n'est pas celle de Simon : « Le Palazzo dell'Archiginnasio, c'est le siège de l'ancienne université, derrière la piazza Maggiore. Il a été bâti par Antonio Morandi, dit *Il Terribilia, perché…* »

Bayard, sans se retourner, a reconnu la voix d'Eco qui demande : « *Ma, perché* vous torturez ce *pover'uomo* ? »

Bayard explique : « Il y a ce soir une réunion du Logos Club, ici, à Bologne. » L'homme aux gants émet un sifflement rauque.

Simon demande : « Mais comment tu le sais ?

— Nos services ont obtenu cette information.

— "Nos" services ? Les RG, tu veux dire ? »

Simon pense à Bianca qui est restée à l'intérieur de la Drogheria et voudrait bien préciser à tout le monde qu'il ne travaille pas pour les Renseignements généraux français mais, afin de s'épargner la peine de verbaliser la crise identitaire qu'il sent grandir en lui, il se tait. Il comprend aussi qu'ils ne sont pas venus à Bologne uniquement pour interroger Eco. Et il note qu'Eco ne demande pas ce qu'est le Logos Club, alors il pose lui-même la question : « Que savez-vous sur le Logos Club, monsieur Eco ? »

Eco caresse sa barbe, s'éclaircit la voix, allume une cigarette.

« La cité athénienne reposait sur trois piliers : le gymnase, le théâtre et l'école de rhétorique. Nous avons la trace de cette tripartition encore aujourd'hui dans une société du spectacle qui promeut au rang de célébrités trois catégories d'individus : les sportifs, les acteurs (ou les chanteurs, le théâtre antique ne faisait pas la distinction) et les hommes politiques. De ces trois catégories, la troisième a, jusqu'à présent, toujours été la plus forte (même si on voit qu'avec Ronald Reagan, les catégories ne sont pas toujours étanches), parce qu'elle implique la maîtrise de l'arme la plus puissante : le langage.

« Depuis l'Antiquité jusqu'à nos jours, la maîtrise du langage a toujours été l'enjeu politique fondamental, même pendant la période féodale, qui pouvait sembler consacrer la loi de la force physique et de la supériorité militaire. Machiavel explique au Prince que ce n'est pas par la force mais par la crainte qu'on gouverne, et ce n'est pas la même chose : la crainte est le produit du discours sur la force. *Allora*, celui qui maîtrise le discours, par sa capacité à susciter la crainte et l'amour, est virtuellement le maître du monde, *eh* !

C'est sur ce présupposé théorique protomachiavélien, et aussi pour contrer l'influence grandissante du christianisme, qu'une secte d'hérétiques a fondé le *Logi Consilium* au IIIe siècle après J.-C.

Par la suite, le *Logi Consilium* a essaimé à travers l'Italie, puis à travers la France, où il prendra le nom de Logos Club au XVIIIe siècle, pendant la Révolution. Il s'est doté d'une structure pyramidale et s'est développé comme une société secrète très compartimentée, à la tête de laquelle les chefs, un collège de dix membres qui se font appeler les sophistes, présidés par un *Protagoras Magnus*, pratiquent leurs talents rhétoriques qu'ils mettent essentiellement au service de leurs ambitions politiques. On suspecte certains papes, Clément VI, Pie II, d'avoir été à la tête de l'organisation. On raconte aussi que Shakespeare, Las Casas, Roberto Bellarmino (l'inquisiteur qui a instruit le procès de Galilée, *sapete* ?), La Boétie, Castiglione, Bossuet, le cardinal de Retz, Christine de Suède, Casanova, Diderot, Beaumarchais, Sade, Danton, Talleyrand, Baudelaire, Zola, Raspoutine, Jaurès, Mussolini, Gandhi, Churchill, Malaparte, étaient membres du Logos Club. »

Simon fait remarquer que dans cette liste, il n'y a pas que des hommes politiques.

Eco explique : « En fait, il y a deux grands courants au sein du Logos Club : les *immanentistes*, qui trouvent dans le plaisir de la joute oratoire une fin en soi, et les *fonctionnalistes*, qui considèrent la rhétorique comme un moyen pour arriver à ses fins. Le fonctionnalisme se divise lui-même en deux sous-courants : les machiavéliens et les cicéroniens. Officiellement, les premiers cherchent simplement à persuader, et les seconds plutôt à convaincre, les seconds auraient donc des motivations plus morales, mais dans les faits, la distinction est floue puisque pour les deux, il s'agit d'acquérir du pouvoir ou de le conserver, alors… »

Bayard lui demande : « Et vous ? »

Eco : « Moi ? Je suis italien, *allora*… »

Simon : « Comme Machiavel. Mais comme Cicéron. »

Eco rit : « *Si, vero.* De toute façon, je serais plutôt un immanentiste, je crois. »

Bayard demande à l'homme aux gants quel est le mot de passe pour entrer. L'homme, qui s'est un peu remis de sa frayeur, se récrie : « *Ma*, c'est un secret ! »

Derrière Bayard, Enzo, Bianca, Stefano et la moitié des clients du caviste, attirés par le bruit, sont venus voir ce qui se passait. Tous ont écouté le petit exposé d'Umberto Eco.

Simon demande : « C'est une réunion importante ? » L'homme aux gants répond que ce soir, le niveau va être élevé parce qu'il y a une rumeur qui dit qu'un sophiste, voire le Grand Protagoras en personne, pourrait y assister. Bayard demande à Eco de les accompagner, mais Eco refuse : « Je connais ces réunions. J'ai été au Logos Club quand j'étais jeune, vous savez ! Je suis même monté tribun, et vous voyez, sans perdre un doigt. » Il montre ses mains fièrement. L'homme aux gants réprime une grimace amère. « Mais je n'avais pas le temps pour mes recherches alors j'ai arrêté d'aller aux réunions. J'ai perdu mon classement depuis longtemps. Je serais curieux de voir ce que valent les jouteurs d'aujourd'hui, *ma* je rentre à Milan demain, j'ai un train à 11 heures et je dois finir de préparer une conférence sur les *ekphrasis* des bas-reliefs du *Quattrocento*. »

Bayard ne peut pas le contraindre mais il dit, sur le ton le moins comminatoire dont il est capable : « Nous avons encore des questions à vous poser, monsieur Eco. Sur la septième fonction du langage. »

Eco regarde Bayard. Il regarde Simon, Bianca, l'homme aux gants, Enzo et sa nouvelle amie, son collègue français, Stefano et son père, qui est sorti aussi, et embrasse du regard la petite foule des clients qui s'est massée dans la ruelle.

« *Va bene*. Retrouvez-moi demain à la gare à 10 heures, dans la salle d'attente. Celle pour les secondes classes. »

Puis il retourne à la boutique pour acheter des tomates et des boîtes de thon et enfin il disparaît dans la nuit avec son petit sac en plastique et son cartable de prof.

Simon dit : « On va avoir besoin d'un traducteur. »

Bayard : « Doigts de fée fera l'affaire. »

Simon : « Il n'a pas l'air très en forme. J'ai peur qu'il ne soit pas très performant. »

Bayard : « Bon d'accord, amène ta copine. »

Enzo : « Moi aussi, je veux venir ! »

Les clients de la Drogheria : « Nous aussi, on veut venir ! »

L'homme aux gants, toujours par terre, agite sa main mutilée : « *Ma*, c'est une soirée privée ! Je peux pas faire entrer tout le monde. »

Bayard lui met une claque. « Eh ben alors, c'est pas communiste, ça ! Allez, en route. »

Et dans la chaude nuit de Bologne, une petite troupe se met en marche vers la vieille université. De loin, le cortège ressemble un peu à un film de Fellini, mais on ne sait pas trop si c'est *La Dolce Vita* ou *La Strada*.

0 h 07

Devant l'entrée de l'Archiginnasio, il y a une petite foule qui se presse et un videur qui ressemble à tous les videurs sauf qu'il porte des lunettes de soleil Gucci, une montre Prada, un costume Versace et une cravate Armani.

L'homme aux gants parle au videur, encadré par Simon et Bayard. Il dit : « *Siamo qui per il Logos Club. Il codice è* fifty cents. »

Le videur, soupçonneux, demande : « *Quanti siete ?* »

L'homme aux gants se retourne, il compte : « *Ehm… Dodici.* »

Le videur réprime un rictus amusé et lui dit que ça va pas être possible.

Alors Enzo s'avance et dit : « *Ascolta amico, alcuni di noi sono venuti da lontano per la riunione di stasera. Alcuni di noi sono venuti dalla Francia, capisci ?* »

Le videur ne bronche pas. L'argument de la branche française ne semble pas l'impressionner outre mesure.

« *Rischi di provocare un incidente diplomatico. Tra di noi ci sono persone di rango elevato.* »

Le videur toise le groupe et dit qu'il ne voit qu'une bande de pouilleux. Il dit : « *Basta !* »

Enzo insiste : « *Sei cattolico ?* » Le videur enlève ses lunettes. « *Dovresti sapere che l'abito non fa il monaco. Che diresti tu di qualcuno che per ignoranza chiudesse la sua porta al Messia ? Come lo giudicheresti ?* » Comment le jugerait-il, celui qui, par ignorance, fermerait sa porte au Christ ?

Le videur fait la moue, Enzo voit qu'il balance, l'homme réfléchit de longues secondes, pense à la rumeur du Grand Protagoras incognito, puis, finalement, il désigne les douze : « *Va bene. Voi dodici, venite.* »

La troupe pénètre dans le palais et gravit un escalier de pierre orné d'une infinité de blasons héraldiques. L'homme aux gants les mène au Teatro anatomico. Simon lui demande pourquoi *fifty cents* ? L'homme aux gants lui explique qu'en latin, les initiales du Logos Club signifient 50 et 100, comme ça, c'était facile à retenir.

Ils pénètrent dans une magnifique salle entièrement boisée, conçue comme un amphithéâtre circulaire, ornée de statues en bois d'anatomistes et de médecins célèbres, avec au centre une plaque de marbre blanc sur laquelle on disséquait jadis les cadavres. Au fond de la salle, deux statues d'écorchés, en bois elles aussi, soutiennent un plateau sur lequel trône une statue de femme en robe épaisse que Bayard suppose être une allégorie de la médecine mais qui pourrait tout aussi bien incarner la justice si elle avait les yeux bandés.

Les gradins sont déjà largement occupés, le jury est installé sous les écorchés, en position de présider, un brouhaha diffus flotte dans la salle tandis que les spectateurs continuent d'arriver. Bianca tire Simon par la manche, tout excitée : « Regarde ! C'est Antonioni ! Tu as vu *L'Avventura* ? C'est tellement *magnifico* ! Oh, il est venu avec Monica Vitti ! *Che bella !* Et là, tu vois, cet homme, dans le jury, celui du milieu ? C'est "Bifo", le patron de Radio Alice, une radio libre très populaire à Bologne. C'est ses émissions qui ont provoqué la guerre civile, il y a trois ans, et c'est lui qui nous a fait connaître Deleuze, Guattari, Foucault. Et là ! C'est

Paolo Fabbri et Omar Calabrese, deux collègues d'Eco, sémioticiens comme lui, ce sont de grandes célébrités aussi. Et là ! Verdiglione. Encore un sémioticien, mais en plus, il est psychanalyste. Et là ! C'est Romano Prodi, un ancien ministre de l'Industrie, *ditchi* évidemment, qu'est-ce qu'il fait là ? Il croit encore au compromis historique, *quel buffone* ? »

Bayard dit à Simon : « Et là, regarde. » Il montre Luciano, installé dans les gradins avec sa vieille mère, le menton appuyé sur une béquille, en train de fumer une cigarette. Et, à l'autre bout de la salle, les trois jeunes aux foulards qui lui ont tiré dessus. Chacun fait comme si de rien n'était. Le gang des foulards ne semble pas devoir être inquiété. Drôle de pays, se dit Bayard.

Il est minuit passé. La session commence, une voix retentit, c'est Bifo qui prend la parole, l'homme de Radio Alice qui a embrasé Bologne en 77, il cite une *canzone* de Pétrarque par laquelle Machiavel a conclu son *Prince* : « *Vertú contra furore / prenderà l'arme, et fia 'l combatter corto : / ché l'antico valore / ne gli italici cor' non è ancor morto.* »

Vaillance contre fureur
Prendra les armes ; le combat sera bref
Car l'antique valeur
Dans les cœurs italiens n'est pas morte encore.

Les yeux de Bianca brillent d'une flamme noire. L'homme aux gants bombe le torse, les poings sur les hanches. Enzo passe son bras sous la taille de la jeune étudiante qu'il a draguée à la Drogheria. Stefano siffle d'enthousiasme. Il flotte un air d'hymne patriotique dans l'amphithéâtre circulaire. Bayard cherche quelqu'un dans les recoins sombres mais il ignore qui. Simon ne reconnaît pas dans le public l'homme à la sacoche qui était à la Drogheria parce qu'il est absorbé par la peau cuivrée de Bianca et sa poitrine qui palpite sous son décolleté.

Bifo tire le premier sujet, une phrase de Gramsci que Bianca leur traduit :

« La crise consiste justement dans le fait que l'ancien meurt et que le nouveau ne peut pas naître. »

Simon réfléchit à la phrase. Bayard s'en fout et scrute la salle. Il observe Luciano avec sa béquille et sa mère. Il observe Antonioni et Monica Vitti. Il ne voit pas Sollers et BHL planqués dans un coin. Simon problématise dans sa tête : « justement » quoi ? Son esprit syllogise : nous sommes en crise. Nous sommes bloqués. Les Giscards gouvernent le monde. Enzo embrasse son étudiante sur la bouche. Que faire ?

Les deux candidats se tiennent de part et d'autre de la table de dissection, comme au centre d'une arène, en contrebas. Debout, ils peuvent plus facilement tourner sur eux-mêmes afin de s'adresser à tous.

Au milieu des boiseries du Théâtre anatomique, le marbre de la table brille d'une blancheur surnaturelle.

Derrière Bifo, encadrant la chaire habituellement réservée au professeur (une vraie chaire comme à l'église), les écorchés veillent, gardiens d'une porte imaginaire.

Le premier candidat, un jeune à l'accent des Pouilles, chemise ouverte, ceinture à grosse boucle en argent, entame sa démonstration.

Si la classe dominante a perdu le *consentement*, c'est-à-dire si elle n'est plus *dirigeante* mais uniquement *dominante* et seulement détentrice d'une force de *coercition*, cela signifie précisément que les grandes masses se sont détachées des idéologies traditionnelles, qu'elles ne croient plus à ce à quoi elles croyaient auparavant...

Bifo parcourt la salle des yeux. Son regard s'arrête un instant sur Bianca.

Et c'est justement pendant cet interrègne qu'on favorise l'éclosion de ce que Gramsci appelle *les phénomènes morbides les plus variés.*

Bayard regarde Bifo en train de regarder Bianca. Dans l'ombre, Sollers montre Bayard à BHL. Pour passer incognito, BHL a mis une chemise noire.

Le jeune jouteur interpelle la salle en effectuant une lente rotation. On sait bien à quel phénomène morbide Gramsci faisait allusion. N'est-ce pas ? C'est le même qui menace aujourd'hui. Il laisse un temps. Il crie : « *Fascismo !* »

En amenant son auditoire à se représenter mentalement l'idée avant qu'il ait prononcé le mot, c'est comme si, à cet instant, il accouchait télépathiquement la pensée de tous ceux qui l'écoutent, créant, par la suggestion, une sorte de communion mentale collective. L'idée du fascisme traverse la salle comme une onde silencieuse. Le jeune jouteur a au moins atteint un objectif (indispensable) : fixer les enjeux du discours. Et, tant qu'à faire, les dramatiser au niveau le plus élevé possible : le danger fasciste, le ventre encore fécond, etc.

L'homme à la sacoche serre sa sacoche sur ses genoux.

La cigarette de Sollers fichée dans son fume-cigarette en ivoire brille dans la pénombre.

Il y a pourtant une différence entre aujourd'hui et l'époque de Gramsci. Aujourd'hui nous ne vivons plus sous la menace fasciste. Le fascisme s'est déjà installé au cœur de l'État. Il y grouille comme une larve. Le fascisme n'est plus la conséquence catastrophique d'un État en crise et d'une classe dominante qui a perdu le contrôle des masses. Il est, non plus la sanction, mais le recours sournois et l'auxiliaire de la classe dirigeante pour contenir la poussée des forces progressistes. Ce n'est plus un fascisme d'adhésion mais un fascisme honteux, un fascisme de l'ombre, un fascisme de policiers véreux, non de soldats, non plus le parti de la jeunesse mais un fascisme de vieux, un fascisme d'officines douteuses et clandestines composées de barbouzes sur le retour à la solde de patrons racistes qui veulent que tout change pour que rien ne change mais qui étouffent l'Italie dans une gangue mortelle. C'est le cousin qui fait des blagues gênantes à table mais qu'on invite quand même aux repas de famille. Ce n'est plus Mussolini, c'est la loge P2.

Des huées descendent des gradins. Le jeune des Pouilles n'a plus qu'à conclure : sous sa forme larvée, incapable de s'imposer totalement mais suffisamment introduit à tous les échelons de l'appareil d'État pour empêcher toute mutation de ce dernier (le jeune des Pouilles s'abstient prudemment de donner son avis sur le compromis historique), le fascisme ne représente plus la menace qui plane au-dessus d'une crise qui s'éterniserait, mais la condition même de la pérennité de la crise. La crise dans laquelle s'enlise l'Italie depuis des années ne se résoudra que quand le fascisme aura été extirpé de l'État. Et pour cela, dit-il en levant le poing, « *la lotta continua !* »

Applaudissements.

Son contradicteur aura beau défendre l'idée *négrienne* que la crise n'est plus un moment conjoncturel, éventuellement cyclique, produit d'un dysfonctionnement ou d'un essoufflement du système, mais le moteur à explosion nécessaire d'un capitalisme mutant et polymorphe obligé de pratiquer une fuite en avant perpétuelle pour se régénérer, trouver de nouveaux marchés et maintenir la main-d'œuvre sous pression, signalant au passage les symptômes que sont l'élection de Thatcher et celle, imminente, de Reagan, il sera battu par deux voix contre une. De l'avis du public, les deux jouteurs auront livré une prestation de qualité et auront justifié leur rang de dialecticiens (quatrième niveau sur les sept référencés). Mais le jeune des Pouilles aura bénéficié, en quelque sorte, de la prime au fascisme.

C'est comme pour la joute suivante : « *Cattolicesimo e marxismo* ». (Un grand classique italien.)

Le premier jouteur parle de saint François d'Assise, des ordres mendiants, de *L'Évangile selon saint Matthieu* de Pasolini, des prêtres-ouvriers, de la théologie de la libération en Amérique du Sud, du Christ qui chasse les marchands du Temple, et conclut en faisant de Jésus le premier authentique marxiste-léniniste.

Triomphe dans la salle. Bianca applaudit à tout rompre. Le gang des foulards s'allume un joint. Stefano débouche une bouteille qu'il avait apportée à toutes fins utiles.

Le deuxième jouteur peut bien parler d'opium du peuple, de Franco et de la guerre d'Espagne, de Pie XII et d'Hitler, de la collusion entre le Vatican et la Mafia, de l'Inquisition, de la Contre-Réforme, des Croisades comme exemple parfait de guerres impérialistes, des procès de Jan Hus, Bruno et Galilée. Rien n'y fait. La salle s'embrase, tout le monde se lève et se met à chanter *Bella Ciao*, même si ça n'a aucun rapport. Le premier jouteur l'emporte par trois voix à zéro, sous la pression du public, mais je me demande si Bifo était tout à fait convaincu. Bianca chante à pleins poumons. Simon regarde le profil de Bianca qui chante, fasciné par les traits souples et mobiles de son visage rayonnant. (Il trouve qu'elle ressemble à Claudia Cardinale.) Enzo et l'étudiante chantent. Luciano et sa mère chantent. Antonioni et Monica Vitti chantent. Sollers chante. Bayard et BHL essaient de comprendre les paroles.

La joute suivante oppose une jeune femme et un homme plus âgé ; la question porte sur le football et la lutte des classes. Bianca explique à Simon que tout le pays est secoué par le scandale du « *Totonero* », une histoire de paris truqués dans laquelle ont trempé des joueurs de la Juventus, de la Lazio, de Perugia, mais aussi de l'équipe de Bologne.

Là encore, contre toute attente, c'est la jeune femme qui remporte la joute en défendant l'idée que les joueurs sont des prolétaires comme les autres et que les patrons de club leur volent leur force de travail.

Bianca précise à Simon qu'à la suite du scandale des paris truqués, Paolo Rossi, le jeune attaquant de la sélection nationale, s'est pris trois ans de suspension, en conséquence de quoi il ne pourra pas jouer la Coupe du monde en Espagne. C'est bien fait pour lui, dit Bianca, il avait refusé de venir à Naples. Simon demande pourquoi. Bianca soupire. Le Napoli est trop pauvre, il ne peut pas rivaliser avec les meilleurs. Aucun grand joueur ne viendra jamais à Naples.

Drôle de pays, se dit Simon.

La nuit avance, on arrive à l'heure de la joute digitale. Le silence des statues, Gallien, Hippocrate, les anatomistes italiens, les écorchés et la femme assise, contraste avec l'agitation des vivants. On fume, on boit, on bavarde, on pique-nique.

Bifo appelle les jouteurs. Un dialecticien défie une péripatéticienne.

Un homme prend place autour de la table de dissection. C'est Antonioni. Simon observe Monica Vitti, enveloppée dans un foulard en gaze aux imprimés délicats, qui couve le grand réalisateur d'un regard amoureux.

Et en face de lui, raide, sévère, la démarche droite et le chignon impeccable, c'est la mère de Luciano qui descend des gradins.

Simon et Bayard se regardent. Ils regardent Enzo et Bianca : eux aussi ont l'air un peu surpris.

Bifo tire le sujet : « *Gli intellettuali e il potere* ». Les intellectuels et le pouvoir.

C'est au moins bien classé des deux jouteurs de commencer, donc au dialecticien.

Pour que le sujet puisse être discuté, il revient au premier jouteur de le problématiser. En l'espèce, la problématique est simple à dégager : les intellectuels sont-ils les alliés ou les ennemis du pouvoir ? Il suffit de choisir. Avec ou contre ? Antonioni décide de critiquer la caste à laquelle il appartient et qui remplit l'assemblée. Les intellectuels complices du pouvoir. *Così sia.*

Les intellectuels : fonctionnaires des superstructures qui participent à la construction de l'hégémonie. Donc, Gramsci encore : tous les hommes sont des intellectuels, certes, mais tous les hommes n'occupent pas dans la société la fonction d'intellectuels, qui consiste à œuvrer au consentement spontané des masses. « Organique » ou « traditionnel », l'intellectuel s'inscrit toujours dans une logique « économico-corporative ». Organique ou traditionnel, il est toujours au service d'un pouvoir, présent, passé ou futur.

Le salut de l'intellectuel selon Gramsci ? Le dépassement dans le Parti. Antonioni éclate d'un rire sardonique. Mais le PC est lui-même tellement corrompu ! Comment pourrait-il permettre aujourd'hui la rédemption de qui que ce soit ? *Compromesso storico, sto cazzo !* Les compromis mènent aux compromissions.

L'intellectuel subversif ? *Ma fammi il piacere !* Il récite la phrase du film d'un autre : « Pensez à ce que fut Suétone pour les Césars ! Vous partez avec l'ambition de dénoncer et vous aboutissez à la connivence du complice. »

Salut théâtral.

Applaudissements nourris.

La vieille prend la parole.

« *Io so.* »

Elle aussi commence à réciter, mais elle choisit du Pasolini. Le « J'accuse » de Pasolini, publié en 1974 dans le *Corriere della sera*, demeuré légendaire :

« Je sais les noms des responsables du massacre de Milan, 1969. Je sais les noms des responsables des massacres de Brescia et Bologne, 1974. Je sais les noms de personnes importantes qui, avec l'aide de la CIA, des colonels grecs et de la Mafia ont lancé une croisade anticommuniste, puis se sont reconstruit une virginité antifasciste. Je sais les noms de ceux qui, entre deux messes, ont donné des instructions et assuré de leur protection politique de vieux généraux, de jeunes néofascistes et enfin des criminels ordinaires. Je sais les noms des personnes sérieuses et importantes qui se trouvent derrière des personnages comiques ou derrière des personnages ternes. Je sais les noms des personnes sérieuses et importantes qui se trouvent derrière les tragiques jeunes gens qui se sont offerts comme tueurs et sicaires. Je sais tous ces noms et je sais tous les faits, attentats contre les institutions et massacres, dont ils se sont rendus coupables. »

La vieille gronde et sa voix chevrotante résonne dans l'Archiginnasio.

« Je sais. Mais je n'ai pas de preuves. Ni même d'indices. Je sais parce que je suis un intellectuel, un écrivant, qui s'efforce de suivre tout ce qui se passe, de connaître tout ce que l'on écrit à ce propos, d'imaginer tout ce que l'on ne sait pas ou que l'on tait ; qui met en relation des faits même éloignés, qui rassemble les morceaux désorganisés et fragmentaires de toute une situation politique cohérente et qui rétablit la logique là où semblent régner l'arbitraire, la folie et le mystère. »

Moins d'un an après cet article, Pasolini était retrouvé assassiné, battu à mort sur une plage d'Ostie.

Gramsci mort en prison. Negri emprisonné à son tour. Le monde change parce que les intellectuels et le pouvoir se font la guerre. Le pouvoir gagne presque à tous les coups, et les intellectuels paient de leur vie, ou de leur liberté, d'avoir voulu se dresser contre lui, et ils mordent la poussière, mais pas toujours, et quand un intellectuel triomphe du pouvoir, même à titre posthume, alors le monde change. Un homme mérite le nom d'intellectuel quand il se fait la voix des sans-voix.

Antonioni, qui joue son intégrité physique, ne la laisse pas conclure. Il cite Foucault qui dit qu'il faut « en finir avec les porte-parole ». Les porte-parole ne parlent pas pour les autres mais à leur place.

Alors la vieille rebondit aussitôt et traite Foucault de *senza coglioni* : n'a-t-il pas refusé d'intervenir, ici même, en Italie, dans l'affaire du parricide qui a secoué tout le pays il y a trois ans, lui qui venait de sortir son livre sur le parricide Pierre Rivière ? À quoi sert un intellectuel s'il n'intervient pas dans ce qui relève pourtant exactement de son champ d'expertise ?

Dans l'ombre, Sollers et BHL ricanent, quoique BHL se demande quel est le champ d'expertise de Sollers.

Antonioni, en retour, dit que Foucault, plus qu'aucun autre, a mis au jour la vanité de cette posture, cette façon que l'intellectuel a de (il cite Foucault de nouveau) « donner un peu de sérieux à de petites disputes sans importance ». Foucault, lui, se définit comme un chercheur, pas comme un intellectuel. Il s'inscrit dans le temps long de la recherche, pas dans l'agitation de la polémique. Il a dit : « Les intellectuels n'espèrent-ils pas, par la lutte idéologique, se donner un poids supérieur à celui qu'ils ont en réalité ? »

La vieille s'étrangle. Elle martèle : Tout intellectuel, s'il fait correctement le travail d'étude heuristique pour lequel il est qualifié et qui doit être sa vocation, même s'il est au service du pouvoir, œuvre contre le pouvoir car, comme le disait Lénine (elle embrasse du regard l'ensemble de l'assistance en tournant théâtralement sur elle-même), la vérité est toujours révolutionnaire. « *La verità è sempre rivoluzionaria !* »

Prenons Machiavel. Il écrit *Le Prince* pour Laurent de Médicis : on ne peut pas faire plus courtisan. Et pourtant. L'ouvrage qui passe pour le comble du cynisme politique est un manifeste marxiste définitif : « Car les buts du peuple sont plus honnêtes que ceux des grands, les uns voulant opprimer, l'autre ne pas être opprimé », écrit-il. En réalité, il n'écrit pas *Le Prince* pour le duc de Florence, puisque l'ouvrage est diffusé partout. En publiant *Le Prince*, il révèle des vérités qui auraient dû rester cachées et réservées à l'usage interne des puissants exclusivement : acte subversif, acte révolutionnaire. Il livre les secrets du Prince au peuple. Les arcanes du pragmatisme politique débarrassés des fallacieuses justifications divines ou morales. Geste décisif dans l'affranchissement humain, comme tous les gestes de désacralisation. Par sa volonté de révéler, d'expliquer, de mettre au jour, l'intellectuel fait la guerre au sacré. En cela, il est toujours un libérateur.

Antonioni connaît ses classiques, il riposte : Machiavel avait si peu l'idée du prolétariat qu'il ne pouvait même pas envisager sa condition, ses besoins, ses aspirations. Ainsi écrivait-il *aussi* : « Chaque fois qu'à l'ensemble des hommes on n'ôte ni biens ni honneur, ils vivent satisfaits. » Incapable qu'il était, dans sa cage dorée, d'imaginer que l'écrasante majorité de l'humanité était (est encore) absolument dépourvue de biens et d'honneur et ne pouvait donc pas en être privée…

La vieille dit que c'est toute la beauté du véritable intellectuel : il n'a pas besoin de se vouloir révolutionnaire pour l'être. Il n'a pas besoin d'aimer ni même de connaître le peuple pour le servir. Il est naturellement, nécessairement communiste.

Antonioni lâche, méprisant, qu'il aurait fallu expliquer ça à Heidegger.

La vieille lui dit qu'il ferait mieux de relire Malaparte.

Antonioni parle du concept du *cattivo maestro*, le mauvais maître.

La vieille dit que s'il y a besoin de préciser par un adjectif que le *maestro* est mauvais, c'est que le *maestro* est bon à la base.

On sent qu'il n'y aura pas de KO, cette fois-ci, alors Bifo finit par siffler la fin de la joute.

Les deux adversaires se dévisagent, leurs traits sont durcis, leurs mâchoires serrées, ils sont en sueur, mais le chignon de la vieille est toujours impeccable.

Le public est divisé et indécis.

Les deux assesseurs de Bifo votent, l'un pour Antonioni, l'autre pour la mère de Luciano.

L'auditoire est suspendu à la décision de Bifo. Bianca presse la main de Simon dans la sienne. Sollers salive légèrement.

Bifo vote pour la vieille.

Monica Vitti a blêmi.

Sollers a souri.

Antonioni n'a pas bronché.

Il pose sa main sur la table de dissection. L'un des assesseurs de Bifo se lève, un grand gars tout maigre, armé d'une petite hache à lame bleue.

Lorsque la hache s'abat sur le doigt d'Antonioni, l'écho de l'os sectionné se mêle à celui du choc contre le marbre et au cri du cinéaste.

Monica Vitti vient lui bander la main avec son foulard en gaze tandis que l'assesseur ramasse respectueusement le petit doigt pour le confier à l'actrice.

Bifo proclame d'une voix forte : « *Onore agli arringatori.* » La salle reprend en chœur : Honneur aux jouteurs.

La mère de Luciano retourne s'asseoir à côté de son fils.

Plusieurs minutes s'écoulent, comme à la fin d'un film quand les lumières ne se sont pas encore rallumées, quand le retour au monde réel se vit comme un lent réveil cotonneux, quand les images dansent encore derrière les yeux, avant que les premiers spectateurs, dépliant leurs jambes engourdies, ne se lèvent pour quitter la salle.

Le Théâtre anatomique se vide lentement, Bifo et ses assesseurs rassemblent des feuilles de notes dans des chemises en carton puis se retirent cérémonieusement. La session du Logos Club se dissout dans la nuit.

Bayard demande à l'homme aux gants si Bifo est le Grand Protagoras. L'homme aux gants fait non de la tête comme un enfant. Bifo est un tribun (niveau 6), mais ce n'est pas un sophiste (niveau 7, le plus élevé). L'homme aux gants pensait que c'était Antonioni, dont on disait qu'il avait été sophiste autrefois, dans les années 60.

Sollers et BHL s'éclipsent discrètement. Bayard ne les voit pas sortir car dans le bouchon qui s'est formé à la porte, ils sont masqués par l'homme à la sacoche. Il faut prendre une décision. Il décide quand même de suivre Antonioni. En se retournant, il lance à Simon, à voix haute, devant tout le monde : « Demain, 10 heures, à la gare, sois pas en retard ! »

3 h 22

La salle achève de se vider. Les gens de la Drogheria sont partis. Simon veut sortir en dernier, par acquit de conscience. Il regarde l'homme aux gants qui s'en va. Il regarde Enzo et la jeune étudiante qui repartent ensemble. Il note avec satisfaction que Bianca n'a pas bougé. Il pourrait même supposer qu'elle l'attend. Ils sont les derniers. Ils se lèvent, marchent vers la porte, lentement. Mais au moment de quitter la salle, ils s'arrêtent. Gallien, Hippocrate et les autres les observent. Les écorchés sont absolument immobiles. Le désir, l'alcool, la griserie du dépaysement et la bienveillance que les Français rencontrent si souvent à leur égard quand ils voyagent à l'étranger donnent à Simon le timide une audace – oh, bien timide audace ! – qu'il sait qu'il n'aurait pas eue à Paris.

Simon prend la main de Bianca.

Ou peut-être était-ce le contraire ?

Bianca prend Simon par la main et descend les marches jusqu'à la scène. Elle tourne sur elle-même et les statues défilent sous ses yeux comme un diaporama de fantômes, comme des *images-mouvements*.

Simon réalise-t-il à ce moment précis que la vie est un jeu de rôle qu'il nous revient de jouer le mieux possible ou bien l'esprit de Deleuze s'insuffle-t-il soudain dans son jeune corps, souple, mince, à la peau lisse et aux ongles courts ?

Il pose ses mains sur les épaules de Bianca et fait glisser son haut échancré en lui soufflant à l'oreille, mû par une inspiration subite, comme pour lui-même : « Je désire le paysage qui est enveloppé dans cette femme, que je ne connais pas mais que je pressens, et tant que je ne l'aurai pas déroulé, je ne serai pas content… »

Bianca frissonne d'aise. Simon lui murmure avec une autorité qu'il ne se connaissait pas : « Construisons un agencement. »

Elle lui donne sa bouche.

Il la renverse et l'allonge sur la table de dissection. Elle relève sa jupe, écarte les jambes et lui dit : « Baise-moi comme une machine. » Et pendant que ses seins jaillissent de sous la peau du vêtement, Simon commence à se laisser couler dans son agencement. Sa langue-machine se glisse en elle comme une pièce dans la fente et la bouche de Bianca, qui a aussi de multiples usages, expulse de l'air comme une soufflerie, contribuant à produire une respiration puissante et rythmée dont l'écho – « *si ! si !* » – se répercute dans les battements de cœur de la bite de Simon. Bianca gémit, Simon bande, Simon lèche Bianca, Bianca se touche les seins, les écorchés bandent, Gallien se branle sous sa robe, et Hippocrate sous sa toge. « *Si ! Si !* » Bianca attrape la queue de Simon qui est à la fois chaude et dure comme fraîchement sortie d'une forge sidérurgique et la connecte à sa bouche-machine. Simon déclame comme pour lui-même, en citant Artaud l'air de rien : « Le corps sous la peau est une usine surchauffée. » L'usine Bianca lubrifie automatiquement son devenir-sexe. Leurs gémissements mêlés résonnent dans le Théâtre anatomique désert.

Pas tout à fait désert : l'homme aux gants est revenu pour mater les deux jeunes gens. Simon l'aperçoit, tapi dans un coin des gradins de l'amphithéâtre. Bianca l'aperçoit pendant qu'elle suce Simon. L'homme aux gants voit briller dans le noir l'œil noir de Bianca qui l'observe tout en pompant Simon.

Dehors, la nuit bolognaise commence enfin à se rafraîchir. Bayard allume une cigarette en attendant qu'Antonioni, digne mais hébété, se décide à bouger. À ce stade de l'enquête, il ne saurait dire si ce Logos Club est un truc d'illuminés inoffensifs ou quelque chose de plus dangereux, ayant à voir avec la mort de Barthes, avec celle du gigolo, avec Giscard, avec les Bulgares et les Japonais. Une cloche d'église sonne quatre coups. Antonioni se met en marche suivi par Monica Vitti, tous les deux suivis par Bayard. Ils traversent silencieusement des galeries bordées de magasins chic.

Arquée sur la table de dissection, Bianca souffle à Simon, suffisamment fort pour que l'homme aux gants caché dans les gradins puisse entendre : « *Scopami come una macchina.* » Simon s'étend sur elle, cale sa queue à l'entrée de sa vulve dont il constate avec plaisir qu'elle produit son liquide séminal à flux tendus et quand il s'enfonce enfin en elle, alors il se sent pur fluide à l'état libre, sans coupure, glissant sur le corps plein et courbe de la vibrionnante Napolitaine.

Après avoir remonté la via Farini, devant la basilique San Stefano aux sept églises (édifiées tout au long de l'interminable Moyen Âge), Antonioni s'assoit sur une borne de pierre. Il tient sa main mutilée dans sa main valide, il a la tête baissée mais Bayard, resté à distance sous les arcades, comprend qu'il pleure. Monica Vitti s'approche. Rien ne semble indiquer qu'Antonioni sait qu'elle est là, juste derrière lui, mais il le sait, pourtant, Bayard sait qu'il sait. Monica Vitti lève la main, mais la main reste en suspension dans l'air, hésitante, immobile au-dessus de la tête basse, comme une esquisse d'auréole fragile et imméritée. Bayard, derrière sa colonne, allume une cigarette. Antonioni renifle. Monica Vitti ressemble à un rêve de pierre.

Bianca se débat de plus en plus sous le poids du corps de Simon qu'elle agrippe convulsivement, elle crie : « *La mia macchina miracolante !* » pendant que la queue de Simon pistonne en elle avec l'énergie d'un moteur à explosion. De sa cachette, l'homme aux gants hallucine l'hybridation d'une locomotive et d'un cheval sauvage. Le Théâtre anatomique enfle de leur rencontre, un grondement sourd et discontinu témoigne que, en effet, les machines désirantes ne cessent de se détraquer en marchant, mais ne marchent que détraquées. « Toujours, du produire se greffe sur le produit, et les pièces de la machine sont aussi bien le combustible. »

Bayard a eu le temps d'allumer une autre cigarette, et encore une autre. Monica Vitti se décide enfin à poser sa main sur la tête d'Antonioni qui sanglote maintenant sans retenue. Elle lui caresse les cheveux avec une tendresse ambiguë. Antonioni pleure et pleure, il ne peut plus s'arrêter. Elle baisse ses beaux yeux gris sur la nuque du réalisateur et Bayard est trop loin pour distinguer clairement l'expression de son visage. Il essaie pourtant de percer l'obscurité mais quand il pense enfin pouvoir y lire la compassion que son esprit logique se croit en droit de supposer, Monica Vitti détourne le regard et lève les yeux vers l'édifice massif de la basilique. Peut-être est-elle déjà partie ailleurs. Au loin, on entend un miaulement. Bayard décide qu'il est temps d'aller se coucher.

Sur la table de dissection, c'est désormais Bianca qui fait le cheval de fer sur Simon collé à la plaque de marbre, tous les muscles du jeune homme raidis pour donner davantage de relief aux coups de reins de l'Italienne. « Il n'y a qu'une production, qui est celle du réel. » Bianca coulisse sur Simon de plus en plus vite et plus fort, jusqu'à atteindre le point d'impact, quand les deux machines désirantes fusionnent dans un déchaînement d'atomes et atteignent, et deviennent, enfin, ce corps sans organes : « Car les machines désirantes sont la catégorie fondamentale de l'économie du désir, produisent par elles-mêmes un corps sans organes et ne distinguent pas les agents de leurs propres pièces… » Les phrases de Deleuze viennent zébrer l'esprit du jeune homme au moment où son corps convulse, où celui de Bianca s'emballe et se détraque, et s'effondre sur lui, mêlant sa sueur à la sienne, épuisé.

Les corps se détendent, secoués de spasmes résiduels.

« Aussi le fantasme n'est-il jamais individuel, il est fantasme de groupe. »

L'homme aux gants n'arrive pas à partir. Il est épuisé, lui aussi, mais ce n'est pas de la bonne fatigue. Ses doigts fantômes lui font mal.

« Le schizophrène se tient à la limite du capitalisme : il en est la tendance développée, le surproduit, le prolétaire et l'ange exterminateur. »

Bianca explique à Simon le *schizo* deleuzien en roulant un joint. Dehors, on entend les premiers cris d'oiseaux. La conversation se poursuit jusqu'au matin. « Non, les masses n'ont pas été trompées, elles ont désiré le fascisme à tel moment, en telle circonstance… » L'homme aux gants finit par s'endormir dans les travées des gradins.

8 h 42

Les deux jeunes gens quittent enfin leurs amis de bois et retrouvent l'air déjà chaud de la piazza Maggiore. Ils contournent la fontaine de Neptune, ses dauphins-démons, ses sirènes obscènes. Simon est étourdi par la fatigue, l'alcool, le plaisir et le joint. Voici moins de 24 heures qu'il est arrivé et, jusqu'ici, il n'est pas mécontent de son séjour. Bianca l'accompagne à la gare. Ils remontent ensemble la via dell'Independenza, la grande artère du centre-ville, aux commerces ensommeillés. Les chiens reniflent les poubelles. Les gens sortent avec leurs valises à la main : c'est un jour de départ en vacances, et tout le monde va à la gare.

Tout le monde va à la gare. Il est 9 heures. Nous sommes le 2 août 1980. Les juillettistes rentrent. Les aoûtiens s'apprêtent à partir.

Bianca roule un joint. Simon se dit qu'il devrait changer de chemise. Il s'arrête devant une boutique Armani et se demande s'il pourrait faire passer ça en note de frais.

Au bout de la longue avenue, il y a la très massive Porta Galliera, moitié maison byzantine (d'apparence) moitié arche médiévale, sous laquelle Simon tient à passer, sans trop savoir pourquoi, et puis comme ce n'est pas encore l'heure du rendez-vous à la gare, il entraîne Bianca vers des escaliers de pierre au pied d'un parc, ils s'arrêtent devant une étrange fontaine incrustée dans le mur de l'escalier et ils se passent le joint en contemplant la sculpture d'une femme nue aux prises avec un cheval, une pieuvre et des éléments de créature marine qu'ils ne parviennent pas à identifier. Simon se sent légèrement défoncé. Il sourit à la statue en pensant à Stendhal, ce qui le ramène à Barthes : « On échoue toujours à parler de ce qu'on aime... »

La gare de Bologne grouille de vacanciers en short et d'enfants braillards. Simon se laisse guider par Bianca qui l'emmène dans la salle d'attente où ils retrouvent Eco qui est déjà là et Bayard, qui lui a rapporté sa petite valise de l'hôtel où ils étaient descendus mais où, finalement, il n'aura pas dormi. Simon se fait percuter par un enfant qui court après son petit frère et manque de perdre l'équilibre. Il entend Eco expliquer à Bayard : « Cela reviendrait à dire que le Petit Chaperon rouge n'est pas en mesure de concevoir un univers où il y a eu la rencontre de Yalta et où Reagan va succéder à Carter. »

Malgré le regard que Bayard lui jette et qu'il décode comme un appel au secours, Simon n'ose pas interrompre le grand universitaire alors il regarde autour de lui et croit apercevoir dans la foule Enzo avec sa famille. Eco dit à Bayard : « Bref, pour le Petit Chaperon rouge qui jugerait un monde possible où les loups ne parlent pas, le monde "actuel" serait le sien, celui où les loups parlent. » Simon sent monter en lui une vague inquiétude qu'il met sur le compte du joint. Il croit apercevoir Stefano avec une jeune femme qui s'éloigne en direction des voies. « On peut lire les événements racontés dans la *Divine Comédie* comme "crédibles" par rapport à l'encyclopédie médiévale et légendaires par rapport à la nôtre. » Simon a l'impression que les mots d'Eco ricochent dans sa tête. Il croit apercevoir Luciano et sa mère qui portent un gros sac débordant de victuailles. Afin de se rassurer, il vérifie que Bianca se tient à côté de lui. Il a la vision d'un touriste allemand, très blond, avec un chapeau tyrolien, un gros appareil photo autour du cou, un short en cuir et des chaussettes montantes, qui passe derrière elle. Dans le brouhaha des voix italiennes qui résonnent sous le toit de la gare, Simon se concentre pour isoler les phrases françaises d'Eco : « En revanche, si en lisant un roman historique on y trouve un roi Roncibalde de France, la comparaison au monde zéro de l'encyclopédie historique produit une sensation de malaise qui présage le réajustement de l'attention coopérative : il ne s'agit évidemment pas d'un roman historique, mais d'un roman fantastique. »

Au moment où Simon se décide enfin à saluer les deux hommes, il pense peut-être faire illusion auprès du sémiologue italien, mais il voit que Bayard a immédiatement compris qu'il était, selon le diagnostic qu'il vient lui-même d'établir au pied de la statue, *légèrement défoncé*.

Eco s'adresse à lui comme s'il avait suivi le début de la conversation : « Que signifie reconnaître, à la lecture d'un roman, que ce qui s'y passe est plus "vrai" que ce qui se passe dans la vie réelle ? » Simon se dit que dans un roman, Bayard se mordrait la lèvre ou hausserait les épaules.

Puis Eco se tait enfin, et pendant un bref instant, personne ne brise le silence.

Simon croit voir Bayard se mordre la lèvre.

Il croit voir l'homme aux gants qui passe dans son dos.

« Que savez-vous de la septième fonction du langage ? » Simon, brumeux, ne réalise pas tout de suite que ce n'est pas Bayard mais Eco qui pose la question. Bayard se tourne vers lui. Simon se rend compte qu'il tient toujours Bianca par la main. Eco regarde la jeune fille d'un air légèrement libidineux. (Tout semble léger.) Simon essaie de se rassembler : « Nous avons tout lieu de croire que Barthes et trois autres personnes ont été tués à cause d'un document relatif à la septième fonction du langage. » Simon entend sa propre voix en ayant l'impression que c'est Bayard qui parle.

Eco écoute avec intérêt l'histoire d'un manuscrit perdu pour lequel on tue des gens. Il voit passer un homme avec un bouquet de roses à la main. Son esprit vagabonde une seconde, traversé par la vision d'un moine empoisonné.

Au milieu de la foule, Simon croit reconnaître l'homme à la sacoche de la veille. L'homme s'assoit dans la salle d'attente et glisse sa sacoche sous son siège. On dirait qu'il l'a bourrée à craquer.

Il est 10 heures.

Simon ne veut pas faire à Eco l'injure de lui rappeler qu'il n'y a que six fonctions du langage dans la théorie de Jakobson ; Eco le sait parfaitement mais, selon lui, ce n'est pas tout à fait exact.

Simon concède qu'il y a bien une esquisse de « fonction magique ou incantatoire » dans l'essai de Jakobson, mais il rappelle à Eco que celui-ci ne l'a pas jugée assez sérieuse pour la retenir dans sa classification.

Eco ne prétend pas que la fonction « magique » existe à proprement parler et cependant on pourrait sans doute lui trouver, dans le prolongement des travaux de Jakobson, quelque chose qui s'en inspire.

Austin, un philosophe britannique, a en effet théorisé une autre fonction du langage qu'il a baptisée « performative » et qu'on peut résumer par la formule : « Quand dire, c'est faire. »

Il s'agit de la capacité qu'ont certains énoncés de réaliser (Eco dit « actualiser ») ce qu'ils énoncent par le fait même de l'énoncer. Par exemple, lorsque le maire dit « je vous déclare mari et femme », ou lorsque le suzerain adoube en prononçant les mots « je te fais chevalier », ou lorsque le juge dit « je vous condamne », ou encore lorsque le président de l'assemblée dit « je déclare l'assemblée ouverte », ou simplement quand on dit à quelqu'un « je te le promets », c'est le fait même de prononcer ces phrases qui fait advenir ce qu'elles énoncent.

D'une certaine manière, c'est le principe de la formule magique, la « fonction magique » de Jakobson.

Au mur, une horloge indique 10 h 02.

Bayard laisse Simon mener la conversation.

Simon connaît les théories d'Austin mais ne voit pas là matière à tuer des gens.

Eco dit que la théorie d'Austin ne se limite pas à ces quelques cas mais qu'il l'a étendue à des situations linguistiques plus complexes, lorsqu'un énoncé ne se contente pas d'affirmer quelque chose sur le monde mais vise à provoquer une action, qui se réalise, ou non, par le simple fait que cet énoncé est formulé. Par exemple, si quelqu'un vous dit « il fait chaud, ici », il peut s'agir d'une simple constatation sur la température mais vous comprenez en général qu'il escompte de l'effet de sa remarque que vous alliez ouvrir la fenêtre. De même, quand quelqu'un demande « Vous avez l'heure ? », il attend comme résultat à sa question non pas que vous répondiez par oui ou par non mais bel et bien que vous lui donniez l'heure.

D'après Austin, parler est un *acte locutoire* puisque cela consiste à *dire* quelque chose mais peut aussi être un *acte illocutoire* ou *perlocutoire*, qui excède le pur échange verbal, parce que cela *fait* quelque chose, au sens où cela produit des actions. L'utilisation du langage permet de constater mais aussi, comme on dit en anglais, de *performer* (*to perform*, dit Eco avec son accent italien).

Bayard ne voit pas du tout où Eco veut en venir et Simon, pas bien non plus.

L'homme à la sacoche est parti mais Simon croit apercevoir la sacoche sous le siège. (Mais elle n'était pas si grosse ?) Simon se dit qu'il l'a encore oubliée et que décidément, il y a des gens bien distraits. Il le cherche dans la foule mais ne le voit pas.

L'horloge murale indique 10 h 05.

Eco poursuit ses explications : « Or, imaginons un instant que la fonction performative ne se limite pas aux quelques cas évoqués. Imaginons une fonction du langage qui permette, de façon beaucoup plus extensive, de convaincre n'importe qui de faire n'importe quoi dans n'importe quelle situation. »

10 h 06.

« Celui qui aurait la connaissance et la maîtrise d'une telle fonction serait virtuellement le maître du monde. Sa puissance n'aurait aucune limite. Il pourrait se faire élire à toutes les élections, soulever les foules, provoquer des révolutions, séduire toutes les femmes, vendre toutes les sortes de produits imaginables, bâtir des empires, escroquer la terre entière, obtenir tout ce qu'il veut en n'importe quelle circonstance. »

10 h 07.

Bayard et Simon commencent à comprendre.

Bianca dit : « Il pourrait détrôner le Grand Protagoras et prendre la tête du Logos Club. »

Eco lui répond, débonnaire : « *Eh, penso di si.* »

Simon demande : « Mais puisque Jakobson n'a pas parlé de cette fonction du langage… »

Eco : « Peut-être qu'il l'a fait, *in fin dei conti* ? Peut-être qu'il existe une version inédite des *Essais de linguistique générale* dans laquelle il détaille cette fonction ? »

10 h 08.

Bayard pense à haute voix : « Et Barthes se serait retrouvé en possession de ce document. »

Simon : « Et on l'aurait tué pour le lui voler ? »

Bayard : « Non, pas seulement. Pour l'empêcher de l'utiliser. »

Eco : « Si la septième fonction existe et s'il s'agit bien d'un genre de fonction performative ou perlocutoire, elle perdrait une grande partie de son pouvoir à être connue de tous. La connaissance d'un mécanisme manipulatoire ne nous prémunit pas forcément contre lui – voyez la publicité, la communication : la plupart des gens savent comment elles fonctionnent, quels ressorts elles utilisent – mais quand même, ça l'affaiblit… »

Bayard : « Et celui qui l'a volée la veut pour son usage exclusif. »

Bianca : « En tout cas, ce n'est pas Antonioni, le voleur. »

Simon se rend compte qu'il a son regard fixé sur la sacoche noire oubliée sous le siège depuis cinq minutes. Il la trouve énorme, il a l'impression qu'elle a triplé de volume, elle doit bien contenir quarante kilos. Ou alors il est encore trop éclaté.

Eco : « Si quelqu'un souhaitait s'approprier la septième fonction pour lui seul, alors il devrait s'assurer qu'il n'en existe pas de copies. »

Bayard : « Il y avait une copie chez Barthes… »

Simon : « Et Hamed était une copie ambulante, il portait la copie en lui. » Il a l'impression que la boucle dorée de la sacoche est un œil qui le regarde comme Caïn dans la tombe.

Eco : « Mais il est également probable que le voleur a lui-même fait une copie qu'il a cachée quelque part. »

Bianca : « Si c'est un document avec autant de valeur, il ne peut pas prendre le risque de le perdre… »

Simon : « Et il doit prendre le risque d'en faire une copie et de la confier à quelqu'un… » Il croit voir une volute de fumée s'échapper de la sacoche.

Eco : « Mes amis, je vais devoir vous laisser ! Mon train part dans cinq minutes. »

Bayard regarde l'horloge. Il est 10 h 12. « Je croyais que votre train était à 11 heures ?

— Oui mais finalement, je vais prendre celui d'avant. Comme ça je serai plus tôt à *Milano* ! »

Bayard demande : « Où peut-on trouver cet Austin ? »

Eco : « Il est mort. *Ma*, il y a son élève qui a continué à travailler sur ces questions de performatif, d'illocutoire, de perlocutoire… C'est un philosophe américain spécialiste du langage qui s'appelle John Searle. »

Bayard : « Et où peut-on trouver ce John Searle ? »

Eco : « *Ma*… en Amérique ! »

10 h 14. Le grand sémiologue s'en va monter dans son train.

Bayard regarde le tableau d'affichage.

10 h 17. Le train d'Umberto Eco quitte la gare de Bologne. Bayard allume une cigarette.

10 h 18. Bayard dit à Simon qu'ils vont prendre le train de 11 heures pour Milan, d'où ils doivent s'envoler pour Paris. Simon et Bianca se disent au revoir. Bayard va chercher les billets.

10 h 19. Simon et Bianca s'embrassent amoureusement au milieu de la foule de la salle d'attente. Le baiser dure et, comme souvent les garçons, Simon garde les yeux ouverts pendant qu'il embrasse Bianca. Une voix de femme annonce l'entrée en gare du Ancône-Bâle.

10 h 21. Pendant qu'il embrasse Bianca, Simon aperçoit une jeune femme blonde dans son champ de vision. La jeune femme est à une dizaine de mètres. Elle se retourne, elle lui sourit. Il sursaute.

C'est Anastasia.

Simon se dit que décidément l'herbe était forte et qu'il est très fatigué mais non, cette silhouette, ce sourire, ces cheveux, c'est Anastasia. L'infirmière de la Salpêtrière, ici, à Bologne. Avant que Simon, médusé, puisse l'interpeller, la jeune femme s'éloigne et sort de la gare alors il dit à Bianca « Attends-moi là ! » et il court à la suite de l'infirmière pour en avoir le cœur net.

Heureusement, Bianca n'obéit pas et le suit aussi. C'est ce qui va lui sauver la vie.

10 h 23. Anastasia a déjà traversé le rond-point devant la gare mais elle s'arrête et se retourne à nouveau, comme si elle attendait Simon.

10 h 24. À la sortie de la gare, Simon la cherche du regard et il la repère au bord du boulevard qui ceinture la vieille ville, alors il traverse d'un pas rapide le massif de fleurs au centre du rond-point. Bianca le suit à quelques mètres.

10 h 25. La gare de Bologne explose.

10 h 25

Simon est plaqué au sol. Sa tête heurte la pelouse. Un fracas de tremblement de terre se répand sur lui comme une succession de vagues. Couché dans l'herbe, le souffle coupé, enveloppé de poussière, piqué par une pluie de débris épais, assourdi par le bruit de l'explosion, Simon, désorienté, fait l'expérience sensorielle de l'effondrement du bâtiment qui s'écroule dans son dos, comme dans un rêve quand on chute sans fin ou quand on est ivre et que la terre tangue sous nos pieds, il a l'impression que le massif de fleurs est une soucoupe volante qui tournoie en tout sens. Quand le décor finit par ralentir autour de lui, il en profite pour essayer d'atterrir. Ses yeux cherchent Anastasia, mais son champ de vision est obstrué par un panneau publicitaire (une publicité pour Fanta) et il ne parvient pas à bouger la tête. Cependant, l'audition lui revient peu à peu, il entend des cris en italien et au loin les premières sirènes.

Il sent qu'on le manipule. C'est Anastasia qui le retourne sur le dos et qui l'examine. Simon voit son beau visage slave se découper dans le bleu aveuglant du ciel de Bologne. Elle lui demande s'il est blessé mais il est incapable de répondre parce qu'il n'en sait rien et parce que les mots restent bloqués dans sa gorge.

Anastasia lui prend la tête dans ses mains et lui dit (et son accent ressort à cet instant) : « Rrregarde-moi. Tu n'as rrrien. Tout va bien. » Simon parvient à se redresser.

Toute l'aile gauche de la gare a été pulvérisée. De la salle d'attente, il ne reste qu'un amas de pierres et de poutres. Un long gémissement informe s'échappe des entrailles du bâtiment éviscéré dont la toiture arrachée laisse apparaître le squelette tordu.

Simon aperçoit le corps de Bianca devant le massif de fleurs. Il rampe jusqu'à elle et lui soulève la tête. Elle est sonnée mais vivante. Elle tousse. Elle a une entaille au front et du sang qui lui coule sur le visage. Elle murmure : « *Cosa è successo ?* » Dans un réflexe qui, à ce moment-là, est le geste de la vie, sa main fouille le petit sac qu'elle porte encore en bandoulière sur sa robe tachée de sang. Elle sort une cigarette et demande à Simon : « *Accendimela, per favore.* »

Et Bayard ? Simon le cherche des yeux parmi les blessés, les survivants affolés, les policiers qui débarquent dans des Fiat et les secouristes qui sautent des premières ambulances comme des parachutistes. Mais dans ce ballet confus peuplé de marionnettes hystériques, il ne reconnaît plus personne.

Et puis, soudain, il le voit, Bayard, le flic français, émerger des décombres, couvert de poussière, massif, dégageant une impression de puissance et de colère sourde et idéologique, portant un jeune homme inconscient sur son dos, et cette apparition spectrale au milieu de cette scène de guerre impressionne Simon qui pense à Jean Valjean.

Bianca murmure : « *Sono sicura che si tratta di Gladio…* »

Simon aperçoit une forme par terre, comme un animal mort, et se rend compte que c'est une jambe humaine.

« Entre les machines désirantes et le corps sans organes s'élève un conflit apparent. »

Simon secoue la tête. Il contemple les premiers corps évacués sur des brancards, indifféremment vivants ou morts, tous allongés avec les bras qui pendent et traînent par terre.

« Chaque connexion de machines, chaque production de machine, chaque bruit de machine est devenu insupportable au corps sans organes. »

Il se tourne vers Anastasia et songe enfin à lui poser la question qui, selon lui, doit en expliquer beaucoup d'autres : « Pour qui travailles-tu ? »

Anastasia réfléchit quelques secondes puis répond, sur un ton professionnel qu'il ne lui connaissait pas : « Pas pour les Bulgares. »

Et elle s'éclipse, nonobstant son activité d'infirmière, sans proposer son aide aux secouristes pour soigner les blessés. Elle court vers le boulevard, traverse la chaussée et disparaît sous les arcades.

À cet instant précis, Bayard rejoint Simon, comme si tout ça était minutieusement chorégraphié, comme dans une pièce de théâtre, se dit Simon, que la bombe ajoutée aux joints n'a pas rendu moins paranoïaque.

Bayard dit, en montrant ses deux billets pour Milan : « On va louer une voiture. Je ne crois pas qu'il y aura des trains en circulation aujourd'hui. »

Simon emprunte la cigarette de Bianca et la porte à ses propres lèvres. Autour de lui, c'est le chaos complet. Il ferme les yeux en inhalant la fumée. La présence de

Bianca, étendue sur l'asphalte, lui fait repenser à la table de dissection, aux écorchés, au doigt d'Antonioni et à Deleuze. Une odeur de brûlé flotte dans l'air.

« *Sous les organes il sent des larves et des vers répugnants, et l'action d'un Dieu qui le salope ou l'étrangle en l'organisant.* »

TROISIÈME PARTIE

Ithaca

48

Althusser panique, il a beau chercher dans tous ses papiers, il ne retrouve pas le précieux document qu'on lui avait confié et qu'il avait caché dans une enveloppe publicitaire, posée bien en évidence sur son bureau. À bout de nerfs, parce que, sans avoir pris connaissance du document, il sait qu'il est de la plus haute importance qu'il le rende aux gens qui le lui ont confié et que sa responsabilité est engagée, il fouille dans sa corbeille à papiers, retourne ses tiroirs, vide les étagères de ses livres qu'il secoue un par un et jette sur le plancher avec rage. Il se sent envahi d'une sombre colère contre lui-même mêlée d'un soupçon embryonnaire lorsqu'il décide d'appeler : « Hélène ! Hélène ! » Hélène accourt, inquiète. Est-ce que, par hasard, elle saurait… une enveloppe… ouverte… publicitaire… une banque ou une pizzeria… il ne sait plus… Hélène, naturelle : « Ah oui, je m'en souviens, une pub, je l'ai jetée. »

Le temps s'arrête pour Althusser. Il ne lui demande pas de répéter, à quoi bon, il a très bien entendu. Un espoir, tout de même : « la poubelle… ? » Vidée hier soir, les éboueurs l'ont enlevée ce matin. Une longue plainte mugit dans le for intérieur du philosophe tandis qu'il bande ses muscles, il regarde sa femme, la vieille Hélène qui a tant supporté de lui, depuis tant d'années, et il sait qu'il l'aime, qu'il l'admire, il a pitié d'elle, il s'en veut, il sait ce qu'il lui a fait endurer avec ses caprices, ses infidélités, son comportement immature, son besoin enfantin de faire avaliser par sa femme le choix de ses maîtresses, et ses crises maniaco-dépressives (« hypomanies », disent-ils), mais là, c'en est trop, plus, beaucoup plus que ce qu'il peut tolérer, lui, l'imposteur immature, il se jette sur sa femme en poussant un cri de bête et attrape sa gorge avec ses mains qui se referment comme un étau et serre, et Hélène, surprise, ouvre de grands yeux mais ne cherche pas à se défendre, à peine pose-t-elle ses mains à elle sur ses mains à lui mais sans vraiment lutter, peut-être après tout sait-elle que ça devait finir comme ça ou bien souhaitait-elle en finir d'une façon ou d'une autre, et celle-ci en vaut bien une autre, ou encore Althusser est-il trop rapide, trop violent, trop possédé par une violence de bête, peut-être souhaitait-elle vivre et se remémore à cet instant une ou deux phrases d'Althusser, cet homme qu'elle a aimé, « on n'abandonne pas un concept comme un chien », peut-être, mais Althusser étrangle sa femme comme un chien, sauf que le chien, c'est lui, féroce, égoïste, irresponsable et maniaque. Quand il relâche la pression, elle est morte, un bout de langue, un « pauvre petit bout de langue », dira-t-il, sort de sa bouche, et ses yeux exorbités fixent son assassin ou le plafond ou le vide de l'existence.

Althusser a tué sa femme mais le procès n'aura pas lieu car il sera jugé en état de démence au moment des faits. Oui, il était en colère. Mais aussi, pourquoi n'avoir rien dit à sa femme ? Si Althusser est « victime de lui-même », c'est de n'avoir pas désobéi à ceux qui lui avaient demandé de garder le silence. Il fallait parler, imbécile, au moins à ta femme. Le mensonge est une chose trop précieuse pour être si mal employée. Il fallait lui dire, au moins : « Ne touche pas à cette enveloppe, elle est d'une très grande valeur, elle contient un document de première importance que X ou Y (là, il pouvait mentir) m'a confié. » Au lieu de ça, Hélène est morte. Althusser, jugé fou, obtiendra un non-lieu. Il sera interné quelques années, puis quittera son appartement de la rue d'Ulm et s'installera dans le XXe, où il écrira cette très étrange autobiographie, *L'avenir dure longtemps*, dans laquelle on pourra lire cette phrase délirante, placée entre parenthèses : « Mao m'avait même accordé une entrevue, mais pour des raisons de "politiques françaises", je fis la sottise, *la plus grande de ma vie*, de ne pas m'y rendre… » (C'est moi qui souligne.)

49

« Franchement l'Italie, c'est plus possible ! » Ornano arpente le bureau présidentiel en levant les mains au ciel. « C'est quoi ce bordel, à Bologne ? Ça a un rapport avec notre histoire ? Nos hommes étaient visés ? »

Poniatowski farfouille dans le bar. « Difficile à dire. C'est peut-être un hasard. Ça peut être l'extrême gauche ou l'extrême droite. Ça peut aussi venir du gouvernement. On sait jamais avec les Italiens. » Il ouvre un jus de tomate.

Giscard, assis derrière son bureau, referme le numéro de *L'Express* qu'il était en train de feuilleter et joint les mains en silence.

Ornano (tapant du pied) : « Hasard, mes couilles ! Si – je dis bien *si* – un groupe, quel qu'il soit, un gouvernement, une agence, un service, une organisation, possède les moyens *et* la volonté de faire exploser une bombe qui tue quatre-vingt-cinq personnes pour entraver notre enquête, alors je pense que nous avons un problème. Les Américains ont un problème. Les Anglais ont un problème. Les Russes ont un problème. Sauf si c'est eux, bien sûr. »

Giscard demande : « Ça leur ressemblerait assez, Michel, non ? »

Poniatowski déniche du sel de céleri. « La tuerie aveugle avec un maximum de victimes civiles, je dois reconnaître que c'est quand même plutôt la marque de l'extrême droite. Et puis, d'après le rapport de Bayard, il y a cette agent russe qui a sauvé la vie du jeune. »

Ornano (sursautant) : « L'infirmière ? Aussi bien, c'est elle qui a posé la bombe. »

Poniatowski (ouvrant une bouteille de vodka) : « Pourquoi se serait-elle montrée à la gare, alors ? »

Ornano (pointant Poniatowski du doigt comme s'il était personnellement responsable) : « On a vérifié, elle n'a jamais travaillé à la Salpêtrière. »

Poniatowski (touillant son bloody mary) : « Il est à peu près avéré que Barthes n'avait plus le document à l'hôpital. Selon toute probabilité, les choses se sont déroulées de la façon suivante : il sort du déjeuner avec Mitterrand, se fait renverser par la camionnette de blanchisserie – conduite par le premier Bulgare. Un homme qui se fait passer pour un médecin fait semblant de l'examiner et lui vole ses papiers et ses clés. Tout porte à croire que le document était avec ses papiers. »

Ornano : « Mais alors, qu'est-ce qui s'est passé à l'hosto ? »

Poniatowski : « Des témoins ont vu deux intrus dont le signalement correspond aux deux Bulgares qui ont tué le gigolo. »

Ornano (essayant mentalement de faire le décompte des Bulgares impliqués dans cette affaire) : « Mais puisqu'il n'avait plus le document ? »

Poniatowski : « Ils étaient sans doute venus finir le travail. »

Ornano, rapidement essoufflé, arrête de tourner en rond et, comme si son attention avait été attirée par quelque chose, se met à examiner un coin du tableau de Delacroix.

Giscard (attrapant la biographie de JFK et se mettant à la caresser) : « Admettons que ce soient bien nos hommes qui étaient la cible de l'attentat à Bologne. »

Poniatowski (rajoutant du tabasco) : « Ça prouverait qu'ils étaient sur la bonne voie. »

Ornano : « C'est-à-dire ? »

Poniatowski : « Si c'est bien eux qu'on a voulu éliminer, c'est pour les empêcher de découvrir quelque chose. »

Giscard : « Ce… club ? »

Poniatowski : « Ou autre chose. »

Ornano : « Alors on les envoie aux USA ? »

Giscard (soupirant) : « Il n'a pas le téléphone, ce philosophe américain ? »

Poniatowski : « Le jeune dit que ce serait l'occasion de "débroussailler un peu tout ça". »

Ornano : « Ouais, je suis sûr que ce petit con veut se payer un voyage aux frais de la République. »

Giscard (perplexe, comme mâchouillant quelque chose) : « Au vu des éléments dont nous disposons, ne serait-il pas tout aussi pertinent de les envoyer à Sofia ? »

Poniatowski : « Bayard est un bon flic, mais enfin c'est pas James Bond. On pourrait peut-être envoyer une équipe du Service Action ? »

Ornano : « Pour quoi faire ? Buter des Bulgares ? »

Giscard : « Je préférerais laisser le ministre de la Défense en dehors de tout ça. »

Poniatowski (grinçant) : « Et puis il ne faudrait pas risquer une crise diplomatique avec l'URSS. »

Ornano (cherchant à changer de sujet) : « En parlant de crise, ça donne quoi à Téhéran ? »

Giscard (se remettant à feuilleter *L'Express*) : « Le shah est mort, les mollahs dansent. »

Poniatowski (se resservant une vodka pure) : « Carter est foutu. Khomeiny ne libérera jamais les otages. »

Silence.

Dans *L'Express*, Raymond Aron écrit : « Mieux vaut laisser dormir les lois lorsqu'elles sont, à tort ou à raison, refusées par les mœurs. » Giscard pense : « Quelle sagesse. »

Poniatowski pose un genou à terre devant le frigidaire.

Ornano : « Euh, et le philosophe qui a tué sa femme ? »

Poniatowski : « On s'en fout. C'est un coco, on l'a foutu à l'asile. »

Silence. Poniatowski démoule des glaçons.

Giscard (sur un ton martial) : « Cette affaire ne doit pas influer sur la campagne. »

Poniatowski (qui comprend que Giscard est revenu au sujet qui le préoccupe) : « Le chauffeur bulgare et le faux médecin sont introuvables. »

Giscard (tapant de l'index sur son sous-main en cuir) : « Je me fous du chauffeur. Je me fous du médecin. Je me fous de ce… Logos Club. Je veux le document. Sur mon bureau. »

50

Quand Baudrillard a appris qu'au-delà de 30 000 visiteurs, la structure métallique du Centre Georges-Pompidou, inauguré en 1977 par Giscard sur le plateau Beaubourg et immédiatement surnommé « la raffinerie » ou « Notre-Dame des tuyaux », risquait de « plier », il s'est réjoui comme un enfant, comme le garnement de la *French Theory* qu'il est, dans un petit livre intitulé *L'Effet Beaubourg – Implosion et dissuasion* :

« Que la masse (des visiteurs) aimantée par la structure devienne une variable destructrice de la structure elle-même – ceci, si les concepteurs l'ont voulu (mais comment l'espérer ?), s'ils ont ainsi programmé la chance de mettre fin d'un seul coup à l'architecture et à la culture – alors Beaubourg constitue l'objet le plus audacieux et le happening le plus réussi du siècle. »

Slimane connaît bien le quartier du Marais et la rue Beaubourg où les étudiants font la queue dès l'ouverture de la bibliothèque. Il le sait parce qu'il les a déjà vus en sortant de boîte, fatigué par les excès de la nuit, se demandant comment des mondes parallèles pouvaient à ce point glisser l'un contre l'autre sans jamais se toucher.

Mais aujourd'hui, c'est lui qui est dans la queue. Il fume, le Walkman sur les oreilles, coincé entre deux étudiants plongés dans leurs livres. Discrètement, il essaie de lire les titres. L'étudiant devant lui lit un livre de Michel de Certeau intitulé *L'Invention du quotidien*. L'autre, derrière, lit *De l'inconvénient d'être né* de Cioran.

Slimane écoute *Walking on the Moon* de Police.

La queue avance très lentement. On lui dit qu'il y en a pour une heure.

« FAITES PLIER BEAUBOURG ! Nouveau mot d'ordre révolutionnaire. Inutile de l'incendier. Inutile de le contester. Allez-y ! C'est la meilleure façon de le détruire. Le succès de Beaubourg n'est plus un mystère : les gens y vont pour ça, ils se ruent sur cet édifice, dont la fragilité respire déjà la catastrophe, dans le seul but de le faire plier. »

Slimane n'a pas lu Baudrillard mais quand vient son tour, sans savoir qu'il participe peut-être à cette espèce de programme post-situationniste, il franchit le tourniquet.

Il traverse une sorte de salle de presse où des gens consultent des microfilms sur des visionneuses, et prend un escalator pour accéder à la salle de lecture qui ressemble à un immense atelier de textile, sauf que les travailleurs ne découpent pas des chemises qu'ils assemblent avec des machines à coudre mais lisent des livres en prenant des notes dans des petits cahiers.

Slimane repère aussi des jeunes venus pour draguer et des clochards pour dormir.

C'est le silence qui impressionne Slimane mais aussi la hauteur sous plafond : moitié usine, moitié cathédrale.

Derrière une grande paroi de verre, un immense téléviseur diffuse des images de la télévision soviétique. Après quelques instants, les images basculent sur une chaîne américaine. Des spectateurs d'âges variés sont affalés dans des fauteuils rouges. Ça pue un peu. Slimane ne s'attarde pas dans le secteur et commence à arpenter les rayonnages.

Baudrillard écrit : « Les gens ont envie de tout prendre, de tout piller, de tout bouffer, de tout manipuler. Voir, déchiffrer, apprendre ne les affecte pas. Le seul affect massif, c'est celui de la manipulation. Les organisateurs (et les artistes et les intellectuels) sont effrayés par cette velléité incontrôlable, car ils n'escomptent jamais que l'apprentissage des masses au *spectacle* de la culture. »

Dedans, dehors, sur le parvis, au plafond, il y a des manches à air partout. S'il survit à cette aventure, Slimane, comme tout le monde, associera l'identité de Beaubourg, gros paquebot futuriste, à l'image de la manche à air.

« Ils n'escomptent jamais cette fascination active, destructrice, réponse brutale et originale au don d'une culture incompréhensible, attraction qui a tous les traits d'une effraction et du viol d'un sanctuaire. »

Slimane regarde des titres au hasard. *Avez-vous lu René Char ?* de Georges Mounin. *Racine et Shakespeare* de Stendhal. *La Promesse de l'aube* de Gary. *Le Roman historique* de Georg Lukács. *Au-dessous du volcan. Le Paradis perdu. Pantagruel* (celui-là lui dit quelque chose).

Il passe devant Jakobson sans le voir.

Il bute contre un moustachu.

« Oh pardon. »

Il est temps peut-être d'incarner ce Bulgare, pour qu'il ne finisse pas comme son partenaire, soldat anonyme tombé dans une guerre secrète dont les tenants se précisent mais dont les aboutissants restent encore flous.

Mettons qu'il s'appelle Nikolaï. De toute façon, son nom véritable restera inconnu. Avec son coéquipier, il a suivi la piste des enquêteurs qui les ont menés aux gigolos. Ils en ont tué deux. Il ne sait pas encore s'il devra tuer celui-là. Aujourd'hui, il n'est pas armé. Il est venu sans son parapluie. Le spectre de Baudrillard lui souffle à l'oreille : « *Panique au ralenti, sans mobile externe.* » Il demande : « Qu'est-ce que vous cherrrchez ? » Slimane, méfiant avec les inconnus depuis que ses deux amis sont morts, se cabre et répond : « Rien. » Nikolaï lui sourit : « C'est comme tout, c'est difficile à trrrouver. »

51

Nous sommes encore dans un hôpital parisien mais cette fois, personne ne peut entrer dans la chambre car ici, c'est Sainte-Anne, l'asile psychiatrique, et Althusser est sous sédatif. Régis Debray, Étienne Balibar et Jacques Derrida montent la garde devant la porte et s'entretiennent de la conduite à adopter pour protéger leur vieux maître. Peyrefitte, le garde des Sceaux, est lui aussi un ancien élève de l'École normale supérieure mais cela ne semble pas l'incliner à la magnanimité puisqu'il réclame déjà la cour d'assises dans les journaux. D'un autre côté, les trois hommes doivent patiemment écouter les dénégations du brave docteur Diatkine, le psychiatre qui suivait Althusser depuis des années, pour qui il est absolument impensable, que dis-je, physiquement, « techniquement » impossible (je cite), qu'Althusser ait étranglé sa femme.

Foucault débarque. La France est ainsi faite que si vous êtes prof à l'ENS de 1948 à 1980, alors vous avez eu parmi vos élèves et/ou collègues Derrida, Foucault, Debray, Balibar, Lacan. Et aussi BHL.

Foucault demande des nouvelles, on lui dit qu'il répétait en boucle : « J'ai tué Hélène, qu'est-ce qui vient après ? »

Foucault prend Derrida à part et lui demande s'il a fait ce qu'on lui avait demandé. Derrida hoche la tête. Debray les observe à la dérobée.

Foucault dit qu'il n'aurait pas fait une chose pareille, et d'ailleurs il a refusé quand on le lui a demandé. (Rivalité universitaire oblige, il rappelle au passage qu'on le lui a demandé AVANT Derrida. Quoi ? Il est encore trop tôt pour le dire. Mais il a refusé parce qu'on ne trompe pas un ami, même s'il s'agit de ce qu'on appelle « un vieil ami » avec tout ce que ça implique de lassitude et de rancœur mal refoulée.)

Derrida dit qu'il faut avancer. Qu'il y avait des intérêts en jeu. Politiques.

Foucault lève les yeux au ciel.

BHL arrive. On le fout poliment à la porte. Naturellement, il reviendra par la fenêtre.

En attendant, Althusser dort. Ses anciens élèves espèrent pour lui qu'il ne rêve pas.

52

« Tennis terre battue vision mondovision sur gazon voilà c'est comme ça qu'il faut refrapper direct dans les phrases deuxième balle net effet spin shot lifté volée revers long des lignes borg connors vilas mac enroe… »

Sollers et Kristeva sont attablés à la buvette du jardin du Luxembourg, et Kristeva mordille sans conviction dans une crêpe au sucre, pendant que Sollers monologue infatigablement en buvant un café crème.

Il dit :

« Dans le cas du Christ il y a une chose un peu spéciale, c'est que lui dit qu'il va revenir. »

Ou encore :

« Comme dit Baudelaire : j'ai mis longtemps à devenir infaillible. »

Kristeva fixe la peau du lait qui flotte à la surface de la tasse.

« Apocalypse en hébreu, c'est *gala*, ça veut dire découvrir. »

Kristeva se cambre pour résister à la nausée qui envahit sa poitrine.

« Si le Dieu de la Bible avait dit Je suis partout, ça se saurait… »

Kristeva essaie de se raisonner. Elle se récite mentalement : « Le signe n'est pas la chose mais quand même. »

Un éditeur de leur connaissance, claudiquant, une gitane à la bouche, qui promène un enfant en bas âge, vient les saluer. Il demande à Sollers sur quoi il travaille « en ce moment » et naturellement, Sollers ne se fait pas prier : « Un roman plein de portraits et de personnages… des centaines de notes prises sur le terrain… À propos de la guerre des sexes… je ne vois pas de livre plus informé, multiple, corrosif et léger. »

Kristeva, toujours hypnotisée par la pellicule de crème, réprime un haut-le-cœur. Psychanalyste, elle pose son diagnostic : elle a envie de se recracher elle-même.

« Un roman philosophique, et même métaphysique, d'un réalisme froid et lyrique. »

Régression infantile liée à un choc traumatique. Mais elle est Kristeva : maîtresse d'*elle-même*. Elle se *contient*.

Sollers déverse son flot sur l'éditeur qui fronce les sourcils pour manifester une sorte d'attention fébrile, tandis que le petit enfant qui l'accompagne le tire déjà par la manche : « Le tournant hautement symptomatique de la seconde moitié du vingtième siècle sera décrit dans ses ramifications secrètes et concrètes. On pourra en tirer un tableau chimique : les corps féminins négatifs (et pourquoi), les corps positifs (et comment). »

Kristeva tend lentement la main vers la tasse. Glisse un doigt dans l'anse. Porte à ses lèvres le liquide beige.

« Les philosophes y seront montrés dans leurs limites privées, les femmes dans leur hystérie et leurs calculs, mais aussi dans leur gratuité libre. »

Kristeva ferme les yeux au moment d'avaler. Elle entend son mari citer Casanova : « Si le plaisir existe, et si on ne peut en jouir qu'en vie, la vie est donc un bonheur. »

L'éditeur sautille sur place : « Excellent ! Très bien ! Bien ! »

L'enfant ouvre des yeux étonnés.

Sollers s'échauffe et passe au présent de narration : « Ici, les dévots et les dévotes font grise mine, les sociomanes et les sociopathes crient à la superficialité, l'industrie spectaculaire se coince ou veut absolument déformer le constat, le Diable est mécontent, puisque le plaisir doit être destructeur, et la vie un malheur. »

Le café coule en Kristeva comme une rivière de lave tiède. Elle *sent* la peau dans sa bouche, dans sa gorge.

L'éditeur veut commander un livre à Sollers quand il aura fini celui-là.

Sollers raconte pour la millième fois une anecdote sur lui et Francis Ponge. L'éditeur écoute poliment. Ah, ces grands écrivains ! Toujours à ressasser leurs obsessions, toujours à pétrir leur matière…

Kristeva songe que la phobie ne disparaît pas mais glisse sous la langue, que l'objet phobique est une proto-écriture et, inversement, tout exercice de la parole, pour autant qu'il est de l'écriture, est un langage de la peur. « L'écrivain : un phobique qui réussit à métaphoriser pour ne pas mourir de peur mais pour ressusciter dans les signes », se dit-elle.

L'éditeur demande : « Vous avez des nouvelles d'Althusser ? » Sollers, soudain, se tait. « Après Barthes, c'est terrible. Quelle année ! » Sollers regarde ailleurs pour répondre : « Oui, le monde est fou, que voulez-vous ? Mais c'est le destin des âmes tristes. » Il ne voit pas les yeux de Kristeva s'ouvrir comme deux trous noirs. L'éditeur prend congé avec l'enfant qui émet de petits jappements.

Sollers reste debout, silencieux pour un instant. Kristeva visualise la gorgée de café formant comme une eau stagnante dans son estomac. Le danger est passé, mais la peau est toujours là. Au fond de la tasse, la nausée demeure. Sollers dit : « Je suis doué pour les différences. » Kristeva vide la tasse d'un trait.

Ils descendent vers le grand bassin où des enfants jouent avec des bateaux en bois que leurs parents louent à l'heure pour quelques francs.

Kristeva demande s'il y a des nouvelles de Louis. Sollers répond que les chiens montent la garde mais que Bernard a pu le voir. « Complètement hébété. Il paraît que lorsqu'on l'a trouvé, il répétait : "J'ai tué Hélène, qu'est-ce qui vient après ?" Peux-tu imaginer une chose pareille ? Qu'est… ce… qui… vient… après ? N'est-ce pas extraordinaire ? » Sollers savoure l'anecdote avec gourmandise. Kristeva le ramène à des considérations plus pragmatiques. Sollers se veut rassurant : vu le désordre de l'appartement, si la copie n'a pas été détruite, elle est irrémédiablement perdue. Au pire, elle finira dans un carton et des Chinois la retrouveront dans deux cents ans sans comprendre de quoi il s'agit et ils l'utiliseront pour allumer leur pipe à opium.

« Ton père avait tort. Pas de copie, la prochaine fois.

— C'est sans conséquence, et il n'y aura pas de prochaine fois.

— Il y a toujours une prochaine fois, mon écureuil. »

Kristeva pense à Barthes. Sollers dit : « Je l'ai connu mieux que personne. »

Kristeva répond froidement : « Mais c'est moi qui l'ai tué. »

Sollers lui cite Empédocle : « Le sang qui baigne le cœur est pensée. » Mais comme il ne peut pas tenir plus de quelques secondes sans tout ramener à lui, il serre les dents et murmure : « Sa mort n'aura pas été vaine. Je serai ce que je serai. »

Puis il reprend son monologue, comme si de rien n'était : « Bien entendu le message n'a plus d'importance… ah ah cette petite affaire n'est pas claire oh oh… le public par définition n'a pas de mémoire il est vierge il est forêt-vierge… Nous sommes, nous, comme des poissons dans l'air… Qu'importe que Debord se soit trompé sur mon compte, allant jusqu'à me comparer à Cocteau… Qui est-on d'abord, et enfin ?… »

Kristeva soupire. Elle l'entraîne vers les joueurs d'échecs.

Sollers est comme un enfant, il a une mémoire immédiate de trois minutes alors il s'absorbe dans une partie qui oppose un vieux et un jeune, tous les deux affublés d'une casquette de baseball siglée du logo d'une équipe de New York. Pendant que le jeune lance une attaque dans le but manifeste de déroquer son adversaire, l'écrivain susurre à l'oreille de sa femme : « Regarde ce vieux, il est malin comme un singe, ho ho. Mais si on me cherche, on me trouve, hé hé. »

Le poc-poc des balles de tennis leur parvient des courts voisins.

C'est au tour de Kristeva de tirer son mari par la manche car il est bientôt l'heure.

Ils traversent une forêt de balançoires et se rendent au Petit Théâtre de Guignol. Ils s'assoient sur des bancs de bois au milieu des enfants.

L'homme qui s'assoit juste derrière eux est un moustachu mal habillé.

Il tire sur sa veste chiffonnée.

Il coince son parapluie entre ses jambes.

Il allume une cigarette.

Il se penche sur Kristeva et lui murmure quelque chose à l'oreille.

Sollers se retourne et s'exclame joyeusement : « Bonjour, Sergueï ! » Kristeva le reprend, cassante : « Il s'appelle Nikolaï. » Sollers sort une cigarette d'un étui en écaille bleue et demande du feu au Bulgare. L'enfant assis à côté de lui l'observe avec curiosité. Sollers lui tire la langue. Le rideau s'ouvre, Guignol apparaît. « Bonjour, les enfants ! — Bonjour, Guignol ! » Nikolaï explique à Kristeva, en bulgare, qu'il a filé l'ami d'Hamed. Il a fouillé chez lui (sans rien déranger, cette fois) et il est formel, il n'y a pas de copie. Mais il y a quelque chose de bizarre : depuis quelque temps, il passe ses journées à la bibliothèque.

Comme Sollers ne parle pas le bulgare, il suit la pièce en attendant. L'argument oppose Guignol à un voleur mal rasé, d'une part, et d'autre part il y a un gendarme qui roule les *r* comme Sergueï. L'intrigue s'articule autour d'un contentieux simple, prétexte à de multiples scènes d'action avec des coups de bâton. En gros, Guignol doit récupérer le collier de la Marquise, dérobé par le voleur. Sollers suspecte immédiatement la Marquise de l'avoir donné de son plein gré en échange de faveurs sexuelles.

Kristeva demande quel genre de livre Slimane a consulté.

Guignol demande aux enfants si le voleur est parti par là.

Nikolaï répond qu'il a vu Slimane consulter essentiellement des livres de linguistique et de philosophie mais que, d'après lui, le gigolo ne sait pas trop ce qu'il cherche.

Les enfants répondent : « Ouiiiiiiiiiii ! »

Kristeva se dit que l'information, c'est qu'il cherche quelque chose. Quand elle veut le répéter à Sollers, il fait : « Ouiiiiiiii ! »

Nikolaï précise : surtout des auteurs anglophones. Chomsky, Austin, Searle, et aussi un russe, Jakobson, deux allemands, Bühler et Popper, un français, Benveniste.

La liste est suffisamment éloquente pour Kristeva.

Le voleur demande aux enfants de trahir Guignol.

Les enfants crient : « Noooonnn ! » Sollers, facétieux, dit : « Siiiii ! » mais son cri se noie dans celui des enfants.

Nikolaï précise encore que Slimane s'est contenté de feuilleter certains livres mais qu'il a particulièrement lu Austin.

Kristeva en déduit qu'il va chercher à contacter Searle.

Le voleur s'approche en douce dans le dos de Guignol, armé d'un bâton. Les enfants veulent prévenir Guignol : « Attention ! Attention ! » Mais chaque fois que Guignol se retourne, le voleur se cache. Guignol demande aux enfants si le voleur est dans les parages. Les enfants essaient de l'avertir mais il est comme sourd, il fait semblant de ne pas comprendre, ce qui les rend hystériques. Ils crient, et Sollers crie avec eux : « Derrière toi ! Derrière toi ! »

Guignol se prend un coup de bâton. Silence angoissé dans la salle. On croit qu'il est assommé mais en fait non, il fait semblant. Ouf.

Kristeva réfléchit.

Grâce à une ruse, Guignol assomme le voleur à son tour. Pour faire bonne mesure, il le roue de coups de bâton. (Dans le monde réel, personne ne survivrait à de tels chocs sur la tête, se dit Nikolaï.)

Le gendarme arrête le voleur et félicite Guignol.

Les enfants applaudissent à tout rompre. On ne sait pas trop si Guignol a rendu le collier ou l'a gardé pour lui, finalement.

Kristeva pose la main sur l'épaule de son mari et lui crie dans l'oreille : « Il faut que j'aille aux USA. »

Guignol salue : « Au revoir les enfants ! »

Les enfants et Sollers : « Au revoir, Guignol ! »

Le gendarme : « Au rrevoir les enfants. »

Sollers, se retournant : « Salut, Sergueï. »

Nikolaï : « Au rrrevoir, monsieur Kristeva. »

Kristeva à Sollers : « Je vais aller à Ithaca. »

53

Slimane aussi se réveille dans un lit qui n'est pas le sien mais, à part lui, il n'y a personne dedans, que l'empreinte d'un corps comme dessiné à la craie dans des draps encore chauds. En fait de lit, il est sur un matelas posé à même le sol dans une pièce presque nue et sans fenêtre, plongée dans l'obscurité. De l'autre côté de la porte lui parviennent des voix masculines mêlées à de la musique classique. Il se souvient parfaitement d'où il est et il connaît cette musique. (C'est du Mahler.) Il ouvre la porte et, sans prendre la peine de s'habiller, rejoint le salon.

C'est une immense pièce toute en longueur, bordée par une longue baie vitrée qui domine Paris (vers Boulogne et Saint-Cloud) car nous sommes au huitième étage. Autour d'une table basse, Michel Foucault, enveloppé dans un kimono noir, explique à deux jeunes gens en slip, dont l'un a son portrait reproduit sur trois photos accrochées à un pilier qui jouxte le canapé, les mystères de la sexualité de l'éléphant.

Ou plus exactement, croit comprendre Slimane, comment la sexualité de l'éléphant était perçue et commentée en France au XVIIe siècle.

Les deux jeunes fument des cigarettes dont Slimane sait qu'elles sont bourrées à l'opium, car c'est la technique qu'ils ont adoptée pour amortir la redescente. Curieusement, Foucault n'a jamais eu besoin d'y recourir, tant il encaisse bien toutes les drogues : il est capable d'être à sa machine à écrire dès 9 heures du matin après une nuit entière passée sous LSD. Eux ont l'air d'avoir plus de mal. Ils saluent Slimane, néanmoins, d'une voix caverneuse. Foucault lui propose un café, mais à cet instant précis, on entend un grand bruit dans la cuisine et un troisième jeune apparaît, l'air affligé, un bout de plastique à la main. C'est Mathieu Lindon qui vient de casser la cafetière. Les deux autres ne peuvent réprimer un ricanement de phtisique. Foucault, débonnaire, propose un thé. Slimane s'assoit et commence à se tartiner une biscotte pendant que le grand chauve dans son kimono noir reprend son exposé sur les éléphants.

Pour François de Sales, évêque de Genève au XVIIe et auteur d'une *Introduction à la vie dévote*, l'éléphant est un modèle de chasteté : fidèle et tempérant, il ne connaît qu'une seule partenaire qu'il honore une fois tous les trois ans pendant cinq jours, à l'abri des regards, avant d'aller se laver longuement pour se purifier. Le beau Hervé en slip maugrée derrière sa cigarette, qui reconnaît derrière la fable de l'éléphant la morale catholique dans toute son horreur et sur laquelle il crache, au moins symboliquement car la salive lui manque et il tousse à la place. Foucault s'anime dans son kimono : « Justement ! Ce qui est très intéressant, c'est qu'on retrouve déjà chez Pline la même analyse des mœurs de l'éléphant. Donc si on fait la généalogie de cette morale, comme dirait l'autre, on s'aperçoit qu'elle prend racine vraisemblablement à une époque antérieure au christianisme, ou tout du moins à une époque où son développement est encore largement embryonnaire. » Foucault a l'air de jubiler. « Vous voyez, on parle *du* christianisme, comme si *le* christianisme existait… Mais christianisme et paganisme ne constituent pas des unités bien formées, des individualités parfaitement nettes. Il ne faut pas imaginer des blocs étanches qui apparaissent d'un coup et disparaissent tout aussi soudainement, sans s'influencer, s'interpénétrer, se métamorphoser. »

Mathieu Lindon, qui est resté debout, avec son bout de cafetière à la main, demande : « Mais, euh, Michel, où est-ce que tu veux en venir ? »

Foucault lui sourit de son sourire éclatant : « En fait, le paganisme ne peut pas être traité comme une unité, mais le christianisme encore moins ! Il faut revoir nos méthodes, tu comprends ? »

Slimane croque dans sa biscotte et dit : « Dis donc, Michel, ton colloque à Cornell, tu y vas toujours ? C'est où exactement, ce bled ? »

Foucault, toujours ravi de répondre à des questions, quelles qu'elles soient, sans s'étonner que Slimane s'intéresse à ses colloques, lui répond que Cornell est une grande université américaine située dans une petite ville du nord des États-Unis nommée Ithaca, comme Ithaque, l'île d'Ulysse. Il ignore pourquoi il a accepté l'invitation parce que c'est un colloque sur le langage, le *linguistic turn* comme ils disent là-bas, et qu'il ne travaille plus là-dessus depuis longtemps (*Les Mots et les Choses*, c'est 1966) mais enfin il a dit oui et il n'aime pas se dédire, donc il y va. (En fait, il saït très bien : il adore les États-Unis.)

Quand Slimane a bien mâché sa biscotte, il boit une gorgée de thé brûlant, allume une cigarette, s'éclaircit la gorge et demande : « Tu crois que je pourrais venir avec toi ? »

·

54

« Mais non, mon chéri, tu ne peux pas venir avec moi. C'est un colloque réservé aux universitaires et tu détestes qu'on t'appelle Monsieur Kristeva. »

Le sourire de Sollers dissimule mal la blessure narcissique dont il est à craindre qu'elle ne se referme jamais.

Imagine-t-on Montaigne, Pascal, Voltaire passant une thèse ?

Pourquoi ces nuls d'Américains s'obstinent-ils encore à l'ignorer, lui, géant parmi les géants, qu'on lira, qu'on relira en 2043 ?

Imagine-t-on Chateaubriand, Stendhal, Balzac, Hugo ? Il faudrait donc, un jour, demander la permission de penser ?

Le plus drôle, c'est qu'ils invitent Derrida, évidemment. Mais savez-vous, chers amis Yankees, que votre idole, celui que vous révérez parce qu'il écrit *différance* avec un *a* (le monde se décompose, le monde se dissout), a écrit son chef-d'œuvre, *La Dissémination* (le monde se *dissémine*), en hommage à *Nombres*, que personne, ni à New York ni en Californie, n'a cru bon de traduire ! Ah, vraiment, c'est à mourir de rire !

Sollers rit en se tapant sur le ventre. Ho ho ho ! Sans lui, pas de Derrida ! Ah, si le monde savait ça… Ah, si les USA savaient ça…

Kristeva écoute avec patience ce discours qu'elle connaît déjà.

« Imagine-t-on Flaubert, Baudelaire, Lautréamont, Rimbaud, Mallarmé, Claudel, Proust, Breton, Artaud en train de passer *une thèse* ? » Sollers s'interrompt brutalement et fait semblant de réfléchir, mais Kristeva sait à l'avance ce qu'il va ajouter : « Il y en a bien une de Céline, mais c'est une thèse de médecine, d'ailleurs littérairement superbe. » (Sous-texte : lui a lu la thèse de médecine de Céline. Combien d'universitaires peuvent en dire autant ?)

Puis il vient se frotter à sa femme, en glissant sa tête sous son bras, et prend une voix de dindon :

« Mais pourquoi veux-tu y aller, toi, mon écureuil adoré ?

— Tu sais pourquoi. Parce que Searle sera là.

— Et aussi tous les autres ! » Sollers explose.

Kristeva s'allume une cigarette, elle examine le motif brodé du coussin sur lequel elle est appuyée, une reproduction de licorne tirée de la tapisserie de Cluny qu'ils ont achetée, jadis, avec Sollers, à l'aéroport de Singapour. Elle a les jambes repliées sous elle, les cheveux attachés en queue-de-cheval, elle caresse la plante verte à côté du canapé et prononce à mi-voix mais en articulant exagérément, avec son très léger accent : « Oui… les autrrres. »

Pour endiguer sa nervosité, Sollers se récite son petit rosaire personnel :

« Foucault : trop énervé, jaloux, véhément. Deleuze ? trop grinçant. Althusser ? trop malade (haha !). Derrida ? trop dissimulé dans ses enveloppements successifs (haha). Déteste Lacan. Ne voit pas d'inconvénient à ce que les communistes assurent la sécurité à Vincennes. (Vincennes : endroit pour surveiller les enragés.) »

La vérité, Kristeva la connaît, c'est que Sollers a peur de ne pas finir dans la Pléiade.

Pour l'heure, le génie incompris s'évertue à vilipender les Américains, avec leurs « *gay and lesbian studies* », leur féminisme totalitaire, leur fascination pour la « déconstruction » ou pour « l'objet petit a »… alors qu'il est clair que le nom de Molière leur est parfaitement inconnu !

Et leurs femmes !

« Les Américaines ? Infréquentables pour la plupart : argent, plaintes, roman familial, infection pseudo-psy. Heureusement, à New York, il y a les Latinos et les Chinoises, et quand même pas mal d'Européennes. » Mais à Cornell ! Peuh. Pouah, comme dirait Shakespeare.

Kristeva boit un thé au jasmin en feuilletant une revue de psychanalyse en anglais.

Sollers tourne autour de la grande table du salon, furibond, les épaules rentrées comme un taureau : « Foucault, Foucault, ils n'ont que ça en tête. »

Puis se relève soudain, comme un sprinter ayant cassé le buste après la ligne d'arrivée : « Eh, diable, que m'importe ? Je connais la musique : il faudrait voyager, faire des conférences, parler l'anglo-américain du colonisé, participer à des colloques barbants, "être ensemble", délayer le propos, avoir l'air humain. »

Kristeva, posant sa tasse, lui parle avec douceur : « Tu auras ta revanche, mon chéri. »

Sollers, fiévreux, se met à parler de lui à la deuxième personne en se tâtant le poignet : « Vous avez une facilité d'élocution, elle est flagrante, agaçante (on vous préférerait bégayant mais tant pis)… »

Kristeva le prend par la main.

Sollers lui sourit et dit : « On a parfois besoin d'encouragements. »

Kristeva sourit et lui répond : « Viens, on va lire du Joseph de Maistre. »

55

Quai des Orfèvres, Bayard tape son rapport à la machine pendant que Simon lit un livre de Chomsky sur la grammaire générative auquel, il doit bien l'avouer, il ne comprend pas grand-chose.

Chaque fois qu'il arrive en fin de ligne, Bayard actionne de sa main droite la manette pour faire revenir le rouleau pendant que, dans un mouvement de la main gauche, il attrape sa tasse de café, boit une gorgée, tire une bouffée de cigarette et repose sa cigarette sur le bord d'un cendrier jaune au logo Pastis 51. Crac tac tac tac, tac tac tac, crac tac tac tac, et ainsi de suite.

Mais soudain le tac-tac s'interrompt. Bayard se redresse sur sa chaise rembourrée en skaï, se tourne vers Simon et demande :

« Au fait, ça vient d'où, comme nom, Kristeva ? »

56

Serge Moati est en train de s'empiffrer de tranches de Savane quand Mitterrand arrive. Fabius le reçoit en chaussons dans son hôtel particulier du Panthéon. Lang, Badinter, Attali, Debray, attendent sagement en buvant un café. Mitterrand jette son écharpe à Fabius en grondant : « Votre copain Mauroy, là, je vais le laminer ! » Sa méchante humeur ne fait aucun doute et les jeunes conjurés comprennent que la séance de travail va être pénible. Mitterrand montre les crocs : « Rocard ! Rocard ! » Personne ne moufte. « Ils ont raté Metz et du coup ils voudraient me présenter à toute force à la présidentielle pour se débarrasser de moi ! » Ses jeunes lieutenants soupirent. Moati mâche son Savane au ralenti. Le jeune conjuré à tête d'oiseau se risque : « Président… » mais Mitterrand se retourne vers lui, glacial, terrible, en lui appuyant le doigt sur la poitrine et en avançant : « Votre gueule, Attali… » Et Attali recule jusqu'au mur pendant que le candidat putatif continue : « Ils veulent tous que j'échoue mais je peux facilement déjouer leur tactique : il suffit de ne pas me présenter, haha ! Laisser cet idiot de Rocard aller se faire fesser par cet imbécile de Giscard. Rocard, Giscard… ce sera la guerre des connards ! Grandiose ! Sublime ! La deuxième gauche, foutaises, Debray ! Foutaises à la française ! Robert, prenez un stylo, je vais vous dicter un communiqué ! J'abdique ! Je passe mon tour. Haha ! Le bon tour !… » Il gronde : « Échouer ! Qu'est-ce que ça veut dire ? Échouer ? »

Personne n'ose répondre, même pas Fabius, qui sait occasionnellement tenir tête au patron, mais qui ne poussera pas l'audace jusqu'à s'engager sur un sujet aussi glissant. Et d'ailleurs, la question était purement rhétorique.

Mitterrand doit enregistrer sa profession de foi. Il a préparé son petit laïus, c'est plat, c'est convenu, c'est nul. Il parle d'immobilisme et d'eau qui dort. Pas de passion, pas de message, pas de souffle, seulement des formules ampoulées et creuses. Transpire à l'image la colère froide de l'éternel perdant. L'enregistrement s'achève dans un silence lugubre. Fabius agite nerveusement ses orteils dans ses chaussons. Moati mâche son Savane comme si c'était du ciment. Debray et Badinter échangent un regard inexpressif. Attali regarde par la fenêtre une pervenche verbaliser la R5 de Moati. Même Jack Lang semble perplexe.

Mitterrand serre les dents. Il porte le masque qu'il a porté toute sa vie, muré dans cette morgue à laquelle il recourt toujours pour dissimuler la colère qui lui dévore les entrailles. Il se lève, va chercher son écharpe et part sans dire au revoir à personne.

Le silence se prolonge encore de longues minutes.

Moati, blême : « Bon bref, Séguéla est notre seul espoir. »

Lang, derrière lui, marmonne : « Non, il en reste un autre. »

57

« Je ne comprends pas comment il aurait pu le rater, la première fois. Il savait qu'il cherchait un document relatif à ce linguiste russe, Jakobson. Il voit un bouquin de Jakobson sur le bureau et il ne jette pas un œil ? »

Oui, en effet, ça semble *invraisemblable*.

« Et comme par hasard, il est là juste quand on débarque chez Barthes, alors qu'il avait des semaines pour revenir à l'appartement, puisqu'il avait la clé. »

Simon écoute Bayard pendant que le Boeing 747 arrache sa carcasse de long-courrier à la piste de décollage. Giscard, ce gros bourgeois fasciste, a finalement accepté de leur payer le voyage, mais pas au point de leur payer le Concorde.

La piste bulgare mène à Kristeva.

Or, Kristeva est partie aux États-Unis.

Donc, à nous les hot-dogs et les chaînes câblées.

Évidemment, il y a un gosse qui pleure dans la rangée.

Une hôtesse vient demander à Bayard d'éteindre sa cigarette car il est interdit de fumer au décollage et à l'atterrissage.

Simon a pris *Lector in fabula* d'Umberto Eco pour lire pendant le trajet. Bayard lui demande s'il apprend des trucs intéressants dans son bouquin, et par intéressants, il veut dire utiles à l'enquête mais peut-être pas seulement, en fait. Simon pose les yeux sur sa page et lit : « Moi je vis (je veux dire : moi qui écris, j'ai l'intention d'être vivant dans le seul monde que je connais), mais au moment où je fais une théorie des mondes possibles narratifs, je décide (à partir du monde dont j'ai directement l'expérience physique) de réduire ce monde à une expérience sémiotique pour le comparer à des mondes narratifs. »

Simon a une bouffée de chaleur pendant que l'hôtesse agite les bras pour mimer les consignes de sécurité. (Le gosse cesse de pleurer, il est fasciné par cette chorégraphie d'agent de la circulation.)

Officiellement, Kristeva s'est rendue à l'université Cornell, Ithaca, État de New York, pour un colloque dont Bayard n'a pas cherché à comprendre l'intitulé ni même le thème. Tout ce qu'il a besoin de savoir, c'est que ce John Searle, le philosophe américain dont Eco leur a parlé, fait lui aussi partie des invités. Il ne s'agit pas d'exfiltrer la Bulgare à la Eichmann. Si Giscard voulait arrêter l'assassin de Barthes, puisque tout porte à croire qu'elle est dans le coup, il l'aurait empêchée de s'envoler. Il s'agit de comprendre ce qui se trame. Et d'ailleurs, n'est-ce pas toujours ainsi ?

Pour le Petit Chaperon rouge, le monde réel est celui où les loups parlent.

Et récupérer ce foutu document.

Bayard essaie de comprendre : est-ce que la septième fonction est un mode d'emploi ? Un sortilège ? Un manuel de l'usager ? Une chimère hystérisant les petits milieux politiques et intellectuels qui voient en elle le jackpot suprême pour celui qui mettra la main dessus ?

Sur le siège à côté de lui, séparé par l'allée, le petit gosse sort un cube à facettes multicolores qu'il se met à manipuler dans tous les sens.

Au fond, se demande Simon, quelle est la différence fondamentale entre lui-même et le Petit Chaperon rouge ou Sherlock Holmes ?

Il entend Bayard s'interroger à haute voix, ou peut-être est-ce à lui qu'il adresse la parole : « Admettons que la septième fonction du langage soit bien cette fonction performative. Elle permet à celui qui la maîtrise de convaincre n'importe qui en n'importe quelle circonstance, d'accord. Apparemment, le document tient sur une feuille, mettons recto verso, écrit petit. Comment le mode d'emploi d'un truc aussi puissant pourrait-il tenir en si peu de place ? N'importe quel manuel technique, pour un lave-vaisselle ou une télé ou pour ma 504 fait plusieurs pages. »

Simon grince des dents. Oui, c'est difficile à concevoir. Non, il n'a pas d'explication. S'il avait ne serait-ce que la plus minime intuition de ce qui est contenu dans ce document, il se serait déjà fait élire président et il aurait couché avec toutes les femmes.

Pendant qu'il parle, Bayard garde l'œil fixé sur le jouet du gosse. D'après ce qu'il peut observer, le cube est subdivisé en cubes plus petits qu'il faut assembler par couleurs en effectuant des opérations de rotation verticales et horizontales. Le gosse s'y essaie avec une application frénétique.

Dans *Lector in fabula*, Eco traite du statut des personnages fictifs qu'il nomme les « surnuméraires » parce qu'ils viennent s'ajouter aux gens du monde réel. Ronald Reagan ou Napoléon font partie du monde réel, mais pas Sherlock Holmes. Mais alors quel sens donner à une assertion telle que « Sherlock Holmes n'est pas marié » ou « Hamlet est fou » ? Peut-on traiter un surnuméraire comme une personne réelle ?

Eco cite Volli, un sémiologue italien qui a dit : « Moi, j'existe, Emma Bovary, non. » Simon se sent de plus en plus angoissé.

Bayard se lève pour aller aux toilettes, non qu'il ait vraiment envie de pisser, mais il voit bien que Simon est plongé dans son livre, alors autant se dégourdir les jambes, surtout qu'il a déjà éclusé toutes ses mignonnettes.

En remontant vers l'arrière de l'appareil, il tombe sur Foucault, en grande conversation avec un jeune Arabe qui a des écouteurs autour du cou.

Il a vu le programme du colloque et cela ne devrait pas le surprendre puisqu'il savait que Foucault était invité, mais il ne peut réprimer un mouvement de surprise. Foucault lui sourit de son sourire carnassier.

« Vous ne connaissez pas Slimane, commissaire ? C'était un bon ami d'Hamed. Naturellement, vous n'avez pas élucidé les circonstances de sa mort ? Un pédé de plus ou de moins, n'est-ce pas. Ou bien est-ce un Arabe ? Est-ce que ça compte double ? »

Quand Bayard revient à sa place, il trouve Simon endormi, la tête penchée, dans l'inconfort caractéristique des gens qui essaient de dormir assis. C'est une autre phrase d'Eco, citant sa belle-mère, qui l'a achevé : « Que se serait-il passé si mon gendre n'avait pas épousé ma fille ? »

Simon rêve. Bayard est songeur. Foucault emmène Slimane au bar, à l'étage, pour lui parler de sa conférence sur les rêves sexuels dans l'Antiquité grecque.

Ils commandent deux whiskies à l'hôtesse, qui sourit presque autant que le philosophe.

Selon Artémidore, nos rêves sexuels sont comme des prophéties. Il faut établir des correspondances entre les rapports sexuels vécus en rêve et les rapports sociaux dans la réalité. Par exemple, rêver qu'on couche avec un esclave, c'est bon signe : dans la mesure où l'esclave est notre propriété, ça veut dire que notre patrimoine va s'agrandir. Avec une femme mariée, mauvais signe : on ne doit pas toucher à la propriété d'autrui. Avec sa mère, il faut voir. D'après Foucault, on a beaucoup exagéré l'importance que les Grecs attribuaient à Œdipe. Dans tous les cas, le point de vue est celui du mâle libre actif. Pénétrer (homme, femme, esclave, membre de la famille), c'est bien. Se faire pénétrer, c'est mal. Le pire, le plus contre nature, ce sont les lesbiennes pratiquant la pénétration (juste après les relations sexuelles avec les dieux, les animaux, et les cadavres).

« Chacun ses critères, tous normatifs ! » Foucault rit, commande deux autres whiskies et entraîne Slimane aux toilettes qui se laisse faire de bonne grâce (mais il refuse de retirer son Walkman).

Nous n'avons aucun moyen de savoir à quoi rêve Simon car nous ne sommes pas dans sa tête, n'est-ce pas ?

Bayard a vu Foucault et Slimane monter les escaliers pour aller au bar situé au niveau supérieur de l'appareil. Mû par une impulsion peu raisonnée, il retourne examiner leurs sièges vides. Il y a des livres dans le vide-poche de Foucault et des magazines sur le siège de Slimane. Bayard ouvre le coffre à bagages au-dessus des sièges et s'empare des sacs qu'il suppose être aux deux hommes. Il s'assoit à la place de Foucault pour fouiller la sacoche du philosophe et le sac à dos du gigolo. Des papiers, des livres, un T-shirt de rechange, des cassettes. Pas trace du document a priori, mais Bayard se dit qu'il n'y aura peut-être pas écrit en gros « Septième fonction du langage » dessus, alors il prend les deux sacs et retourne à sa place pour réveiller Simon.

Le temps que Simon émerge, comprenne la situation, s'étonne de la présence de Foucault à bord, s'indigne de ce que Bayard lui demande, accepte malgré tout de fouiller dans des affaires qui ne sont pas à lui, il se passe une bonne vingtaine de minutes, si bien que lorsque Simon est en mesure de certifier à Bayard qu'il n'y a pas, dans les effets de Foucault ni dans ceux de Slimane, quoi que ce soit qui ressemblerait de près ou de loin à la septième fonction du langage, les deux hommes voient réapparaître Foucault qui redescend les escaliers.

Il va retourner à sa place et se rendre compte, à un moment ou à un autre, que ses affaires ont disparu.

Sans avoir besoin de se concerter, les deux hommes réagissent en équipe aguerrie. Simon enjambe Bayard et sort dans l'allée où Foucault arrive à sa rencontre, tandis que Bayard s'engage dans l'allée parallèle, de l'autre côté, pour rejoindre la queue de l'appareil et la rangée de Foucault en faisant le tour.

Simon se tient debout devant Foucault qui, arrivé à sa hauteur, s'attend à ce qu'il le laisse passer, mais Simon ne s'écarte pas, alors Foucault lève les yeux et, derrière ses lunettes de myope, reconnaît le jeune homme.

« Tiens ? Alcibiade !

— Monsieur Foucault, quelle surprise !... C'est un honneur, j'adore ce que vous faites... Sur quoi travaillez-vous en ce moment ?... Toujours le sexe ? »

Foucault plisse les yeux.

Bayard remonte l'autre allée mais il tombe sur une hôtesse qui bouche le passage avec son petit chariot à boissons. Elle sert tranquillement des thés et des verres de rouge aux passagers en essayant de leur refourguer du *duty free* pendant que Bayard trépigne derrière elle.

Simon n'écoute pas la réponse de Foucault car il se concentre sur sa question suivante. Derrière Foucault, Slimane s'impatiente. « On avance ? » Simon saisit la balle au bond : « Ah mais vous êtes accompagné ? Enchanté, enchanté ! Vous aussi, il vous appelle Alcibiade, haha, hum. Vous êtes déjà allé aux États-Unis ? »

Bayard pourrait à la rigueur bousculer l'hôtesse mais il ne peut pas enjamber le chariot et il y a encore trois rangées à remonter.

Simon demande : « Vous avez vu Peyrefitte ? Quelle ordure, hein. Vous nous manquez à Vincennes, vous savez ? »

Foucault, gentiment mais fermement, prend Simon par les épaules, effectue une sorte de pas de tango et pivote avec lui, si bien que Simon se retrouve entre Foucault et Slimane, ce qui, concrètement, signifie que Foucault est passé et que rien ne le sépare plus de sa place que quelques mètres.

Bayard parvient enfin à la hauteur des toilettes, au fond de l'appareil, où un passage lui permet de rejoindre l'allée opposée. Il gagne le siège de Foucault mais celui-ci vient à sa rencontre et il va le voir en train de remettre les sacs à leur place.

Simon qui, lui, n'a pas besoin de lunettes et qui sait quelle est la situation, a vu Bayard avant Foucault, alors il crie : « Herculine Barbin ! »

Les passagers sursautent. Foucault se retourne. Bayard ouvre le coffre, fourre les deux sacs, referme le coffre. Foucault fixe Simon. Simon sourit stupidement et ajoute : « Nous sommes tous des Herculine Barbin, n'est-ce pas, monsieur Foucault ? »

Bayard contourne Foucault en s'excusant, comme s'il revenait des toilettes. Foucault regarde passer Bayard, hausse les épaules et tout le monde retourne enfin à sa place.

« C'est qui, Herculine Machin ?

— Un hermaphrodite du XIXe siècle qui a eu bien des malheurs. Foucault a édité ses mémoires. Il en a un peu fait une affaire personnelle, pour dénoncer l'assignation normative du biopouvoir qui nous oblige à choisir notre sexe et notre sexualité en ne reconnaissant que deux choix possibles, homme ou femme, dans les deux cas hétérosexuels, contrairement aux Grecs, par exemple, qui étaient beaucoup plus détendus sur la question, même s'ils avaient leurs normes à eux qui étaient...

— Hm hm, OK !

— C'est qui, le jeune qui accompagne Foucault ? »

Le reste du voyage se déroule sans encombre. Bayard s'allume une cigarette. L'hôtesse vient lui rappeler qu'il est interdit de fumer pendant l'atterrissage, alors le commissaire se rabat sur des mignonnettes de secours.

Nous savons que le jeune qui accompagne Foucault s'appelle Slimane, nous ne connaissons pas son nom de famille, mais au moment de pénétrer sur le sol américain, Simon et Bayard l'aperçoivent en grande discussion avec plusieurs policiers préposés au contrôle des passeports car son visa n'est pas en règle, ou plutôt il n'a pas de visa du tout, Bayard se demande comment on a pu le laisser embarquer à Roissy. Foucault essaie d'intercéder en sa faveur mais rien n'y fait, le policier américain n'a pas l'habitude de plaisanter avec les étrangers et Slimane dit à Foucault de ne pas l'attendre et de ne pas s'inquiéter, il saura bien se débrouiller. Puis Simon et Bayard les perdent de vue et s'engouffrent dans un train de banlieue.

Ils n'arrivent pas par bateau comme Céline dans *Voyage au bout de la nuit*, mais sortent de sous la terre à la station du Madison Square Garden et l'irruption au cœur de Manhattan n'est pas un choc moins grand : les deux hommes, ahuris, lèvent les yeux et contemplent la ligne de fuite des gratte-ciel et la traînée de lumière sur la 8e Avenue, traversés à la fois par un sentiment d'irréalité et un sentiment non moins puissant de familiarité. Simon, vieux lecteur de *Strange*, s'attend à voir

Spider-Man surgir au-dessus des taxis jaunes et des feux rouges. (Mais Spider-Man est un « surnuméraire », c'est impossible.) Un autochtone à l'air affairé s'arrête spontanément pour leur proposer son aide et cela achève de désorienter les deux Parisiens, peu habitués à une telle sollicitude. Dans la nuit new-yorkaise, ils remontent la 8e jusqu'au terminal de Port Authority, en face du gigantesque immeuble qui abrite le *New York Times*, comme l'indiquent sans équivoque les lettres gothiques géantes sur la façade. Puis ils montent dans un bus pour Ithaca. Adieu la féerie des gratte-ciel.

Comme le trajet dure cinq heures et que tout le monde est fatigué, Bayard sort de son sac un petit cube à facettes multicolores et commence à jouer avec. Simon n'en revient pas : « T'as piqué le Rubik's Cube du gosse ? » Bayard termine sa première rangée tandis que le bus s'extrait du Lincoln Tunnel.

58

« Shift into overdrive in the linguistic turn »
Cornell University, Ithaca, fall 1980
(Conference organizer: Jonathan D. Culler)

List of talks:

Noam Chomsky
Degenerative grammar

Hélène Cixous
Les larmes de l'hibiscus

Jacques Derrida
A Sec Solo

Michel Foucault
Jeux de polysémie dans l'onirocritique d'Artémidore

Félix Guattari
Le régime signifiant despotique

Luce Irigaray
Phallogocentrisme et métaphysique de la substance

Roman Jakobson
Stayin' Alive, structurally speaking

Frederic Jameson
The Political Unconscious: Narrative as a socially symbolic act

Julia Kristeva
Le langage, cette inconnue

Sylvère Lotringer
Italy: Autonomia – Post-political politics

Jean-François Lyotard
PoMo de bouche: la parole post-moderne

Paul de Man
Cerisy sur le gâteau: la déconstruction en France

Jeffrey Mehlman
Blanchot, the laundry man

Avital Ronell
"Because a man speaks, he thinks he's able to speak about language." – Goethe & the metaspeakers

Richard Rorty
Wittgenstein vs Heidegger: Clash of the continents?

Edward Saïd
Exile on Main Street

John Searle
Fake or feint: performing the F words in fictional works

Gayatri Spivak
Should the subaltern shut up sometimes?

Morris J. Zapp
Fishing for supplement in a deconstructive world

59

« *Deleuze's not coming, right ?*
— *No, but Anti-Oedipus is playing tonight, I am so excited !*

— *Have you listened to their new single ?*

— *Yeah, it's awesome. So L.A. !* »

Kristeva est assise dans l'herbe entre deux garçons. Elle dit en leur caressant les cheveux : « *I love America. You are so ingenuous, boys.* »

L'un des deux essaie de l'embrasser dans le cou. Elle le repousse en riant. L'autre lui souffle à l'oreille : « *You mean "genuine", right ?* » Kristeva émet un petit gloussement. Elle sent comme un frisson électrique traverser son corps d'écureuil. En face d'eux, un autre étudiant finit de rouler et allume un joint. La bonne odeur d'herbe se répand dans l'air. Kristeva tire quelques bouffées, la tête lui tourne un peu, elle pontifie sobrement : « Comme disait Spinoza, chaque négation est une définition. » Les trois jeunes post-hippies pré-new wave s'extasient, hilares : « *Wow, say it again ! What did Spinoza say ?* »

Sur le campus, des étudiants plus ou moins affairés vont et viennent, traversant la grande pelouse entre des bâtiments gothiques, victoriens et néoclassiques. Une sorte de campanile domine le site, lui-même perché sur une colline qui surplombe un lac et des gorges. Nous sommes peut-être au milieu de nulle part, mais, au moins, c'est au milieu. Kristeva mord dans un club sandwich car la baguette, qu'elle aime tant, n'est pas encore parvenue dans le comté reculé d'Onondaga, chef-lieu : Syracuse, au fin fond de l'État de New York, à mi-chemin entre New York City et Toronto, ancien territoire de la tribu des Cayugas qui se rattachait à la confédération iroquoise, où se trouve la petite ville d'Ithaca qui abrite la prestigieuse université Cornell. Elle fronce les sourcils et dit : « À moins que ce ne soit le contraire. »

Ils sont rejoints par un quatrième jeune qui sort du département d'hôtellerie avec un paquet en alu dans une main et *Of Grammatology* dans l'autre (mais il n'ose pas demander à Kristeva si elle connaît Derrida). Il a ramené des muffins tout juste sortis du four qu'il a faits lui-même. Kristeva participe de bonne grâce à ce *picnic* improvisé en se soûlant un peu à la tequila. (Comme de juste, la bouteille est dissimulée dans un sac en papier.)

Elle regarde passer les étudiants avec des livres sous le bras ou des crosses de hockey ou des étuis à guitare.

Un vieillard au front fuyant, aux cheveux drus coiffés en arrière, comme s'il avait un buisson épais sur la tête, marmonne tout seul sous un arbre. D'ailleurs, ses mains, qu'il agite devant lui, ressemblent à des branches.

Une jeune femme aux cheveux courts, qui ressemble un peu à un mélange de Cruella dans *Les 101 Dalmatiens* et de Vanessa Redgrave, semble être l'unique membre d'une manifestation invisible. Elle crie des slogans que Kristeva ne comprend pas. Elle a l'air très en colère.

Un groupe de jeunes joue avec un ballon de football américain. L'un d'eux déclame du Shakespeare pendant que les autres boivent du vin rouge au goulot. (Pas de sac en papier, des rebelles.) Ils s'envoient la balle en prenant soin de bien vriller leurs lancers. Celui qui a la bouteille ne parvient pas à la rattraper d'une seule main (qui tient sa cigarette) alors il se fait charrier par les autres. Ils ont déjà l'air assez ivres.

Le regard de Kristeva croise celui de l'homme-arbuste au front fuyant et chacun soutient le regard de l'autre, un bref instant, un tout petit peu trop longtemps pour que cela soit insignifiant.

La jeune femme énervée vient se poster devant Kristeva et dit : « *I know who you are. Go home, bitch.* » Les amis de Kristeva se regardent, stupéfaits, éclatent de rire, puis répondent sur un ton très excité : « *Are you stoned ? Who the fuck do you think you are ?* » La femme s'éloigne et Kristeva la regarde reprendre sa manifestation solitaire. Elle est à peu près certaine qu'elle ne l'a jamais vue de sa vie.

Un autre groupe de jeunes se porte à la rencontre des joueurs de foot, et aussitôt l'atmosphère change ; Kristeva, d'où elle est, voit que les deux groupes se manifestent immédiatement une franche hostilité.

Une cloche d'église sonne.

Le nouveau groupe interpelle bruyamment le premier. À ce que Kristeva entend, ils les traitent de suceurs de Français. Kristeva ne comprend pas tout de suite s'il s'agit d'une apposition prépositionnelle (des suceurs qui ont la caractéristique, en plus, d'être français) ou d'un complément du nom (ils pratiquent la fellation sur des Français) mais vu que le groupe visé semble anglo-saxon (car elle a cru relever qu'ils maîtrisaient certaines règles du foot américain), elle pense que l'hypothèse la plus probable est la seconde. (À noter que l'ambiguïté fonctionne aussi en anglais : le *French* de « *French suckers* » peut être un adjectif en position d'épithète antéposée aussi bien qu'un substantif génitif absolu.)

Quoi qu'il en soit, le premier groupe riposte par des insultes du même ordre (« *you analytic pricks !* ») et la situation aurait sans doute dégénéré si un homme d'une soixantaine d'années n'était pas intervenu pour les séparer en criant (en français, étonnamment) :

« Calmez-vous, pauvres fous ! » L'un des jeunes soupirants de Kristeva lui glisse alors, comme pour l'impressionner par sa compréhension de la situation : « *This is Paul de Man. He's French,* n'est-ce pas ? » Kristeva précise : « Non, belge. »

L'homme-arbuste marmonne sous son arbre : « *The sound shape of language…* »

La jeune femme qui manifeste toute seule s'époumone, comme si elle supportait l'une des deux équipes : « *We don't need Derrida, we have Jimi Hendrix !* »

Distrait par le slogan quelque peu déconcertant de Cruella Redgrave, Paul de Man n'a pas entendu venir dans son dos la voix qui lui dit : « *Turn round, man. And face your enemy.* » Un homme en costume de tweed est apparu derrière lui, flottant dans une veste trop large, les bras trop longs, la raie sur le côté avec une mèche sur le front, une tête à jouer un second rôle dans un film de Sydney Pollack, mais de petits yeux perçants qui vous scrutent jusqu'aux os.

Celui-là, c'est John Searle.

L'homme-arbuste au front fuyant observe Kristeva qui observe la scène. Attentive, concentrée, la jeune femme laisse une cigarette se consumer au bout de son doigt. Les yeux de l'homme-arbuste vont de Searle à Kristeva, et de Kristeva à Searle.

Paul de Man tente d'arborer un air à la fois ironique et conciliant et il n'est qu'à moitié convaincant dans ce rôle de mec à l'aise, mais il dit : « *Peace, my friend ! Put your sword down and help me separate those kids.* » Ce qui, on ne sait pas pourquoi, achève d'énerver Searle qui s'avance vers Paul de Man et tout le monde a l'impression qu'il va le frapper. Kristeva serre le bras du jeune homme qui en profite pour lui prendre la main. Paul de Man reste immobile, médusé, fasciné par le corps menaçant qui vient à sa rencontre et par l'idée de l'impact mais, alors qu'il esquisse un geste pour se protéger ou – qui sait ? – se défendre, une troisième voix retentit, dont l'intonation faussement joviale dissimule mal une inquiétude légèrement hystérique : « *Dear Paul ! Dear John ! Welcome to Cornell ! I'm so glad you could come !* »

C'est Jonathan Culler, le jeune chercheur qui a organisé le colloque. Il s'empresse de tendre la main à Searle et Searle la lui donne de mauvaise grâce, sa main est molle et son regard mauvais, braqué sur Paul de Man à qui il dit, en français : « Prends tes *Derrida boys* et dégage. Maintenant. » Paul de Man emmène le petit groupe avec lui, l'incident est terminé, le jeune homme embrasse Kristeva comme s'ils avaient échappé à un grand péril ou au moins comme s'ils avaient vécu un moment d'une grande intensité et Kristeva n'est peut-être pas loin de penser la même chose – en tout cas elle se laisse faire.

Le vrombissement d'un moteur rugit dans le soir qui tombe. Une Lotus Esprit s'arrête en faisant crisser ses pneus. Un fringant quadragénaire en sort, cigare à la bouche, bob sur la tête, pochette en soie, et il se dirige tout droit vers Kristeva. « *Hey, chica !* » Il lui baise la main. Elle se tourne vers les jeunes en le désignant du doigt : « Les enfants, je vous présente Morris Zapp, grand spécialiste du structuralisme, du post-structuralisme, de la Nouvelle Critique, et de bien d'autres choses encore. »

Morris Zapp sourit et ajoute, en prenant un air suffisamment distancié pour qu'on ne lui reproche pas tout de suite sa vanité (mais en français tout de même) : « Le premier prof au salaire à six chiffres ! »

Les jeunes font « *wow* » en tirant sur leur joint.

Kristeva rit de son rire clair et demande : « Tu nous as préparé ta conférence sur les Volvo ? »

Morris Zapp affecte un ton navré : « *You know... I think the world is not ready.* » Il jette un œil à Searle et Culler qui sont restés discuter sur la pelouse, il n'entend pas Searle expliquer à Culler que tous les intervenants sont des nuls à part lui et Chomsky, mais il renonce néanmoins à aller les saluer et dit à Kristeva : « *Anyway, I'll see you later, I have to check in at the Hilton.*

— Tu ne dors pas sur le campus ?

— Mon Dieu, non, quelle horreur ! »

Kristeva rit. La *Telluride House* de Cornell qui accueille les intervenants extérieurs est pourtant d'un standing impeccable. Morris Zapp, pour certains, est l'homme qui aura élevé le carriérisme universitaire au rang des beaux-arts. Tandis qu'il remonte dans sa Lotus, fait mugir le moteur, manque d'emboutir le bus en provenance de New York et dévale la colline en roulant à tombeau ouvert, elle se dit qu'ils n'ont pas tort.

Puis elle aperçoit Simon Herzog et le commissaire Bayard qui descendent du bus, et elle grimace à son tour.

Elle ne prête plus attention à l'homme-arbuste qui l'observe toujours sous son arbre, mais lui ne voit pas non plus qu'il est lui-même observé par un jeune homme efflanqué de type nord-africain. Le vieil homme au front fuyant porte un costume à fines rayures en tissu épais, qu'on dirait sorti d'un roman de Kafka, et une cravate de laine. Il marmonne quelque chose sous son arbre, que personne ne peut entendre, mais même si on pouvait, peu de gens ici le comprendraient, car c'est en russe. Le jeune Arabe remet son Walkman sur ses oreilles. Kristeva s'allonge sur l'herbe en contemplant les étoiles. En cinq heures de voyage, Bayard n'a réussi qu'à faire une face du Rubik's Cube. Simon découvre, émerveillé, la beauté du campus, et ne peut pas s'empêcher de penser à Vincennes qui, en comparaison, ressemble à une poubelle géante.

60

« Au début, il y avait la philo et la science qui marchaient main dans la main, jusqu'au XVIIIe siècle, pour, en gros, combattre l'obscurantisme de l'Église, et puis, progressivement, à partir du XIXe siècle, avec le Romantisme et tout ça, on a commencé à revenir sur l'esprit des Lumières et les philosophes ont commencé à dire, en Allemagne et en France (mais pas en Angleterre) : la science ne peut pas percer le secret de la vie. La science ne peut pas percer le secret de l'âme humaine. C'est à la philosophie, seule, de s'en charger. Et du coup, la philosophie continentale s'est découverte non seulement hostile à la science, mais aussi à ses principes : clarté, rigueur intellectuelle, culture de la preuve. Elle est devenue de plus en plus ésotérique, de plus en plus *freestyle*, de plus en plus spiritualiste (sauf la philosophie marxiste), de plus en plus vitaliste (avec Bergson, par exemple).

Et ça a culminé avec Heidegger : philosophe réactionnaire, au sens plein du terme, il décide que ça fait des siècles que la philosophie se fourvoie et qu'il faut revenir à la question primordiale qui est la question de l'Être, alors il écrit *Être et Temps* où il dit qu'il va chercher l'Être. Sauf qu'il l'a jamais trouvé, haha, mais bon. En tout cas, c'est lui qui a vraiment inspiré cette mode des philosophes au style fumeux, bourrés de néologismes compliqués, de raisonnements alambiqués, d'analogies bancales et de métaphores hasardeuses, dont Derrida est aujourd'hui l'héritier.

Alors que les Anglais et les Américains sont restés fidèles à une idée plus scientifique de la philo. Ça, c'est ce qu'on appelle la philosophie analytique, dont Searle se réclame. »

(Étudiant anonyme, propos recueillis sur le campus.)

61

Il faut être honnête, on mange très bien aux États-Unis, et notamment à la cantine de Cornell réservée aux professeurs, qui, en matière de qualité culinaire, tient plutôt du restaurant, même si c'est un self.

Ce midi, on y retrouve la plupart des intervenants disséminés dans le réfectoire selon une géopolitique que Bayard et Simon ne maîtrisent pas encore. La salle se compose de tables pouvant accueillir six à huit personnes dont aucune n'est complètement occupée mais, Simon et Bayard le sentent dans l'air, il y a clairement des camps.

« J'aimerais bien qu'on me fasse un topo sur les forces en présence », dit Bayard à Simon en choisissant comme plat chaud une double entrecôte avec de la purée, des bananes plantain et du boudin blanc. Le cuisinier noir, qui l'a entendu, lui répond en français : « Vous voyez la table près de la porte ? C'est le coin des analytiques. Ils sont en territoire hostile et inférieurs en nombre, alors ils restent groupés. » Il y a Searle, Chomsky et Cruella Redgrave, qui s'appelle en réalité Camille Paglia, une spécialiste de l'histoire de la sexualité, ce qui en fait une concurrente directe de Foucault qu'elle vomit de tout son être. « De l'autre côté, près de la fenêtre vous avez une *belle brochette*, comme vous dites en France : Lyotard, Guattari, Cixous, et Foucault au milieu, *you know him*, *of course*, le grand chauve qui parle fort, *right* ? Kristeva est là-bas, avec Morris Zapp et Sylvère Lotringer, le *boss* de la revue *Semiotext(e)*. Dans le coin, tout seul, le vieil homme avec sa cravate en laine et ses cheveux *weird*, je ne sais pas qui c'est. (Drôle d'allure, se dit Bayard.) La jeune *lady* avec les cheveux violets, derrière lui, non plus. » Son aide-cuisinier portoricain jette un coup d'œil et commente sur un ton neutre : « Sûrement des heideggériens. »

Par réflexe professionnel plus que par intérêt véritable, Bayard veut demander jusqu'à quel point les rivalités sont exacerbées entre les professeurs. En guise de réponse, le cuisinier noir montre du doigt la table de Chomsky, devant laquelle passe un jeune homme à tête de souris. Searle le hèle :

« *Hey, Jeffrey, you must translate for me the last piece of trash of the asshole.*

— *Hey, John, I'm not your bitch. You do it yourself, OK ?*

— *Very well, you scumbag, my French is good enough for this shit.* »

Le cuisinier noir et son assistant portoricain éclatent de rire en se tapant dans la main. Bayard n'a pas compris le dialogue mais il a compris l'idée. Derrière lui, on s'impatiente : « Vous pouvez avancer, s'il vous plaît ? » Simon et Bayard reconnaissent le jeune Arabe qui accompagnait Foucault. Il a un plateau avec du poulet au curry, des pommes de terre violettes, des œufs durs et de la purée de céleri, mais il n'a pas d'accréditation alors il se fait refouler à la caisse. Foucault l'aperçoit et il veut intercéder en sa faveur mais Slimane lui fait signe que ça va et, de fait, après de brèves négociations, il passe avec son plateau.

Bayard va s'asseoir avec Simon à la table du vieil homme tout seul.

Puis il voit arriver Derrida, qu'il reconnaît sans l'avoir jamais vu : la tête rentrée dans les épaules, mâchoire carrée, lèvres fines, nez d'aigle, costume en velours côtelé, chemise ouverte, cheveux argentés dressés sur sa tête comme des flammes. Il s'est servi du couscous avec du vin rouge. Il est accompagné par Paul de Man. La table de Searle a cessé de parler, et Foucault aussi. Cixous lui fait signe mais lui ne l'a pas vue, ses yeux ont immédiatement cherché et trouvé Searle dans la salle. Une seconde suspendue en l'air, son plateau-repas à la main, puis il va rejoindre ses amis. Cixous l'embrasse, Guattari lui tape dans le dos, Foucault lui serre la main en lui faisant toujours un peu la gueule (conséquence d'un vieil article de Derrida, « Cogito et Histoire de la folie », dans lequel, en gros, il a suggéré que Foucault n'avait rien compris à Descartes). La jeune femme aux cheveux violets vient également le saluer : elle s'appelle Avital Ronell, c'est une spécialiste de Goethe et une grande admiratrice de la déconstruction.

Bayard observe le jeu des corps et l'expression des visages. Il mange son boudin en silence pendant que Simon lui commente le programme qu'il a sous les yeux : « T'as vu ? Il y a une conférence sur Jakobson. On y va ? »

Bayard allume une cigarette. Il a presque envie de dire oui.

62

« Les philosophes analytiques, c'est des vrais tâcherons. C'est Guillermo Vilas, tu vois ? Ils sont trop chiants, ils définissent tous les termes pendant des heures ; pour chaque raisonnement, ils n'oublient jamais de poser la prémisse, et puis la prémisse de la prémisse, et ainsi de suite. C'est des putains de logiciens. À l'arrivée, ils mettent vingt pages pour t'expliquer des trucs qui tiennent en dix lignes. Bizarrement, c'est une critique qu'ils font souvent aux Continentaux, tout en leur reprochant surtout de faire dans la fantaisie débridée, de pas être rigoureux, de pas définir les termes, de faire de la littérature mais pas de la philosophie, de manquer d'esprit mathématique, d'être des poètes, quoi, des mecs pas sérieux proches du délire mystique (bien qu'ils soient tous athées, hein). Mais bon, en gros, les Continentaux, c'est plus du McEnroe. Avec eux, au moins, on s'emmerde pas. »

(Étudiant anonyme, propos recueillis sur le campus.)

63

Normalement, Simon est supposé avoir un niveau correct en anglais, mais bizarrement, ce qui est considéré comme normal en France, en matière de maîtrise d'une langue étrangère, se révèle toujours en situation largement insuffisant.

Ainsi Simon ne comprend-il qu'une phrase sur trois à la conférence de Morris Zapp. À sa décharge, il faut dire que le sujet, sur la déconstruction, ne lui est pas très familier, et engage des concepts difficiles ou à tout le moins obscurs. Mais enfin, justement, il espérait y trouver des éléments d'éclaircissement.

Bayard n'est pas venu et Simon s'en réjouit : il aurait été insupportable.

Ceci dit, puisque le propos lui échappe largement, il cherche le sens ailleurs : dans les inflexions ironiques de Morris Zapp, dans les rires entendus du public (chacun souhaitant sceller son appartenance de droit à l'ici-et-maintenant de cet amphithéâtre – « encore un amphithéâtre », se dit Simon, victime d'un mauvais réflexe structuralo-paranoïaque consistant à rechercher des *motifs* récurrents), dans les questions de l'auditoire dont la teneur n'est jamais le véritable enjeu mais qui sont plutôt des tentatives, sinon de *challenger* le maître, du moins de se positionner par rapport aux autres auditeurs comme un interlocuteur légitime doté d'un esprit critique affûté et de capacités intellectuelles supérieures (en un mot, de se *distinguer*, comme dirait Bourdieu). Simon devine, au ton de chaque question, la situation de l'émetteur : *undergrad*, doctorant, professeur, spécialiste, rival... Il détecte sans difficulté les chiants, les timides, les fayots, les arrogants, et, les plus nombreux, ceux qui oublient de poser leur question, débitant d'interminables monologues, enivrés par leur propre parole, mus par cet impérieux besoin de donner leur avis. Manifestement, quelque chose d'existentiel se joue dans ce théâtre de marionnettes.

Mais enfin tout de même, il saisit un passage qui retient son attention : « *The root of critical error is a naïve confusion of literature with life.* » Ça l'intrigue, alors il demande à son voisin, un quadragénaire anglais, si par hasard il ne pourrait pas lui assurer un genre de traduction simultanée ou au moins lui résumer le propos, et comme l'Anglais, à l'instar de la moitié du campus et des trois quarts de ceux qui sont venus pour le colloque, possède un très bon niveau de français, il lui explique que, selon la théorie de Morris Zapp, il y a, à la source de la critique littéraire, une faute méthodologique originelle qui consiste à confondre la vie avec la littérature (Simon redouble d'attention) alors que ce n'est pas la même chose, que ça ne *fonctionne* pas pareil. « La vie est transparente, la littérature opaque, lui dit l'Anglais. (Ça se discute, se dit Simon.) La vie est un système ouvert, la littérature un système fermé. La vie est faite de choses, la littérature est faite de mots. La vie est bien ce dont elle semble parler : quand on a peur en avion, il est question de la mort. Quand on drague une fille, il est question de sexe. Mais dans *Hamlet*, même le critique le plus débile se rend bien compte qu'il ne s'agit pas d'un homme qui veut tuer son oncle, qu'il est question d'autre chose. »

Voilà qui rassure un peu Simon, qui n'a pas la moindre idée de quoi ses aventures à lui peuvent *parler*.

À part du langage, évidemment. Hum.

Morris Zapp poursuit sa conférence sur un mode de plus en plus derridien car, maintenant, il affirme que comprendre un message, c'est le décoder, puisque le langage est un code. Or, « tout décodage est un nouvel encodage ». Si bien qu'en gros, on ne peut jamais être sûr de rien, et surtout pas que deux interlocuteurs se comprennent, car personne ne peut être sûr qu'il emploie les mots exactement dans le même sens que son interlocuteur (y compris dans la même langue).

Nous voilà bien, se dit Simon.

Et Morris Zapp emploie cette métaphore saisissante que l'Anglais lui traduit : « La conversation est en somme une partie de tennis qu'on joue avec une balle en pâte à modeler qui prend une forme nouvelle chaque fois qu'elle franchit le filet. »

Simon sent le sol se déconstruire sous ses pieds. Il sort fumer une cigarette et tombe sur Slimane.

Le jeune Arabe attend la fin de la conférence pour aller parler à Morris Zapp. Simon lui demande ce qu'il veut lui demander. Slimane répond qu'il n'a pas l'habitude de demander quoi que ce soit à qui que ce soit.

64

« Oui alors évidemment, le paradoxe, c'est que la philosophie dite "continentale" a aujourd'hui beaucoup plus de succès aux USA qu'en Europe. Ici, Derrida, Deleuze et Foucault sont des stars absolues sur les campus, alors qu'en France on ne les étudie pas en lettres et on les snobe en philo. Ici, on les étudie en anglais. Pour les départements d'anglais, la *French Theory* a été l'instrument d'un putsch qui leur a permis de passer de la cinquième roue du carrosse des sciences humaines à la discipline qui englobe toutes les autres, parce que comme la *French Theory* part du postulat que le langage est à la base de tout, alors l'étude du langage revient à étudier la philo, la socio, la psycho... C'est ça, le fameux *linguistic turn*. Du coup, les philosophes se sont énervés et ils se sont mis à bosser eux aussi sur le langage, les Searle, les Chomsky, ils passent une bonne partie de leur temps à dénigrer les Français, à coups d'injonctions à la clarté, "ce qui se conçoit bien s'énonce clairement", et de démystifications du type "rien de nouveau sous le soleil, Condillac l'avait déjà dit, Anaxagore ne répétait pas autre chose, ils ont tout pompé sur Nietzsche, etc." Ils ont l'impression de s'être fait voler la vedette par des bateleurs, des bouffons et des charlatans, c'est normal qu'ils soient en colère. Mais il faut dire, Foucault, c'est quand même plus sexy que Chomsky. »

(Étudiant anonyme, propos recueillis sur le campus.)

65

Il est tard, la journée a été jalonnée de conférences, le public a été nombreux et attentif, l'effervescence sur le campus retombe provisoirement. Çà et là on entend des rires d'étudiants ivres dans la nuit.

Slimane est allongé, seul, dans la chambre qu'il partage avec Foucault, à écouter son Walkman, quand on frappe à la porte : « *Sir ? There is a phone call for you.* »

Slimane se risque prudemment dans le couloir. Il a déjà reçu de premières offres, peut-être un acheteur potentiel souhaite-t-il surenchérir. Il décroche le combiné fixé au mur.

C'est Foucault, paniqué au bout du fil, qui articule péniblement : « Viens me chercher ! Ça recommence. *J'ai perdu l'anglais.* »

Comment Foucault a-t-il réussi à trouver une boîte gay, SM de surcroît, dans ce bled, Slimane l'ignore. Il monte dans un taxi et rejoint un établissement nommé The White Sink, situé dans les faubourgs de la ville basse. Les clients ont des pantalons de cuir et des casquettes Village People, Slimane trouve l'ambiance plutôt sympathique a priori. Un grand baraqué armé d'une cravache veut lui offrir un verre mais il refuse poliment et va inspecter les backrooms. Il trouve Foucault sous LSD (Slimane reconnaît immédiatement les symptômes), accroupi par terre au milieu de trois ou quatre Américains qui semblent lui témoigner une sollicitude interrogative, à moitié nu, avec de grosses zébrures rouges sur le corps, complètement hébété, ne pouvant que répéter « J'ai perdu l'anglais ! Personne ne me comprend ! Sors-moi de là ! »

Le taxi refuse d'emmener Foucault, il a sans doute peur qu'il vomisse sur ses sièges ou bien il déteste les pédés, alors Slimane le met debout en le soutenant par les épaules et ils rentrent à pied à l'hôtel du campus.

Ithaca est une petite ville de 30 000 habitants (le double avec les étudiants du campus) mais très étalée. La route est longue, les rues désertes, c'est un alignement sans fin de maisons en bois toutes plus ou moins similaires, chacune avec son canapé ou son rocking-chair sous le patio, quelques bouteilles de bière vides sur des tables basses, et des cendriers pleins. (On fume encore aux USA en 1980.) Il y a une église en bois tous les cent mètres. Les deux hommes franchissent plusieurs cours d'eau. Foucault voit des écureuils partout.

Une voiture de police ralentit à leur hauteur. Slimane distingue les visages suspicieux des policiers derrière la lampe torche braquée sur lui. Il leur dit quelque chose en français en prenant un air jovial. Foucault émet un borborygme. Slimane sait que pour un œil exercé, l'homme qui s'appuie sur lui n'a pas l'air seulement ivre mais complètement défoncé. Il espère juste que Foucault n'a pas de LSD sur lui. La patrouille hésite. Elle repart sans les contrôler.

Ils parviennent enfin au centre-ville. Slimane achète une gaufre à Foucault dans un *diner* tenu par des mormons. Foucault crie : « *Fuck Reagan !* »

L'ascension de la colline leur prend une heure, et encore, heureusement que Slimane a l'idée de couper par le cimetière. Pendant tout le trajet, Foucault répète : « Un bon vieux club sandwich avec un coca… »

Foucault fait une crise de panique dans les couloirs de l'hôtel parce qu'il a vu *Shining* juste avant de partir. Slimane le borde, Foucault réclame un bisou et s'endort en rêvant de lutteurs gréco-romains.

66

« Je dis pas ça parce que je suis iranien mais Foucault, il dit que des conneries. Chomsky a raison. » (Étudiant anonyme, propos recueillis sur le campus.)

67

Simon a sympathisé avec une jeune lesbienne juive féministe en sortant de la conférence de Cixous sur l'écriture féminine. Elle s'appelle Judith, elle vient d'une famille juive de Hongrie, elle prépare un PhD de philo et il se trouve qu'elle s'intéresse à la performativité en ce qu'elle soupçonne le pouvoir patriarcal d'avoir recours à une forme sournoise de performatif pour naturaliser la construction culturelle qu'est le modèle de couple monogame hétéronormé : en clair, d'après elle, il suffit que le mâle blanc hétéro déclare que cela *est*, pour que cela *soit*.

La performativité, ce n'est pas seulement l'adoubement des chevaliers, c'est aussi cette entourloupe rhétorique qui consiste à transformer le résultat d'un rapport de forces en évidence immémoriale.

Et surtout : « naturelle ». La nature, voilà l'ennemi. L'argument choc de la réaction : « contre nature », variante vaguement modernisée de tout ce qui allait auparavant contre la volonté divine. (Dieu, même aux USA, est un peu fatigué en 1980, mais la réaction, elle, ne désarme pas.)

Judith : « La nature, c'est la douleur, la maladie, la cruauté, la barbarie et la mort. *Nature is murder.* » Elle rit en parodiant le slogan des *pro-life*.

Simon, pour acquiescer dans son sens : « Baudelaire détestait la nature. »

Elle a un visage carré, une coupe d'étudiant propre sur lui et un air de premier de la classe qui sort de Sciences Po, sauf que c'est une féministe radicale qui n'est pas très loin de penser, comme Monique Wittig, que la lesbienne n'est pas une femme, puisqu'une femme se définit comme le *supplément* de l'homme, auquel elle est *par définition* assujettie. Le mythe d'Adam et Ève, en un sens, est le performatif originel : à partir du moment où on décrète que la femme vient après l'homme, qu'elle est créée à partir d'un bout d'homme et que c'est elle qui fait les bêtises en croquant la pomme, que c'est elle, la salope, et qu'elle a bien mérité d'enfanter dans la douleur, évidemment, c'est foutu pour elle. Manquerait plus qu'elle refuse de s'occuper des gosses.

Bayard arrive, il a raté la conférence de Cixous, préférant aller assister à un entraînement de l'équipe de hockey pour, dit-il, humer l'air du campus. Il a une bière à moitié vide et un paquet de chips dans les mains. Judith regarde Bayard avec curiosité mais, contrairement à ce qu'aurait pensé Simon, sans animosité apparente.

« Les lesbiennes ne sont pas des femmes, et elles vous emmerdent, vous et votre phallogocentrisme. » Judith rit. Simon rit avec elle. Bayard demande : « De quoi s'agit-il ? »

68

« Enlève ces lunettes noires, il n'y a pas de soleil, tu vois bien que le temps est dégueulasse. »

La légende a beau dire, Foucault est tout de même assez vaseux après ses exploits de la nuit dernière. Il trempe un énorme cookie aux noix de pécan dans un double expresso remarquablement buvable. Slimane l'accompagne en mangeant un cheeseburger au bacon sauce au bleu.

L'établissement est en haut de la colline, à l'entrée du campus, de l'autre côté de la gorge enjambée par un pont d'où, parfois, se jettent des étudiants déprimés. Ils n'arrivent pas vraiment à savoir s'ils sont dans un pub ou dans un salon de thé. Dans le doute, Foucault, toujours curieux malgré son mal de crâne, veut commander une bière mais Slimane annule la commande. La serveuse, probablement habituée aux caprices des *visiting professors* et autres stars de campus, hausse les épaules et tourne les talons en récitant mécaniquement : « *No problem, guys. Let me know if you need anything, OK ? I'm Candy, by the way.* » Foucault marmonne : « *Hello,*

Candy. You're so sweet. » La serveuse n'a pas entendu et c'est probablement *for the best* se dit Foucault qui constate au passage que son anglais est revenu.

Il sent un contact sur son épaule. Il lève les yeux et, derrière ses lunettes, reconnaît Kristeva. Elle tient à la main un gobelet fumant de la taille d'un thermos. « Comment vas-tu, Michel ? Ça fait longtemps. » Foucault se recompose instantanément. Les traits de son visage se réagencent, il ôte ses lunettes et offre à Kristeva son célèbre sourire, toutes dents dehors. « Julia, tu es resplendissante. » Il lui demande, comme s'ils s'étaient vus la veille : « Qu'est-ce que tu bois ? »

Kristeva rit : « Un thé dégueulasse. Les Américains ne savent pas faire le thé. Une fois qu'on a été en Chine, tu comprends… »

Pour éviter de rien laisser paraître de son état, Foucault enchaîne : « Ta conférence s'est bien passée ? Je n'ai pas pu y assister.

— Oh, tu sais… rien de révolutionnaire. » Elle marque un temps d'arrêt. Foucault entend son estomac gargouiller. « Les révolutions, je les garde pour les grandes occasions. »

Foucault fait semblant de rire puis s'excuse : « Le café d'ici me donne envie de pisser, haha. » Il se lève et se dirige le plus calmement possible vers les toilettes où il va se vider par tous les trous.

Kristeva s'assoit à sa place. Slimane la regarde sans rien dire. Elle a noté la pâleur de Foucault, elle sait qu'il ne reviendra pas des toilettes avant d'être en mesure de parfaitement donner le change sur son état physique, elle estime donc qu'elle a deux à trois minutes devant elle.

« Je me suis laissé dire que vous aviez en votre possession quelque chose qui pourrait trouver acquéreur ici.

— Vous devez faire erreur, madame.

— Je crois au contraire que c'est vous qui vous apprêtez à commettre une erreur, regrettable, pour tout le monde.

— Je ne vois pas de quoi vous parlez, madame.

— Je suis prête, néanmoins, à me porter acquéreur, personnellement, en échange d'un dédommagement substantiel, mais ce que je souhaiterais, surtout, c'est obtenir une garantie.

— Quel genre de garantie, madame ?

— L'assurance que personne d'autre ne bénéficiera de cette acquisition.

— Et comment comptez-vous obtenir cette garantie, madame ?

— À vous de me le dire, Slimane. »

Slimane note l'emploi du prénom.

« Écoute-moi bien, sale pute, on n'est pas à Paris, et je n'ai pas vu tes deux toutous avec toi. Si tu m'approches encore, je te saigne comme une truie et je te jette dans le lac. »

Foucault revient des toilettes, on voit qu'il s'est passé de l'eau sur le visage mais son maintien est impeccable, il ferait parfaitement illusion, se dit Kristeva, n'était quelque chose de cireux dans ses yeux. On jurerait qu'il est prêt à donner une conférence, et c'est d'ailleurs peut-être ce qu'il va faire, il aimerait juste réussir à se souvenir de l'heure exacte de son intervention.

Kristeva lui rend sa place en s'excusant. « Ravie d'avoir fait votre connaissance, Slimane. » Elle ne lui tend pas la main parce qu'elle sait qu'il ne la prendra pas. Il ne boira pas dans des bouteilles déjà décapsulées. Il n'utilisera pas la salière sur la table. Il évitera tout contact physique avec qui que ce soit. Celui-là se méfie et il a raison. Sans Nikolaï, les choses vont être un peu plus compliquées. Mais rien, estime-t-elle, qu'elle ne soit en mesure de gérer.

69

« Déconstruire un discours consiste à montrer comment il mine la philosophie à laquelle il prétend, ou la hiérarchie des oppositions auxquelles il fait appel, en identifiant dans le texte les opérations rhétoriques qui confèrent à son contenu un fondement présumé, son concept-clé ou ses prémisses. »

(Jonathan Culler, organisateur du colloque *Shift into overdrive in the linguistic turn.*)

70

« Nous sommes pour ainsi dire à l'âge d'or de la philosophie du langage. »

Searle fait sa conférence, et tout le landerneau universitaire américain sait déjà qu'elle va être une attaque en règle contre Derrida pour venger l'honneur de son maître Austin, dont le logicien américain estime qu'il a été gravement mis en cause par le déconstructionniste français.

Simon et Bayard sont dans la salle mais ils ne comprennent rien, ou pas grand-chose, parce que c'est en anglais. Ça parle de « *speech acts* », ça d'accord. Simon entend « *illocutionary* », « *perlocutionary* ». Mais ça veut dire quoi « *utterance* » ?

Derrida n'est pas venu, mais il a envoyé des émissaires qui ne manqueront pas de lui faire un compte rendu : son fidèle lieutenant Paul de Man, sa traductrice Gayatri Spivak, son amie Hélène Cixous… À vrai dire, tout le monde est là, sauf Foucault, qui n'a pas pris la peine de se déplacer. Il compte peut-être sur Slimane pour lui résumer l'intervention, ou bien il s'en fout totalement.

Bayard a repéré Kristeva, et tous les gens qu'il a vus à la cantine, y compris le vieil homme en cravate de laine coiffé comme un arbuste.

Searle répète à plusieurs reprises qu'il n'est pas nécessaire de rappeler ceci ou cela, qu'il ne fera pas l'injure à son honorable auditoire d'expliquer tel ou tel point, qu'il n'y a pas lieu ici de s'attarder sur d'aussi criantes évidences, etc.

Ce que comprend Simon, tout de même, c'est que Searle pense qu'il faut vraiment être con pour confondre « itérabilité » et « permanence », langage écrit et langage parlé, discours sérieux et discours feint. En gros, le message de Searle est : *Fuck Derrida*.

Jeffrey Mehlman se penche à l'oreille de Morris Zapp : « *I had failed to note the charmingly contentious Searle had the philosophical temperament of a cop.* » Zapp rit. Des étudiants derrière lui font chut.

À la fin de la conférence, un étudiant pose une question : Searle pense-t-il que la querelle qui l'oppose à Derrida (puisque, bien qu'il ait bien pris soin de ne pas nommer son adversaire, tout le monde a compris qui était l'objet et la cible de son intervention – murmures d'approbation dans la salle) est emblématique de la confrontation entre deux grandes traditions philosophiques (analytique et continentale) ?

Searle répond sur un ton de colère contenue : « *I think it would be a mistake to believe so. The confrontation never quite takes place.* » La compréhension d'Austin et de sa théorie des *speech acts* par « *some philosophers so-called continental* » a été si confuse, si approximative, si truffée d'erreurs et de contresens, « *as I just gave the demonstration of it* », qu'il est inutile de s'y attarder plus longtemps. Et Searle ajoute, avec un air de clergyman sévère : « *Stop wasting your time with those lunacies, young man. This is not the way serious philosophy works. Thank you for your attention.* »

Puis, faisant fi des remous dans la salle, il se lève et s'en va.

Mais tandis que le public commence à se disperser, Bayard aperçoit Slimane qui emboîte le pas au conférencier. « Regarde, Herzog ! On dirait que l'Arabe a des questions sur le perlocutoire… » Simon relève machinalement le racisme et l'anti-intellectualisme larvés. Mais enfin, derrière la connotation poujadiste du sarcasme, il y a quand même une vraie question : qu'est-ce que Slimane peut bien vouloir à Searle ?

71

« “Que la lumière soit.” Et la lumière fut. » (Manuscrits de la mer Morte, environ IIe siècle av. J.- C., plus ancienne occurrence de performatif retrouvée à ce jour dans le monde judéo-chrétien.)

72

À peine Simon a-t-il appuyé sur le bouton de l'*elevator* qu'il sait déjà qu'il monte au paradis. Les portes s'ouvrent à l'étage des *Romance studies* et Simon pénètre dans un labyrinthe de rayonnages avec des livres jusqu'au plafond éclairés par de mauvais néons. Le soleil ne se couche jamais sur la bibliothèque de Cornell, ouverte 24 heures sur 24.

Tous les livres que Simon pourrait désirer sont là, et les autres aussi. Il est le pirate dans la caverne au trésor, sauf que s'il veut en emporter un bout, il n'aura qu'à remplir un formulaire. Simon effleure la tranche des livres du bout des doigts comme s'il caressait les épis d'un champ de blé dont il serait le propriétaire. Voilà le communisme réel : ce qui est à tous est à moi, et inversement.

À cette heure-ci, cependant, la bibliothèque est vraisemblablement déserte.

Simon arpente le rayon *Structuralism*. Tiens, un livre de Lévi-Strauss sur le Japon ?

Il s'arrête au rayon *Surrealism* et s'extasie devant ce mur de merveilles : *Connaissance de la mort*, de Roger Vitrac… *Sombre printemps*, d'Unica Zürn… *La Papesse du diable*, attribué à Desnos… des raretés de Crevel en français et en anglais… des inédits d'Annie Le Brun et Radovan Ivsic…

Un craquement. Simon s'immobilise. Des bruits de pas. Par reflexe, parce qu'il a l'impression que sa présence au milieu de la nuit dans une bibliothèque universitaire est forcément, sinon illégale, du moins, comme disent les Américains, *inappropriée*, il se cache derrière les *Recherches sur la sexualité* du « bureau de recherches surréalistes ».

Il voit passer Searle à travers la correspondance de Tzara.

Il l'entend parler à quelqu'un dans un rayon adjacent. Simon retire délicatement le coffret relié des douze numéros en fac-similé de la *Révolution surréaliste* pour mieux voir et, par la fente, il reconnaît la silhouette gracile de Slimane.

Searle marmonne trop bas mais Simon entend distinctement Slimane lui dire : « T'as vingt-quatre heures. Ensuite je vends au plus offrant. » Puis il remet son Walkman et il retourne à l'ascenseur.

Mais Searle ne repart pas avec lui. Il feuillette distraitement quelques livres. Qui peut dire à quoi il pense ? Simon chasse de son esprit cette impression de déjà-vu.

En voulant replacer la *Révolution surréaliste*, Simon fait tomber un numéro du *Grand Jeu*. Searle dresse la tête, comme un chien d'arrêt. Simon décide de s'éclipser le plus discrètement possible, et il zigzague silencieusement dans les rayonnages tandis qu'il entend derrière lui le philosophe du langage ramasser le *Grand Jeu.* Il l'imagine flairant la revue. Il se hâte quand il entend des pas remonter sa piste. Il traverse le rayon *Psychoanalysis* et s'engage dans celui du *Nouveau roman* mais c'est une impasse. Il se retourne et sursaute en voyant Searle s'avancer vers lui, un coupe-papier dans une main, le *Grand Jeu* dans l'autre. Machinalement, il saisit un livre pour se défendre (*Le Ravissement de Lol V. Stein*, il n'ira pas bien loin avec ça, se dit-il, le jette par terre et en saisit un autre : *La Route des Flandres*, c'est mieux) ; Searle ne lève pas le bras comme dans *Psychose*, mais Simon a la certitude qu'il va devoir protéger ses organes vitaux de la lame du coupe-papier, quand on entend les portes de l'ascenseur s'ouvrir.

Simon et Searle, nichés dans leur impasse, voient passer une jeune femme en bottes et un homme au physique de taureau qui se dirigent vers la photocopieuse. Searle a rangé son coupe-papier dans la poche, Simon a baissé son Claude Simon et, mus par la même curiosité, les deux hommes observent le couple à travers les œuvres complètes de Nathalie Sarraute. On entend le ronronnement et on aperçoit l'éclair bleu de la photocopieuse, mais bientôt l'homme-taureau enlace la jeune femme penchée sur la machine. Elle émet un soupir imperceptible et, sans le regarder, pose sa main sur sa braguette. (Simon pense au mouchoir d'Othello.) Sa peau est très blanche et ses doigts sont très longs. L'homme-taureau déboutonne sa robe et la fait glisser à ses pieds. Elle ne porte pas de sous-vêtements, son corps ressemble à une peinture de Raphaël, ses seins sont lourds, sa taille fine, ses hanches larges, ses épaules bien découplées et son sexe rasé. Ses cheveux noirs coupés au carré donnent à son visage triangulaire une lumière de princesse carthaginoise. Searle et Simon ouvrent grand leurs yeux quand elle s'agenouille pour prendre le sexe de l'homme-taureau dans sa bouche, ils veulent voir si le sexe de l'homme est à l'avenant du taureau. Simon repose *La Route des Flandres*. Le taureau relève et retourne la jeune femme et s'enfonce en elle qui se cabre en s'écartant les fesses avec ses propres mains tandis qu'il la retient en lui bloquant la nuque. Il accomplit ce qui est dans sa nature de taureau : il rue en elle, d'abord lentement et lourdement, puis avec une férocité croissante, et on entend la photocopieuse cogner contre le mur, jusqu'à la décoller du sol et lui arracher un long feulement qui se répand dans les allées de la bibliothèque déserte (croient-ils).

Simon ne parvient pas à se détacher de cette vision d'accouplement jupitérien, et pourtant il le faut. Mais il a des scrupules à interrompre cette magnifique séance de baise. Au prix d'un violent effort de volonté, son instinct de conservation lui fait balayer le rayonnage où s'entassent les livres de Duras qu'il projette par terre. Le bruit de chute immobilise tout le monde. Les cris cessent instantanément. Simon regarde Searle droit dans les yeux. Il le contourne lentement sans que celui-ci esquisse le moindre geste. Quand il débouche dans l'allée centrale, il se retourne vers la photocopieuse. L'homme-taureau le fixe, la queue à l'air. La jeune femme, lentement, en lui lançant un regard de défi, ramasse sa robe et passe une jambe, puis la deuxième, puis tourne le dos à l'homme-taureau pour que celui-ci la lui agrafe. Simon réalise qu'elle n'a pas quitté ses bottes. Il s'enfuit par l'escalier de service.

Dehors, sur la pelouse du campus, il retrouve les jeunes amis de Kristeva qui n'ont pas bougé depuis trois jours, semble-t-il, à en juger par les cadavres de bouteilles et de paquets de chips qui jonchent l'herbe autour d'eux. À leur invitation, il s'assoit avec eux, se fait offrir une bière et accepte avec reconnaissance le joint qu'on lui tend. Simon sait qu'il est hors de danger (si jamais danger il y a eu – est-il bien certain d'avoir vu le coupe-papier ?) mais il ne sent pas le niveau d'angoisse baisser dans sa poitrine. Il y a autre chose.

À Bologne, il couche avec Bianca dans un amphithéâtre du XVIIe et il échappe à un attentat à la bombe. Ici, il manque de se faire poignarder dans une bibliothèque de nuit par un philosophe du langage et il assiste à une scène de levrette plus ou moins mythologique sur une photocopieuse. Il a rencontré Giscard à l'Élysée, a croisé Foucault dans un sauna gay, a participé à une poursuite en voiture à l'issue de laquelle il a été victime d'une tentative d'assassinat, a vu un homme en tuer un autre avec un parapluie empoisonné, a découvert une société secrète où on coupe les doigts des perdants, a traversé l'Atlantique pour récupérer un mystérieux document. Il a vécu en quelques mois plus d'événements extraordinaires qu'il n'aurait pensé en vivre durant toute son existence. Simon sait reconnaître du romanesque quand il en rencontre. Il repense aux surnuméraires d'Umberto Eco. Il tire sur le joint.

« *What's up, man ?* »

Simon fait tourner le joint. Défile dans sa tête sans qu'il puisse l'arrêter le film des derniers mois et, comme c'est son métier, il en dégage les structures narratives, les adjuvants, les opposants, la portée allégorique. Une scène de cul (acteur), un attentat (bombe) à Bologne. Un attentat (coupe-papier), une scène de cul (spectateur) à Cornell. (Chiasme.) Une poursuite en bagnole. Une réécriture du duel final d'Hamlet. Le motif récurrent de la bibliothèque (mais pourquoi pense-t-il à Beaubourg ?). Les couples de personnages : les deux Bulgares, les deux Japonais, Sollers et Kristeva, Searle et Derrida, Anastasia et Bianca… Et surtout, les invraisemblances : pourquoi le troisième Bulgare a-t-il attendu qu'ils comprennent qu'une copie du manuscrit était restée chez Barthes pour aller fouiller l'appartement ? Comment Anastasia, si c'est un agent russe, est-elle parvenue à se faire affecter, aussi rapidement, dans l'aile de l'hôpital où était Barthes ? Pour quelle raison Giscard n'a-t-il pas fait arrêter Kristeva pour la confier à l'une de ses officines qui l'aurait torturée jusqu'à ce qu'elle parle, plutôt que de les envoyer aux USA, Bayard et lui, pour la surveiller ? Comment se fait-il que le document était en français et pas en russe ou en anglais ? Qui l'a traduit ?

Simon se prend la tête entre les mains en poussant un gémissement.

« Je crois que je suis coincé dans un putain de roman.

— *What ?*

— *I think I'm trapped in a novel.* »

L'étudiant à qui il s'adresse se renverse en arrière, souffle vers le ciel la fumée de sa cigarette, regarde les étoiles filer dans l'éther, boit une gorgée de bière au goulot, s'appuie sur un coude, laisse planer un long silence sur la nuit américaine et dit : « *Sounds cool, man. Enjoy the trip.* »

73

« Aussi le paranoïaque participe-t-il à cette impuissance du signe déterritorialisé qui l'assaille de tous côtés dans l'atmosphère glissante, mais il accède d'autant plus au sur-pouvoir du signifiant, dans le sentiment royal de la colère, comme maître du réseau qui se répand dans l'atmosphère. »

(Guattari, propos tenu à la conférence de Cornell, 1980.)

74

« Hé, ça va être la conférence sur Jakobson, grouille-toi.

— Ah non, c'est bon, j'ai eu ma dose.

— Ah mais putain, t'es chiant, t'avais dit que t'étais d'accord. Il y aura plein de gens dans la salle. On va apprendre des trucs… Lâche ce Rubik's Cube ! »

Clac clac. Bayard fait pivoter imperturbablement les rangées multicolores. Il a presque fait deux faces sur les six.

« Bon OK mais tout à l'heure, c'est Derrida, il faut pas le rater.

— Pourquoi ? Qu'est-ce qu'il a de plus intéressant que les autres, ce con-là ?

— C'est un des penseurs vivants les plus intéressants DU MONDE. Mais là n'est pas la question, espèce de débile. Il s'est sévèrement embrouillé avec Searle sur la théorie d'Austin. »

Clac clac.

« La théorie d'Austin, c'est le performatif, tu te rappelles ? L'illocutoire et le perlocutoire. Quand dire, c'est faire. Comment on fait des trucs en parlant. Comment on fait faire des trucs aux gens simplement en leur parlant. Par exemple, si je disposais d'une force perlocutoire plus conséquente, ou si tu étais moins con, il me suffirait de te dire "conférence de Derrida" pour que tu sautes dans tes pompes et qu'on aille déjà réserver nos places. C'est évident que si la septième fonction se balade dans le coin, Derrida va être concerné au premier chef.

— Quel chef ?

— Arrête de faire le con.

— Pourquoi tout le monde cherche la septième fonction de Jakobson si les fonctions d'Austin sont disponibles ?

— Les travaux d'Austin sont purement descriptifs. Ils t'expliquent comment ça marche mais pas comment faire pour que ça marche. Austin décrit les mécanismes à l'œuvre quand tu fais une promesse ou quand tu profères une menace ou quand tu t'adresses à ton interlocuteur dans l'intention de le faire agir d'une façon ou d'une autre, mais ne te dit pas comment faire pour que ton interlocuteur te croie et te prenne au sérieux ou agisse comme tu le souhaites. Il constate juste qu'un *speech act* peut réussir ou échouer, et il énumère certaines conditions nécessaires au succès : par exemple, il faut être maire ou adjoint au maire pour que la phrase "je vous déclare mari et femme" fonctionne. (Mais ça, c'est pour les performatifs purs.) Il ne dit pas comment réussir à tous les coups. C'est pas un mode d'emploi, c'est juste de l'analyse, tu saisis la nuance ? »

Clac clac.

« Et les travaux de Jakobson, ils sont pas seulement descriptifs ?

— Euh, si, mais cette septième fonction… il faut croire que non. »

Clac clac.

« Merde, ça marche pas. »

Bayard n'arrive pas à terminer la deuxième face de son cube.

Il sent sur lui le regard accusateur de Simon.

« Bon, c'est à quelle heure ?

— Sois pas en retard ! »

Clac clac. Bayard change de stratégie et, au lieu de chercher à faire une deuxième face, essaie plutôt de construire une couronne autour de la première. Tandis qu'il manipule son cube avec une dextérité croissante, il se dit qu'il n'a pas bien compris la différence entre illocutoire et perlocutoire.

Simon est en route pour la conférence sur Jakobson à laquelle il se réjouit d'assister, avec ou sans Bayard, mais en traversant la pelouse du campus, il entend un éclat de rire dont la sonorité à la fois grasseyante et cristalline attire son attention et quand il se retourne, il aperçoit la jeune femme brune de la photocopieuse. La princesse carthaginoise en bottes de cuir, mais habillée. Elle est en train de discuter avec une petite Asiatique et une grande Égyptienne (ou Libanaise, se dit Simon, qui a instinctivement noté le type arabe et la petite croix autour du cou, une maronite, peut-être, mais plutôt une copte, d'après lui). (Sur quel indice tranche-t-il ? Mystère.)

Les trois jeunes femmes se dirigent gaiement vers la ville haute.

Simon décide de les suivre.

Elles passent devant le bâtiment des sciences où la cervelle d'un serial killer supposément génial nommé Edward Rulloff est conservée dans du formol.

Elles passent devant l'école hôtelière, d'où s'échappe une bonne odeur de pain cuit.

Elles passent devant l'école vétérinaire. Tout à sa filature, Simon ne voit pas Searle qui entre dans le bâtiment avec un gros sac de croquettes, ou bien le voit mais sans juger bon de décoder cette information.

Elles passent devant le bâtiment des *Romance studies*.

Elles traversent le pont, au-dessus des gorges, qui sépare le campus de la ville.

Elles s'attablent dans un pub qui porte le nom du serial killer. Il s'assoit discrètement au comptoir.

Il entend la brune bottée dire à ses copines : « La jalousie ne m'intéresse pas, la concurrence encore moins… Je suis fatiguée de ces hommes qui ont peur de ce qu'ils veulent… »

Simon allume une cigarette.

« J'aime bien dire que je n'aime pas Borges… Mais dans quelle mesure, à chaque instant, je me saborde… »

Il commande une bière en ouvrant l'*Ithaca Journal*.

« Je ne crains pas de dire que je suis faite pour l'amour physique et puissant. »

Les trois jeunes femmes éclatent de rire.

La conversation glisse sur la lecture mythologique et sexiste des constellations et sur la perpétuelle mise à l'écart des héroïnes grecques (Simon recense dans sa tête : Ariane, Phèdre, Pénélope, Héra, Circé, Europe…).

Ainsi finit-il, lui aussi, par manquer la conférence sur les structures vivantes de Jakobson, parce qu'il a préféré aller épier une jeune femme aux cheveux noirs qui mange un hamburger avec deux copines.

75

Il y a de l'électricité dans l'air, tout le monde est là, Kristeva, Zapp, Foucault, Slimane, Searle, la salle est bondée, ça déborde de partout, impossible de se déplacer sans marcher sur un étudiant ou un prof, le public s'ébroue comme au théâtre et le maître arrive : Derrida, *on stage*, c'est maintenant.

Il sourit à Cixous au premier rang, adresse un petit signe amical à sa traductrice Gayatri Spivak, repère ses amis et ses ennemis. Repère Searle.

Simon est là, avec Bayard. Ils sont installés à côté de Judith, la jeune lesbienne féministe.

« Le mot de la réconciliation, c'est le *speech act* par lequel d'un mot, en parlant, on entame, on offre la réconciliation en s'adressant à l'autre, ce qui veut dire au moins qu'avant ce mot, il y avait la guerre, la souffrance, le traumatisme, la blessure… »

Simon repère dans la salle la princesse carthaginoise de la photocopieuse, ce qui a pour effet immédiat de brouiller ses facultés de concentration, si bien qu'il ne parvient pas à décoder le sous-texte des premiers mots prononcés par Derrida, qui laissent à croire qu'il va jouer l'apaisement.

Et de fait, Derrida revient calmement, méthodiquement, sur la théorie d'Austin, contre laquelle il s'emploie à développer certaines objections, dans le strict respect des usages universitaires, de la façon apparemment la plus objective possible.

La théorie des *speech acts*, qui pose que la parole est *aussi* un acte, c'est-à-dire que celui qui parle agisse en même temps qu'il parle, implique un présupposé que Derrida conteste : l'intentionnalité. À savoir : que les intentions du locuteur préexistent au discours et lui soient parfaitement claires à lui-même, ainsi qu'à son destinataire (en admettant que le destinataire soit clairement identifié).

Si je dis : « Il est tard », c'est que je veux rentrer. Mais si, en fait, je souhaitais rester ? Si je souhaitais qu'on me retienne ? Qu'on ne me laisse pas rentrer ? Qu'on me rassure en me disant : « Mais non, il n'est pas tard » ?

Lorsque j'écris, est-ce que je sais vraiment ce que je veux écrire ? Est-ce que le texte ne se dévoile pas à lui-même au fur et à mesure qu'il se formule ? (Se dévoile-t-il jamais vraiment ?)

Et quand bien même je saurais ce que je veux dire, est-ce que mon interlocuteur le reçoit exactement comme je le pense (comme je crois l'avoir pensé) ? Est-ce que ce qu'il comprend de ce que je dis correspond exactement à ce que je crois vouloir lui dire ?

On voit que ces premières remarques portent un coup sérieux aux théories des *speech acts*. À la lumière de ces modestes objections, il devient périlleux, en effet, d'évaluer la force illocutoire (et surtout perlocutoire) en termes de succès ou d'insuccès, comme le fait Austin (en lieu et place de vérité ou de fausseté comme la tradition philologique le pratiquait jusqu'alors).

En m'entendant dire « il est tard », mes interlocuteurs ont cru que je voulais rentrer et s'offrent à me raccompagner. Succès ? Mais si, en fait, je voulais rester ? Si quelqu'un ou quelque chose au fond de moi souhaitait rester, sans même que j'en aie eu conscience ?

« Au fait, en quel sens Reagan prétend-il être Reagan, président des États-Unis ? Qui le saura jamais en toute rigueur ? Lui ? »

La salle rit. L'attention est à son comble. Tout le monde a oublié le *contexte*.

C'est à ce moment-là que Derrida choisit de frapper.

« Mais que se passerait-il si, en promettant à "Sarl" de le critiquer, j'allais au-devant de ce que son Inconscient désire, pour des raisons à analyser, et fait tout pour provoquer ? Ma "promesse" serait-elle une promesse ou une menace ? »

Bayard demande à l'oreille de Judith pourquoi Derrida prononce « Sarl ». Judith explique que pour se moquer de Searle, il l'appelle comme ça : en français, pour autant qu'elle ait compris, « Sarl » signifie « Société à responsabilité limitée ». Bayard trouve ça assez drôle.

Derrida déroule :

« Quelle est l'unité ou l'identité du locuteur ? Est-il responsable des *speech acts* que lui dicte son inconscient ? Car j'ai aussi le mien qui peut vouloir faire plaisir à Sarl en tant qu'il veut être critiqué, lui faire de la peine en ne le critiquant pas, lui faire plaisir en ne le critiquant pas et de la peine en le critiquant, lui promettre une menace ou le menacer d'une promesse, m'offrir aussi à la critique en prenant plaisir à dire des choses "*obviously false*", jouir de ma faiblesse ou aimer l'exhibition par-dessus tout, etc. »

Évidemment, toute l'assistance se retourne vers Searle qui, comme s'il avait anticipé ce moment, s'est placé exactement au centre des gradins. L'homme seul au milieu de la foule : on dirait un plan hitchcockien. Son visage impassible ne cille pas sous le poids des regards. C'est bien simple, on dirait qu'il est empaillé.

Et d'ailleurs, lorsque je fais des phrases, est-ce vraiment moi qui parle ? Comment quiconque pourrait-il jamais dire quelque chose d'original, de personnel, de *propre*, quand par définition le langage nous oblige à puiser dans un trésor de mots préexistants (le fameux trésor de la langue) ? Quand nous sommes traversés par tellement d'agents extérieurs : notre époque, nos lectures, nos déterminismes socioculturels, nos « tics » de langage tellement précieux pour nous faire une identité (comme on dirait « se faire une beauté »), les discours dont nous sommes constamment bombardés, sous toutes les formes possibles et imaginables.

Qui n'a jamais pris en flagrant délit un ami, un parent, un collègue de bureau ou un beau-père en train de répéter quasiment mot pour mot l'argumentaire qu'il aura lu dans un journal ou entendu à la télé, comme si c'était lui qui parlait en son nom propre, comme s'il s'était *approprié* ce discours, comme s'il en était la source et n'était pas traversé par lui, reprenant les mêmes formules, la même rhétorique, les mêmes présupposés, les mêmes inflexions indignées, le même air entendu, comme s'il n'était pas le simple médium par lequel la voix différée d'un journal répétant lui-même les propos d'un homme politique qui lui-même avait lu dans un livre dont l'auteur, et ainsi de suite, la voix, disais-je, nomade et sans origine d'un locuteur fantôme s'exprimait, communiquait, au sens où deux lieux communiquent l'un avec l'autre par un *passage*.

Répétant ce qu'il a lu dans le journal, dans quelle mesure la conversation de votre beau-père n'est-elle pas une *citation* ?

Derrida a repris comme si de rien n'était le fil de son propos. Il aborde son autre question centrale : la citationnalité. Ou plutôt l'itérabilité. (Simon n'est pas certain d'avoir saisi la différence.)

Pour être *entendu*, au moins partiellement, par notre interlocuteur, nous devons employer la même langue. Nous devons *répéter* (*réitérer*) des mots qui ont déjà été utilisés, sans quoi notre interlocuteur ne pourra pas les comprendre. Nous sommes donc toujours, fatalement, dans une forme de citation. Nous utilisons les mots des autres. Or, comme pour le téléphone arabe, il est plus que probable, il est inéluctable, qu'au fil des répétitions, nous employions les mots des autres, tous autant que nous sommes, dans un sens légèrement différent les uns des autres.

La voix de pied-noir de Derrida se fait plus solennelle et enfle :

« Cela même qui assurera, au-delà de ce moment, le fonctionnement de la marque (psychique, orale, graphique, peu importe), à savoir la possibilité d'être répétée une autre fois, cela même entame, divise, exproprie la plénitude ou la présence à soi "idéales" de l'intention, du vouloir-dire et *a fortiori* de l'adéquation entre *meaning* et *saying*. »

Judith, Simon, la jeune femme aux cheveux noirs, Cixous, Guattari, Slimane, toute la salle et même Bayard sont suspendus à ses lèvres quand il dit :

« Limitant cela même qu'elle autorise, transgressant le code ou la loi qu'elle constitue, l'itérabilité inscrit, de façon irréductible, l'altération dans la répétition. »

Et il ajoute, impérial :

« L'accident n'est jamais un accident. »

76

« La possibilité du parasitage est déjà là, même dans ce que Sarl appelle "*real life*", cette "*real life*" dont il est si assuré, avec une confiance (presque, *not quite*) inimitable, de savoir ce qu'elle est, où elle commence et où elle finit ; comme si le sens de ces mots ("*real life*") pouvait immédiatement faire l'unanimité, sans le moindre risque de parasitage, comme si la littérature, le théâtre, le mensonge, l'infidélité, l'hypocrisie, le malheur (*infelicity*), le parasitage, la simulation de la *real life* ne faisaient pas partie de la *real life* ! »

(Propos tenus par Derrida lors de la conférence de Cornell, 1980, ou rêvés par Simon Herzog.)

77

Ils sont courbés comme des esclaves antiques poussant des blocs de pierre, mais ce sont des étudiants qui font rouler des fûts de bière en ahanant. La soirée va être longue et il faut des réserves. La Seal and Serpent Society est une vieille « fraternité » fondée en 1905, l'une des plus prestigieuses et donc, selon la terminologie américaine, l'une des plus « populaires ». On attend beaucoup de monde, car, ce soir, on fête la fin du colloque. Tous les intervenants sont invités et, pour le commun des étudiants, c'est la dernière chance de voir les stars avant leur prochaine visite. D'ailleurs, à l'entrée du manoir victorien, on a inscrit sur un drap : « *Uncontrolled skid in the linguistic turn. Welcome.* » Si l'entrée est théoriquement réservée aux étudiants de licence (les *undergrads*), ce soir, le manoir accueille tous les âges. Cela, naturellement, ne signifie pas qu'il est ouvert à tout le monde : il y a toujours ceux qui entrent et ceux qui restent à la porte, selon des critères universels de poids social et/ou symbolique.

Slimane ne risque pas de l'oublier, lui qui se fait régulièrement refouler en France, et c'est parti pour être la même histoire ici, puisqu'une paire d'étudiants jouant les physios lui barre le passage mais, sans trop qu'on sache comment ni en quelle langue, il argumente brièvement et il passe, son Walkman sur le cou, devant les regards envieux des laissés-pour-compte aux sous-pulls en acrylique.

La première personne sur laquelle il tombe, à l'intérieur, est en train de dire à un parterre de jeunes :

« *Heracleitus contains everything that is in Derrida and more.* » C'est Cruella Redgrave alias Camille Paglia. Elle tient un mojito dans une main et un fume-cigarette dans l'autre, au bout duquel se consume une cigarette noire qui exhale un parfum sucré. À côté d'elle, Chomsky discute avec un étudiant salvadorien qui lui explique que le Front démocratique révolutionnaire vient d'être décapité par les paramilitaires et les forces gouvernementales de son pays. De fait, il n'y a plus d'opposition de gauche au Salvador, ce qui semble causer beaucoup de souci à Chomsky qui tire nerveusement sur un joint.

Par habitude des backrooms, peut-être, Slimane descend voir au sous-sol, d'où lui parvient *Die Young* de Black Sabbath. Il y trouve des grappes d'étudiants bien habillés et déjà ivres qui pratiquent du *lap dance* en ordre dispersé. Foucault est là, en blouson de cuir noir, sans ses lunettes (pour goûter au brouillard de la vie, se dit Slimane qui le connaît bien). Il lui adresse un signe amical et lui montre du doigt une étudiante en jupe qui s'enroule autour d'une barre d'échafaudage comme une stripteaseuse. Slimane note qu'elle n'a pas de soutien-gorge mais qu'elle porte une culotte blanche assortie à des Nike blanches avec une grosse virgule rouge (comme la voiture de Starsky et Hutch mais à l'envers).

Kristeva qui danse avec Paul de Man repère Slimane. De Man lui demande à quoi elle pense. Elle répond : « Nous sommes dans les catacombes des premiers chrétiens. » Mais elle ne lâche pas des yeux le gigolo.

On dirait qu'il cherche quelqu'un. Il monte dans les étages. Croise Morris Zapp dans l'escalier qui lui fait un clin d'œil. La sono joue *Misunderstanding* de

Genesis. Il attrape un gobelet de tequila. Derrière les portes des chambres, il entend des étudiants qui baisent ou qui vomissent déjà. Certaines sont ouvertes et il les voit fumer et boire des bières assis en tailleur sur des lits à une place, en train de parler de sexe, de politique ou de littérature. Derrière une porte fermée, il croit reconnaître la voix de Searle, et des grognements étranges. Il redescend.

Dans le grand hall de réception, Simon et Bayard discutent avec Judith, la jeune lesbienne militante, qui sirote un bloody mary à la paille. Bayard aperçoit Slimane. Simon aperçoit la jeune femme brune au visage de princesse carthaginoise, qui arrive avec ses deux amies, la petite Asiatique et la grande Égyptienne. Un étudiant crie : « Cordélia ! » La princesse carthaginoise se retourne. Embrassades, effusions, l'étudiant va aussitôt lui chercher un gin tonic. Judith dit à Bayard et Simon qui n'écoute pas : « Le pouvoir est compris d'après le modèle du pouvoir divin de nommer, selon lequel émettre un énoncé revient à créer l'énoncé. » Foucault remonte du sous-sol avec Hélène Cixous, attrape un Malibu-orange et disparaît dans les étages. Judith en profite pour citer Foucault : « Le discours n'est pas la vie, son temps n'est pas le nôtre. » Bayard acquiesce. Des garçons s'agglutinent autour de Cordélia et ses amies, qui semblent très populaires. Judith cite Lacan qui aurait dit quelque part : « Le nom est le temps de l'objet. » Bayard se demande si on ne pourrait pas dire qu'aussi bien « le temps est le nom de l'objet », ou bien « le temps est l'objet du nom », voire « l'objet est le nom du temps » ou encore « l'objet est le temps du nom », ou tout simplement « le nom est l'objet du temps », mais il reprend une bière, tire sur le joint qui tourne et a ce cri du cœur : « Mais puisque vous avez le droit de vote, le divorce et l'avortement ! » Cixous veut parler à Derrida mais il est encerclé par une meute compacte de jeunes admirateurs transis. Slimane évite Kristeva. Bayard demande à Judith : « Qu'est-ce que *vous* voulez ? » Cixous entend Bayard et se joint à la conversation : « Une chambre à *nous* ! » Sylvère Lotringer, le fondateur de la revue *Semiotext(e)*, tient une orchidée dans ses bras et parle avec les traducteurs de Derrida, Jeffrey Mehlman et Gayatri Spivak qui s'écrie : « *Gramsci is my brother !* » Slimane discute avec Jean-François Lyotard, d'économie libidinale ou de *transaction* postmoderne. Pink Floyd chante « *Hey ! Teacher ! Leave us kids alone !* »

Cixous dit à Judith, Bayard et Simon que la nouvelle histoire qui arrive dépasse l'imagination masculine, et pour cause, elle va les priver de leur orthopédie conceptuelle et commence par ruiner leur machine à leurres, mais Simon n'écoute plus cette conversation. Il regarde le groupe de Cordélia comme on recense les effectifs de l'armée ennemie : six personnes, trois garçons et trois filles. Ce qui lui serait déjà extrêmement difficile si elle était seule, à savoir l'aborder, lui semble, dans cette configuration, particulièrement inconcevable.

Et pourtant il se met en mouvement.

« Blanche, physique, avec une jupe et des bijoux de pacotille, je joue tous les codes de mon sexe et de mon âge », pense-t-il en cherchant à entrer dans la tête de la jeune fille. En passant près d'elle, il l'entend dire sur un ton de mondanité parfaitement érotique : « Les couples sont comme les oiseaux, inséparables, intarissables, et battant inutilement des ailes en dehors de la cage. » Il ne détecte aucun accent. Un Américain lui fait une remarque en anglais que Simon ne comprend pas. Elle répond d'abord en anglais (également sans accent, autant qu'il puisse en juger) puis, en renversant la gorge : « Je n'ai jamais su vivre d'histoires d'amour, je n'ai vécu que des romans. » Simon va se chercher un verre, et même deux. (Il entend Gayatri Spivak dire à Slimane : « *We were taught to say yes to the enemy.* »)

Bayard profite de son absence pour demander à Judith de lui expliquer la différence entre illocutoire et perlocutoire. Judith lui dit que l'acte de discours illocutoire est *lui-même la chose qu'il effectue*, alors que l'acte perlocutoire entraîne certains effets *qui ne se confondent pas* avec l'acte de discours. « Par exemple, si je vous demande : "Pensez-vous qu'il y a des chambres libres à l'étage ?", la réalité illocutoire objective contenue dans la question est que je vous drague. *En* posant cette question, je vous drague. Mais l'enjeu perlocutoire se joue à un autre niveau : est-ce que, sachant que je vous drague, ma proposition vous intéresse ? L'acte *illocutoire* sera réussi ("*performed with success*") si vous comprenez mon invitation. Mais l'acte *perlocutoire* ne sera réalisé que si vous me suivez dans une chambre. La nuance est subtile, n'est-ce pas ? D'ailleurs, elle n'est pas toujours stable. »

Bayard bredouille quelque chose d'incompréhensible mais ce bredouillement même indique qu'il a compris. Cixous sourit de son sourire de Sphinx et dit : « Allons donc *performer* ! » Bayard suit les deux femmes qui dénichent un pack de bière et montent l'escalier dans lequel Chomsky et Camille Paglia stationnent pour se rouler des pelles. Dans le couloir, ils croisent une étudiante latino-américaine avec un chemisier en soie siglé D&G à qui Judith achète des petites pilules. Comme il ne connaît pas cette marque, Bayard demande à Judith ce que signifient ces initiales et Judith lui dit que ce n'est pas une marque mais les initiales de « Deleuze & Guattari ». D'ailleurs, elles figurent aussi sur les pilules.

En bas, un Américain dit à Cordélia : « *You are the muse !* »

Cordélia affecte une moue dédaigneuse que Simon devine étudiée pour mettre en valeur la pulpe de ses lèvres : « *That is not enough.* »

C'est ce moment que Simon choisit pour l'aborder, devant tous ses amis, avec la résolution d'un plongeur d'Acapulco. Il dit, comme s'il ne faisait que passer mais que, ayant saisi une parole au vol, il ne *pouvait* s'empêcher de rebondir, en feignant le mieux possible une spontanéité cool : « Bien sûr, qui a envie d'être un objet ? » Silence. Il peut lire dans les yeux de Cordélia : « *OK, now you have my attention.* » Il sait qu'il ne doit pas seulement se montrer urbain et cultivé mais piquer sa curiosité, la provoquer sans trop la choquer, faire preuve d'esprit pour exciter le sien, doser la légèreté et la profondeur en évitant la pédanterie et la préciosité, jouer le jeu de la comédie mondaine tout en suggérant qu'on n'en est pas dupe, et, naturellement, érotiser d'emblée le rapport.

« Vous êtes faite pour l'amour physique puissant et vous aimez l'itérabilité des photocopieuses, n'est-ce pas ? Un fantasme sublimé n'est rien d'autre qu'un fantasme réalisé. Ceux qui prétendent le contraire sont des menteurs, des curés et des exploiteurs du peuple. » Il lui tend l'un des deux verres qu'il a dans les mains. « Vous aimez le gin tonic ? »

La sono passe *Sexy Eyes* de Dr Hook. Cordélia prend le verre.

Elle le lève comme pour porter un toast et dit : « Nous sommes des mensonges de confiance. » Simon lève le verre qu'il a gardé pour lui et le boit presque d'un trait. Il sait qu'il a passé le premier tour.

Par réflexe, il jette un regard circulaire et aperçoit Slimane, appuyé d'une main à la rambarde de l'escalier, sur le palier intermédiaire qui mène au premier étage, surplombant la foule massée dans le hall, faisant le V de la victoire de sa main libre, puis utilisant ses deux mains pour dessiner une sorte de croix, la main formant la barre horizontale légèrement au-dessus de la médiane de sa main verticale. Simon essaie de repérer à qui s'adresse le signe mais il ne voit que des étudiants et des profs boire et danser et flirter sur *Kids in America* de Kim Wilde, et il sent qu'il y a quelque chose qui ne va pas mais il ne sait pas quoi. Et le groupe de plus en plus compact formé autour de Derrida : c'est vers lui que Slimane regarde.

Il ne voit pas Kristeva ni le vieil homme à la coiffure d'arbuste avec sa cravate en laine mais ils sont là, pourtant, et s'il pouvait les voir, s'ils n'étaient pas chacun positionnés à des endroits différents mais semblablement dissimulés dans l'ombre des invités, il verrait qu'ils ont tous les deux les yeux braqués sur Slimane et il saurait qu'ils ont tous les deux intercepté le signe que Slimane a fait avec ses mains et il devinerait qu'ils ont tous les deux deviné que le signe s'adressait à Derrida, caché, lui aussi, derrière son cercle d'admirateurs.

Il ne voit pas non plus l'homme au cou de taureau qui a baisé Cordélia sur la photocopieuse, qui est là pourtant et darde sur elle ses yeux de taureau.

Il cherche Bayard dans la foule mais ne le trouve pas, et pour cause, puisque Bayard est dans une chambre, à l'étage, une bière à la main, une substance chimique non identifiée courant dans ses veines, en train de discuter pornographie et féminisme avec ses nouvelles amies.

Il entend Cordélia dire : « L'Église, dans sa grande mansuétude, s'est quand même demandé au concile de Mâcon en 585 si la femme avait une âme… », alors il ajoute, pour lui plaire : « … et s'est bien gardée de trouver la réponse. »

La grande Égyptienne cite un vers de Wordsworth dont Simon ne parvient pas à isoler la provenance. La petite Asiatique explique à un Italien de Brooklyn qu'elle fait sa thèse sur le *queer* dans Racine.

Quelqu'un dit : « Il est bien connu que le psychanalyste ne parle même plus, et qu'il n'en interprète que davantage. »

Camille Paglia hurle : « *French go home ! Lacan is a tyrant who must be driven from our shores.* »

Morris Zapp rit et lui crie à travers le hall : « *You're damn' right, General Custer !* »

Gayatri Spivak pense : « *You're not the granddaughter of Aristotle, you know ?* »

Dans la chambre, Judith demande à Bayard : « Et tu travailles où, au fait ? » Bayard, pris au dépourvu, répond bêtement, en espérant aussitôt que Cixous ne relève pas : « Je fais de la recherche… à Vincennes. »

Mais Cixous, évidemment, lève un sourcil, alors il la regarde droit dans les yeux et dit : « En droit. » Cixous lève son deuxième sourcil. Non seulement elle n'a jamais vu Bayard à Vincennes mais il n'y a pas de département de droit. Pour faire diversion, Bayard lui passe la main sous son chemisier et lui presse un sein à travers son soutien-gorge. Cixous réprime une expression de surprise mais décide de ne pas réagir quand Judith pose la main sur son autre sein.

Une *undergrad* nommée Donna a rejoint le groupe de Cordélia qui lui demande des nouvelles de sa sororité : « *How is Greek life so far ?* » (La *Greek life* étant le nom que l'on donne à ce système de *fraternités* et de *sororités* parce que la majorité d'entre elles sont désignées par des lettres de l'alphabet grec.) Justement, Donna et ses amies songent à organiser la reconstitution d'une bacchanale. L'idée amuse follement Cordélia. Simon réfléchit : il pense que Slimane a voulu donner rendez-vous à Derrida. Le signe qu'il a fait n'est pas le V de la victoire mais l'heure. Deux heures, mais où ? Si c'était dans une église, Slimane aurait fait un signe de croix standard plutôt que ce geste bizarre. Il demande : « Il y a un cimetière dans le coin ? » La jeune Donna bat des mains : « *Oh yeah ! That's a great idea ! Let's go to the cemetary !* » Simon veut dire que ce n'est pas ce qu'il voulait dire, mais Cordélia et ses amies semblent si séduites par la proposition qu'il ne dit rien.

Donna dit qu'elle va chercher le *matériel*. La sono passe *Call Me* de Blondie.

Il est déjà presque une heure.

Il entend quelqu'un dire : « Le prêtre interprétatif, le devin, est un des bureaucrates du dieu-despote, tu vois ? Encore un aspect de la tricherie du prêtre, putain : l'interprétation va à l'infini, et ne rencontre jamais rien à interpréter qui ne soit déjà soi-même une interprétation ! » C'est Guattari, visiblement assez attaqué, qui drague une innocente doctorante de l'Illinois.

Il faut quand même qu'il prévienne Bayard.

La sono fait ricocher la voix de Debbie Harry qui chante : « *When you're ready, we can share the wine.* »

Donna revient avec une trousse de toilette et dit qu'on peut y aller.

Simon se précipite dans les étages pour dire à Bayard de le rejoindre au cimetière à 2 heures. Il ouvre toutes les portes, trouve toutes sortes d'étudiants défoncés plus ou moins actifs, trouve Foucault en train de se branler devant un poster de Mick Jagger, trouve Andy Warhol en train d'écrire des poèmes (en fait, c'est Jonathan Culler qui remplit des fiches de paie), trouve une serre avec des plants de marijuana jusqu'au plafond, trouve même des étudiants sages qui regardent du baseball sur la chaîne sport en fumant du crack, et finalement trouve Bayard.

« Oh ? Pardon ! »

Il referme la porte mais il a le temps de voir Bayard calé entre les jambes d'une femme qu'il ne parvient pas à identifier pendant que Judith l'encule avec un gode-ceinture en criant : « *I am a man and I fuck you ! Now you feel my performative, don't you ?* »

Impressionné par la vision, il n'a pas la présence d'esprit de laisser un message et se hâte de redescendre pour rejoindre le groupe de Cordélia.

Il croise Kristeva dans l'escalier sans y prêter attention.

Il sent bien qu'il ne suit pas du tout le protocole d'urgence, mais la peau blanche de Cordélia exerce une attraction trop forte. Après tout, il sera sur le lieu du rendez-vous, se dit-il pour essayer de légitimer une stratégie dont il sait pertinemment qu'elle n'est pas dictée par une autre logique que celle de son désir.

Kristeva frappe à la porte d'où s'échappent les grognements étranges. Searle lui ouvre. Elle n'entre pas mais lui glisse quelque chose à voix basse. Puis elle se dirige vers la chambre où elle a vu entrer Bayard avec ses deux amies.

Le cimetière d'Ithaca est à flanc de colline, boisé, les tombes y semblent semées de manière anarchique, au milieu des arbres. Il n'y a pas d'autre lumière que la lune et celles qui viennent de la ville. Le groupe se rassemble autour de la sépulture d'une femme morte très jeune. Donna explique qu'elle va réciter les confidences de la Sibylle, mais qu'il faut préparer la cérémonie dite de la « naissance de l'homme nouveau » et que l'on a besoin d'un volontaire. Cordélia désigne Simon. Il voudrait demander des précisions mais il se laisse faire quand elle commence à le déshabiller. Autour d'eux, une dizaine de personnes sont venues assister au spectacle, qui semblent une petite foule à Simon. Quand il est complètement nu, elle l'allonge dans l'herbe, au pied de la sépulture et lui souffle à l'oreille : « *Relax.* Nous allons tuer l'homme ancien. »

Tout le monde a bien bu, tout le monde est très désinhibé, aussi tout ça *peut*-il se produire *réellement*, pense Simon.

Donna tend la trousse de toilette et Cordélia en sort un rasoir de coiffeur qu'elle déplie solennellement.

Comme Simon entend Donna évoquer Valerie Solanas dans son préambule, il n'est pas tout à fait rassuré. Mais Cordélia sort également une bombe de mousse à raser et lui étale la mousse sur le pubis qu'elle se met à raser précautionneusement. Un symbole de castration symbolique, comprend Simon, qui suit l'opération avec attention, d'autant qu'il sent les doigts de Cordélia déplacer délicatement son pénis.

« *In the beginning, no matter what they say, there was only a goddess. One goddess and one only.* »

Il aurait quand même préféré que Bayard soit là.

Mais Bayard fume une cigarette dans le noir, nu, étendu sur la moquette de la chambre d'étudiant, entre les corps nus de ses deux amies, dont l'une s'est endormie, le bras en travers de sa poitrine, la main refermée sur celle de l'autre.

« *In the beginning, no matter what they think, women were all and one. The only power then was female, spontaneous, and plural.* »

Bayard demande à Judith pourquoi elle s'est intéressée à lui. Judith, lovée contre son épaule, émet un miaulement et lui répond, avec son accent de Juive du Midwest : « Parce que tu ne semblais pas à ta place, ici. »

« *The goddess said : "I came, that is just and good."* »

On frappe à la porte de la chambre, quelqu'un entre, Bayard se redresse et reconnaît Kristeva qui lui dit : « Vous devriez vous habiller. »

« *The very first goddess, the very first female powers. Humanity by, on, in her. The ground, the atmosphere, water, fire. Language.* »

On entend une église sonner deux coups.

« *Thus came the day when the little prankster appeared. He didn't look like much but was self-confident. He said : "I am God, I am the son of man, they need a father to pray to. They will know how to be faithful to me : I know how to communicate."* »

Le cimetière n'est qu'à une centaine de mètres. Les bruits de la soirée résonnent sur les tombes et confèrent à la cérémonie rituelle un arrière-plan sonore définitivement anachronique : la sono joue *Gimme ! Gimme ! Gimme ! (A Man after Midnight)* d'Abba.

« *Thus man imposed the image, the rules, and the veneration of all human bodies endowed with a dick.* »

Simon tourne la tête pour cacher sa gêne et son excitation et c'est alors qu'il distingue, à quelques dizaines de mètres, deux silhouettes qui se rejoignent sous un arbre. Il voit la silhouette la plus élancée passer les écouteurs de son Walkman à la silhouette plus trapue, qui tient un sac de sport à la main. Il comprend que Derrida vérifie la marchandise, et que la marchandise est une cassette sur laquelle a été enregistrée la septième fonction du langage.

« *The real is out of control. The real fabricates stories, legends, and creatures.* »

Derrida, sous ses yeux, à quelques mètres, au pied d'un arbre, au milieu des tombes du cimetière d'Ithaca, est en train d'écouter la septième fonction du langage.

« *On horseback on a tomb, we will feed our sons with the entrails of their fathers.* »

Simon voudrait intervenir mais aucun muscle de son corps ne parvient à se mobiliser pour se lever, ni même le muscle de sa langue, dont il sait qu'il est pourtant le plus puissant du corps, pour prononcer aucune parole, d'autant que l'étape qui suit la castration symbolique est celle de la renaissance symbolique et que l'avènement de l'homme nouveau est ici symbolisé par une fellation. Or, quand Cordélia le prend dans sa bouche, et qu'il sent la chaleur des muqueuses de la princesse carthaginoise se répandre dans chaque parcelle de lui-même, il sait qu'il est perdu pour la mission.

« *We form with our mouths the breath and the power of the Sorority. We are one and many, we are a female legion…* »

L'échange va avoir lieu, et il n'aura rien fait pour l'empêcher.

Néanmoins, en renversant la tête en arrière, il aperçoit, en haut de la colline, éclairé par les lumières du campus, vision irréelle, et cette irréalité même l'angoisse plus que la réalité éventuelle de la vision, un homme qui tient en laisse deux molosses.

Il fait trop sombre mais il sait que c'est Searle. Les chiens aboient. Les spectateurs de la cérémonie rituelle, surpris, regardent dans leur direction. Donna interrompt sa prière. Cordélia arrête de sucer Simon.

Searle fait un bruit avec sa bouche et lâche les deux chiens qui se ruent sur Slimane et Derrida. Simon se relève et court vers eux pour leur venir en aide mais il se sent soudain agrippé par une poigne puissante : c'est l'homme au cou de taureau, celui qui a baisé Cordélia sur la photocopieuse, qui lui saisit le bras, et lui décoche un grand coup de poing dans la gueule. Simon, à terre, nu et impuissant, voit les deux chiens bondir sur le philosophe et le gigolo qui tombent à la renverse.

Des cris et des grognements s'entremêlent.

L'homme au cou de taureau, hermétique au drame qui se joue dans son dos, veut visiblement en découdre,

Simon entend des insultes en anglais, il comprend que l'individu aurait souhaité une certaine exclusivité dans les rapports corporels avec Cordélia, et pendant ce temps les deux chiens vont déchiqueter Slimane et Derrida.

Les cris mêlés d'hommes et de bêtes ont pétrifié les apprenties bacchantes et leurs amis. Derrida roule entre les tombes, entraîné par la pente et la furie du chien après lui. Slimane, plus jeune et plus fort, a bloqué la mâchoire de l'animal avec son avant-bras mais la pression exercée est telle sur les muscles et sur l'os qu'il va s'évanouir dans une seconde et rien ne pourra plus empêcher la bête de le dévorer, mais soudain il entend un couinement et il voit Bayard surgi de nulle part qui enfonce ses doigts dans la tête du chien et lui crève les yeux. Le chien émet un glapissement horrible et s'enfuit en se cognant aux tombes.

Puis Bayard dévale la pente pour venir en aide à Derrida qui roule toujours.

Il saisit la tête du second chien pour lui briser la nuque mais le chien se retourne contre lui et le déséquilibre, il bloque les pattes antérieures mais la gueule béante est à dix centimètres de son visage, alors Bayard plonge une main dans la poche de sa veste et sort le Rubik's Cube, les six faces parfaitement assemblées, qu'il enfonce dans la gueule jusqu'à l'œsophage. Le chien émet un gargouillis immonde, se frappe la tête contre les arbres, se roule dans l'herbe, convulse et meurt étouffé par le jouet.

Bayard rampe vers la forme humaine qui gît à proximité. Il entend un glouglou horrible. Derrida saigne abondamment. Le chien lui a littéralement sauté à la gorge.

Pendant que Bayard est occupé à tuer des chiens et Simon à parlementer avec l'homme-taureau, Searle s'est précipité sur Slimane resté à terre. Maintenant qu'il a compris où était cachée la septième fonction, il veut, évidemment, récupérer le Walkman. Il retourne Slimane qui gémit de douleur, met la main sur l'appareil, appuie sur la touche *eject*.

Mais le logement de la cassette est vide.

Searle pousse un cri de bête enragée.

De derrière un arbre, un troisième homme apparaît. Il a une cravate en laine et une coiffure assortie à son environnement. Il était peut-être caché là dès le départ.

En tout cas, il tient une cassette à la main.

Dont il a déroulé la bande magnétique.

De l'autre main, il fait jouer la molette d'un briquet.

Searle, horrifié, crie : « *Roman, don't do that !* »

Le vieil homme à la cravate de laine porte la flamme du Zippo au contact de la bande magnétique qui s'embrase instantanément. De loin, ce n'est qu'une petite lueur verte qui troue la nuit.

Searle hurle comme si on lui arrachait le cœur.

Bayard se retourne. L'homme au cou de taureau aussi. Simon peut enfin se dégager. Il se dirige vers l'homme-arbuste comme un somnambule (il est toujours nu) et demande, la voix blanche : « Qui êtes-vous ? »

Le vieil homme réajuste sa cravate et dit simplement : « Roman Jakobson, linguiste. »

Le sang de Simon se glace.

Bayard, en contrebas, n'est pas bien sûr d'avoir entendu. « Quoi ? Il a dit quoi ? Simon ! »

Les derniers lambeaux de la bande magnétique crépitent avant de se changer en cendre.

Cordélia est accourue auprès de Derrida. Elle déchire sa robe pour lui faire un bandage autour du cou. Elle espère arrêter l'hémorragie.

« Simon ? »

Simon ne répond rien mais reconstitue mentalement le dialogue muet avec Bayard : Pourquoi ne pas lui avoir dit que Jakobson était vivant ?

« Tu ne me l'as jamais demandé. »

La vérité est que Simon n'a jamais pensé que l'homme à l'origine du Structuralisme, celui qui a donné l'idée du Structuralisme à Lévi-Strauss lors de leur rencontre à New York en 1941, le formaliste russe de l'École de Prague, l'un des plus importants fondateurs de la linguistique après Saussure, pouvait être encore vivant. Pour Simon, il appartenait à une autre époque. Celle de Lévi-Strauss, pas celle de Barthes. Il rit de la bêtise de ce raisonnement : Barthes est mort mais Lévi-Strauss est vivant, alors pourquoi pas Jakobson ?

Jakobson descend les quelques mètres qui le séparent de Derrida en prenant garde de ne pas trébucher sur un caillou ou une motte de terre.

Le philosophe est allongé, la tête posée sur les genoux de Cordélia. Jakobson lui prend la main et lui dit : « Merci, mon ami. » Derrida articule faiblement : « J'aurais écouté la bande, tu sais. Mais j'aurais gardé le secret. » Il lève les yeux vers Cordélia en pleurs : « Souriez-moi comme je vous aurai souri jusqu'à la fin, ma belle enfant. Préférez toujours la vie et affirmez sans cesse la survie… »

Et sur ces mots, Derrida meurt.

Searle et Slimane ont disparu. Le sac de sport aussi.

78

« N'est-il pas dérisoire, naïf et proprement puéril de se présenter devant un mort pour lui demander pardon ? »

Jamais le petit cimetière de Ris-Orangis n'avait connu pareille affluence. Perdu en banlieue parisienne, au bord de la nationale 7, bordé par de petites barres de HLM disposées en épi, l'endroit est écrasé par un silence comme seules les foules savent en produire.

Devant le cercueil, au-dessus de la fosse, Michel Foucault prononce l'hommage funéraire.

« Par ferveur amicale ou reconnaissante, par approbation aussi, se contenter de citer, d'accompagner ce qui revient à l'autre, plus ou moins directement, lui laisser la parole, s'effacer devant elle… Mais ce trop de fidélité finirait par ne rien dire, et ne rien échanger. »

Derrida ne sera pas enterré dans le carré juif mais avec les catholiques pour que, le temps venu, sa femme puisse le rejoindre.

Au premier rang de ceux qui sont présents, Sartre écoute Foucault, l'air grave, la tête baissée, à côté d'Étienne Balibar. Il ne tousse plus. On dirait un fantôme.

« Jacques Derrida est le nom de qui ne peut même plus l'entendre ni le porter. »

Bayard demande à Simon si c'est Simone de Beauvoir à côté de Sartre.

Foucault fait du Foucault : « Comment croire au contemporain ? Tels qui semblent appartenir à la même époque, délimitée en termes de datation historique ou d'horizon social, etc., il serait facile de montrer que leurs temps restent infiniment hétérogènes et à vrai dire sans rapport. »

Avital Ronell pleure doucement, Cixous s'appuie sur Jean-Luc Nancy et fixe la fosse d'un regard sans expression, Deleuze et Guattari méditent sur les singularités sérielles.

Les trois petites barres de HLM à la peinture craquelée, aux balcons rouillés, surplombent le cimetière comme des sentinelles ou des dents plantées dans la mer.

En juin 1979, lors d'« états généraux de la philosophie » organisés dans le Grand Amphithéâtre de la Sorbonne, Derrida et BHL s'étaient littéralement tapés dessus, mais BHL est présent à l'enterrement de celui qu'il appellera bientôt, ou qu'il appelle déjà, « mon vieux maître ».

Foucault poursuit : « Contrairement à ce qu'on pense souvent, les "sujets" individuels qui habitent les zones les plus incontournables ne sont pas des "surmoi" autoritaires, ils ne disposent pas d'un pouvoir, à supposer que du Pouvoir on dispose. »

Sollers et Kristeva sont venus aussi, évidemment. Derrida avait participé à *Tel Quel*, au début. *La Dissémination* avait été publiée dans la collection « Tel Quel », mais il avait rompu en 1972, sans qu'on sache trop la part du politique et celle du personnel. Cependant, en décembre 1977, quand Derrida s'était fait arrêter à Prague, piégé par le régime communiste qui avait mis de la drogue dans ses bagages, il avait reçu et accepté le soutien de Sollers.

Bayard n'a toujours pas reçu l'ordre d'arrêter ni Sollers ni Kristeva. Il n'a pas de preuves, mise à part la connexion bulgare, de leur implication dans la mort de Barthes. Mais surtout, il n'a pas la preuve, même s'il en a la quasi-certitude, qu'ils ont la septième fonction.

C'est Kristeva qui a prévenu Bayard du rendez-vous au cimetière à Ithaca, et il pense que c'est elle qui avait prévenu Searle. L'hypothèse de Bayard est qu'elle souhaitait faire échouer la transaction en réunissant tous les acteurs, multipliant ainsi les potentielles interférences, parce qu'elle ignorait ou ne voulait pas croire que Derrida, de concert avec Jakobson, œuvrait pour la destruction de la copie. Jakobson a toujours pensé que sa découverte ne devait pas être portée à la connaissance du monde. À cet effet, il avait aidé Derrida à rassembler l'argent pour racheter la cassette à Slimane.

Pendant que Foucault poursuit son oraison, une femme se glisse derrière Simon et Bayard.

Simon reconnaît le parfum d'Anastasia.

Elle leur souffle quelque chose à l'oreille et, instinctivement, les deux hommes ne se retournent pas.

Foucault : « Ce qui s'appelait plus haut "à la mort", "à l'occasion de la mort" : toute une série de solutions typiques. Les pires ou la pire de chacune d'elles, ignoble ou dérisoire, si fréquente pourtant : manœuvrer encore, spéculer, soustraire un bénéfice, fût-il subtil ou sublime, tirer du mort une force supplémentaire qu'on dirige contre des vivants, dénoncer, injurier plus ou moins directement les survivants, s'autoriser, se légitimer, se hisser à la hauteur où la mort, présume-t-on, élève l'autre à l'abri de tout soupçon. »

Anastasia : « Il y aura bientôt un très gros événement organisé par le Logos Club. Le Grand Protagoras a été défié. Il va remettre son titre en jeu. Cela va donner lieu à une énorme session. Mais seules les personnes accréditées pourront y assister. »

Foucault : « Dans son type classique, l'oraison funèbre avait du bon, surtout quand elle permettait d'interpeller directement le mort, parfois de le tutoyer. Fiction supplémentaire, certes, c'est toujours le mort en moi, toujours les autres debout autour du cercueil que j'apostrophe ainsi, mais par son excès caricatural la surenchère de cette rhétorique marquait au moins qu'on devait ne plus rester entre soi. »

Bayard demande où a lieu la réunion. Anastasia répond qu'elle aura lieu à Venise, dans un lieu tenu secret qui n'a probablement pas encore été choisi car l'« organisme » pour lequel elle travaille n'a pas pu le localiser.

Foucault : « Il faut interrompre le commerce des survivants, déchirer le voile vers l'autre, l'autre mort en nous, mais l'autre, et les assurances religieuses de survie pouvaient encore faire droit à ce "comme si". »

Anastasia : « Celui qui va défier le Grand Protagoras, c'est celui qui a volé la septième fonction. Vous avez le mobile. »

Ni Searle ni Slimane n'ont été retrouvés. Mais ce n'est pas vers eux que se portent les soupçons. Slimane voulait vendre. Searle voulait acheter. Jakobson a aidé Derrida à renchérir, mais Kristeva a tout fait pour que la transaction échoue et Derrida est mort. Les deux hommes courent toujours et l'un des deux a l'argent mais, du point de vue de l'employeur de Bayard, ce n'est pas ça qui importe.

Ce qu'il faut, pense Bayard, c'est un flagrant délit.

Simon demande comment obtenir l'accréditation. Anastasia répond qu'il faut être au moins niveau 6 (tribun), et qu'il y aura un grand tournoi de qualification spécialement organisé pour l'occasion.

« Le Roman est une mort ; il fait de la vie un destin, du souvenir un acte utile, et de la durée un temps dirigé et significatif. »

Bayard demande à Simon pourquoi Foucault parle du roman.

Simon lui répond que c'est sûrement une citation mais il se pose lui-même la question, qu'il trouve décidément anxiogène.

79

Searle, penché au-dessus du pont, distingue à peine l'eau au fond de la gorge mais il l'entend couler dans la pénombre. Il fait nuit sur Ithaca et le vent serpente dans le couloir de végétation formé par la Cascadilla Creek. La rivière, encaissée dans son lit de pierres et de mousse, suit son cours, indifférente aux drames des hommes.

Un couple d'étudiants qui se tiennent par la main traverse le pont. À cette heure, il n'y a pas beaucoup de passage. Personne ne prête attention à Searle.

Si seulement il avait su, si seulement il avait pu…

Il est bien tard pour refaire l'histoire.

Sans un mot, le philosophe du langage enjambe la rambarde, se tient en équilibre sur le parapet, jette un coup d'œil vers l'abîme, contemple une dernière fois les étoiles, lâche prise, et tombe.

À peine une gerbe : une éclaboussure. Bref scintillement d'écume dans le noir.

La rivière n'est pas assez profonde pour amortir le choc, mais les rapides emportent le corps vers les chutes et le lac Cayuga, où jadis pêchaient des Indiens qui, sans doute – mais qui sait ? –, connaissaient peu de choses de l'illocutoire et du perlocutoire.

QUATRIÈME PARTIE

Venise

80

« J'ai 44 ans. Ça signifie que j'ai survécu à Alexandre, mort à 32 ans, à Mozart, mort à 35 ans, à Jarry, 34, à Lautréamont, 24, à Lord Byron, 36, à Rimbaud, 37, et tout au long de la vie qui me reste, je dépasserai tous les grands hommes morts, tous les géants qui ont fait leur époque, ainsi, si Dieu me prête vie, je verrai passer Napoléon, César, Georges Bataille, Raymond Roussel… Mais non !… Je mourrai jeune… Je le sens… Je ne ferai pas de vieux os… Je ne finirai pas comme Roland… 64 ans… Pathétique… Au fond, nous lui avons rendu un fier service… Non, non… Je ne ferais pas un beau vieillard… D'ailleurs, ça n'existe pas… Je préfère me consumer… Une mèche courte, voilà… »

81

Sollers n'aime pas le Lido mais il a fui la foule du Carnaval et trouvé refuge, en souvenir de Thomas Mann et Visconti, au Grand Hôtel des Bains où se déroule l'action du très contemplatif *Mort à Venise.* Il s'est dit qu'il pourrait y méditer à son aise, face à l'Adriatique, mais pour l'instant, il est au bar et il drague la serveuse en sifflant un whisky. Au fond de la salle déserte, un pianiste joue du Ravel sans conviction. Il faut dire que nous sommes au beau milieu d'un après-midi d'hiver et, s'il n'y a pas le choléra, le temps n'est pas très propice à la baignade.

« Comment vous appelez-vous, ma chère enfant ? Non, ne me dites rien ! Je vais vous baptiser Margherita, comme la maîtresse de Lord Byron. C'était la fille d'un boulanger, savez-vous ? *La Fornarina*… tempérament de feu et cuisses de marbre… Elle avait vos yeux, bien entendu. Ils faisaient du cheval sur la plage, c'était follement romantique, n'est-ce pas ? Un peu kitsch peut-être, oui, vous avez raison… Voulez-vous que je vous apprenne à monter, tantôt ? »

Sollers pense à ce passage de *Childe Harold* : « La cité veuve de son doge… » Le Doge ne peut plus épouser la mer, le Lion ne fait plus peur : c'est bien d'un châtrage qu'il s'agit, se dit-il. « Et le *Bucentaure* se moisit, parure oubliée de son veuvage !… » Mais il chasse aussitôt cette mauvaise pensée. Il agite son verre vide pour commander un second whisky. « *On the rocks.* » La serveuse sourit poliment. « *Prego.* »

Sollers soupire gaiement : « Ah comme j'aimerais pouvoir dire, comme Goethe : "Je ne suis peut-être connu à Venise que d'un seul homme et il ne me rencontrera pas de sitôt." Mais je suis très connu dans mon pays, ma chère enfant, voilà le malheur. Vous connaissez la France ? Je vous y emmènerai. Quel bon écrivain, ce Goethe. Mais qu'y a-t-il ? Vous rougissez.

Ah, Julia, tu es là ! Margherita, je vous présente ma femme. »

Discrètement, comme un chat, Kristeva a fait son entrée dans le bar vide. « Tu te fatigues pour rien, mon chéri, cette jeune femme ne comprend pas le quart de ce que tu dis. N'est-ce pas, mademoiselle ? »

La jeune fille sourit toujours. « *Prego ?* »

Sollers se rengorge : « Mais voyons, quelle importance ? Quand on bénéficie, comme moi, du *suffrage à vue*, on n'a pas besoin (Dieu merci !) d'être *compris.* »

Kristeva ne lui parle pas de Bourdieu, qu'il déteste parce que le sociologue menace tout son système de représentation, celui avec lequel il parvient toujours à se donner le beau rôle. Elle ne lui dit pas non plus de ne pas trop boire avant la rencontre de cette semaine. Depuis longtemps, elle a choisi de le traiter à la fois comme un enfant *et* comme un adulte. Elle renonce à lui expliquer certaines choses, *mais* attend de lui qu'il se hisse au niveau qu'elle s'estime en droit d'exiger.

Le pianiste plaque un accord particulièrement dissonant. Mauvais présage ? Mais Sollers croit en sa bonne étoile. Il va peut-être aller se baigner. Kristeva remarque qu'il a déjà mis ses sandales

82

Deux cents galères, deux douzaines de galiotes (ces demi-galères) et six gigantesques galéasses (les B-52 de l'époque) filent sur la Méditerranée à la poursuite de la flotte turque.

Sebastiano Venier, l'irascible chef de la flotte vénitienne, enrage intérieurement : il pense qu'il est le seul qui souhaite la bataille, parmi ses alliés espagnols, génois, savoyards, napolitains et pontificaux, mais il se trompe.

Si la couronne espagnole, en la personne de Philippe II, tend à se désintéresser de la Méditerranée, tout occupée qu'elle est par la conquête du Nouveau Monde, le jeune don Juan d'Autriche, fougueux commandant de la flotte de la Sainte-Ligue, fils naturel de Charles Quint et par là même demi-frère du roi, cherche dans la guerre l'honneur que sa bâtardise lui interdit par ailleurs.

Sebastiano Venier veut préserver les intérêts vitaux de la Sérénissime mais don Juan d'Autriche, agissant pour le compte de sa propre gloire, est son meilleur allié, et il ne le sait pas.

83

Sollers contemple le portrait de saint Antoine dans l'église des Gesuati et trouve qu'il lui ressemble. (Que Sollers ressemble à saint Antoine ou que saint Antoine ressemble à Sollers, je ne sais pas dans quel ordre il l'envisage.) Il allume un cierge de bénédiction à lui-même et sort se promener dans le quartier de Dorsoduro qu'il aime tant.

Devant l'Accademia, il croise Simon Herzog et le commissaire Bayard qui font la queue.

« Cher commissaire, vous ici, quelle surprise ! Quel bon vent vous amène ? Ah oui, j'ai entendu parler des exploits de votre jeune protégé. J'ai hâte d'assister au prochain tour. Oui, oui, vous voyez, inutile de se faire des cachotteries, n'est-ce pas ? C'est votre première fois à Venise ? Et vous allez vous cultiver au musée, naturellement. Saluez *La Tempête* de Giorgione de ma part, c'est le seul tableau qui vaille vraiment la peine de supporter tous ces touristes japonais. Ils mitraillent sans regarder, vous avez vu ? »

Sollers désigne deux Japonais dans la queue et Simon a un mouvement de surprise imperceptible. Il reconnaît les Japonais à la Fuego qui lui ont sauvé la vie à Paris. Ils sont en effet munis du Minolta dernier cri et photographient tout ce qui bouge comme si de rien n'était.

« Oubliez la place Saint-Marc. Oubliez le Harry's Bar. Ici vous êtes au cœur de la ville, c'est-à-dire au cœur du monde : le Dorsoduro… Venise a bon dos, n'est-ce pas, ha ha ?… D'ailleurs, vous devez absolument passer au Campo Santo Stefano, il suffit de franchir le Grand Canal… Vous y verrez la statue de Niccolo Tommaseo, un écrivain politique, donc sans intérêt, que les Vénitiens appellent le *Cagalibri* : le chieur de livres. À cause de la statue. On dirait vraiment qu'elle chie des livres. Ha ha. Mais surtout allez contempler la Giudecca, sur l'autre rive. Vous pourrez admirer, alignées, les églises du grand Palladio. Vous ne connaissez pas Palladio ? Un homme de défi… comme vous peut-être ? Cet homme avait la charge de bâtir un édifice *en face* de la place Saint-Marc. Vous imaginez ?

Sacré *challenge*, comme disent nos amis américains, qui n'ont jamais rien compris à l'art… ni aux femmes du reste, mais ceci est une autre histoire… Eh bien, voilà : dressée sur les flots, San Giorgio Maggiore. Et surtout, le Redentore, chef-d'œuvre néoclassique : d'un côté, Byzance et le gothique flamboyant du passé ; de l'autre, la Grèce antique ressuscitée à jamais via la Renaissance et la Contre-Réforme. Allez voir, c'est à cent mètres ! Si vous vous dépêchez, vous aurez le coucher de soleil… »

À cet instant, un cri retentit dans la queue. « Au voleur ! Au voleur ! » Un touriste court après un pickpocket. Instinctivement, Sollers porte la main à la poche intérieure de sa veste.

Mais il se ressaisit aussitôt : « Ha ha, vous avez vu ? Un Français, évidemment… les Français se font toujours rouler. Faites attention quand même. Les Italiens sont un grand peuple, mais brigand, comme tous les grands peuples… Je dois vous laisser, je vais rater la messe… »

Et Sollers s'éloigne, faisant claquer ses sandales souples sur le pavé vénitien.

Simon dit à Bayard : « Tu as vu ?

— Oui, j'ai vu.

— Il l'a sur lui.

— Oui.

— Pourquoi ne pas le lui prendre maintenant, alors ?

— Il faut d'abord vérifier que ça marche. Je te rappelle que tu es là pour ça. »

Sur le visage de Simon s'esquisse un indétectable sourire d'orgueil. Encore un tour. Il a oublié les Japonais derrière lui.

84

Deux cents galères franchissent le détroit de Corfou et filent vers le golfe de Corinthe, et parmi elles *La Marchesa*, commandée par le Génois Francesco San-Freda, avec à son bord le capitaine Diego de Urbino et ses hommes qui jouent aux dés, et parmi eux, fils d'un dentiste endetté, parti chercher la gloire, lui aussi, et la fortune, un hidalgo castillan, aventurier, noblesse d'épée désargentée, le jeune Miguel de Cervantès.

85

En marge du Carnaval, des soirées privées prolifèrent dans les palais vénitiens, et celle qui se déroule actuellement à la Ca' Rezzonico n'est pas la moins courue ni la moins privée.

Attirés par les éclats de voix qui s'échappent de l'édifice, les passants envieux et les passagers des vaporettos lèvent les yeux vers la salle de bal d'où ils peuvent apercevoir ou deviner les trompe-l'œil, les énormes lustres en verre multicolore et les splendides fresques du XVIIIe qui décorent le plafond, mais les invitations sont strictement nominatives.

Les fêtes du Logos Club ne sont pas exactement annoncées dans le journal.

Aujourd'hui, nous dirions que le Logos Club ne communique pas autour de ce genre d'événements.

Et cependant, la fête a bien lieu, au cœur de la Cité des Doges. Cent personnes s'y pressent à visage découvert. (Tenue de soirée exigée, mais le bal n'est pas costumé.)

À première vue, rien ne distingue cette soirée d'une soirée chic normale. Mais il faut écouter les conversations. Ça parle exorde, péroraison, proposition, altercation, réfutation. (Comme disait Barthes, « la passion du classement apparaît toujours byzantine à celui qui n'y participe pas ».) Anacoluthe, catachrèse, enthymème et métabole. (Comme dirait Sollers : « Mais comment donc. ») « Je ne pense pas qu'il faille traduire *Res* et *Verba* simplement par les Choses et les Mots. *Res*, dit Quintilien, ce sont *quae significantur*, et *Verba* : *quae significant* ; en somme, au niveau du discours, les signifiés et les signifiants. » Bien entendu.

On se raconte aussi les joutes passées et à venir, nombres d'invités sont des vétérans aux doigts coupés ou des jeunes loups de la plaidoirie, la plupart ont des souvenirs de campagnes glorieuses et dramatiques qu'ils se plaisent à ressasser sous des tableaux de Tiepolo.

« Je ne connaissais même pas l'auteur de la citation !… »

« Et là, il me sort une phrase de Guy Mollet ! Ça m'a tué, ha ha. »

« J'étais là pour la rencontre mythique entre Jean-Jacques Servan-Schreiber et Mendès France. Je me souviens même plus du sujet. »

« Et moi entre Lecanuet et Emmanuel Berl. Surréaliste. »

« *You French people are so dialectical…* »

« Je tire un sujet… de botanique ! J'ai cru que j'étais foutu, et puis j'ai repensé à mon grand-père dans son potager. J'ai sauvé mon doigt grâce à pépé. »

« Et alors il sort : “Il faut arrêter de voir des athées partout. Spinoza était un grand mystique.” Quel con ! »

« *Picasso contra Dalí. Categoría historia del arte, un clásico. Me gusta más Picasso pero escogí a Dalí.* »

« Le mec commence à parler de foot, j'y connais rien, il arrête pas de parler des Verts et d'un chaudron… »

« Oh non, moi, je n'ai pas jouté depuis deux ans, je suis redescendu rhéteur, j'ai plus le temps ni l'énergie, avec les enfants, le boulot… »

« J'étais prête à abandonner quand soudain, miracle : il dit LA grosse connerie qu'il fallait pas dire… »

« *C'è un solo dio ed il suo nome è Cicerone.* »

« *I went to the Harry's Bar (in memory of Hemingway, like everyone else). 15 000 liras for a Bellini, seriously ?* »

« *Heidegger, Heidegger… Sehe ich aus wie Heidegger ?* »

Soudain, une vague d'effervescence se propage depuis l'escalier. L'assistance s'ouvre pour accueillir un nouvel arrivant. Simon entre, accompagné de Bayard. Les invités s'agglutinent, et en même temps, ils sont comme intimidés. Voici donc le jeune prodige dont tout le monde parle, celui qui, surgi de nulle part, s'est hissé au rang de péripatéticien en un laps de temps incroyablement court : quatre échelons en trois sessions consécutives, à Paris, quand il faut des années, habituellement, pour réaliser une telle progression. Et peut-être cinq, bientôt. Il porte un costume Armani anthracite, une chemise vieux rose et une cravate noire à fines rayures violettes. Bayard, quant à lui, n'a pas cru bon de changer son costume élimé.

Les gens s'enhardissent autour du jeune prodige et, bien vite, le pressent de revenir sur ses exploits parisiens : avec quelle facilité il a d'abord, en guise d'échauffement, écrabouillé un rhéteur sur un sujet de politique intérieure (« À la fin, une élection se gagne-t-elle toujours au centre ? ») en citant le *Que faire ?* de Lénine.

Comment il a écarté un orateur sur une question de philosophie du droit assez technique (« La violence légale est-elle une violence ? ») en recourant à du Saint-Just (« Nul ne peut régner innocemment » et, surtout : « Un roi doit régner ou mourir »).

Comment il a bataillé contre une dialecticienne pugnace sur une citation de Shelley (« Il s'est réveillé du songe de la vie ») en maniant avec délicatesse du Calderón et du Shakespeare, mais aussi, raffinement exquis, du *Frankenstein*.

Avec quelle élégance il s'est joué d'un péripatéticien sur une phrase de Leibniz (« L'éducation peut tout : elle fait danser les ours ») en se payant le luxe d'adopter une démonstration presque uniquement fondée sur des citations de Sade.

Bayard allume une cigarette en regardant par la fenêtre les gondoles sur le Grand Canal.

Simon répond de bonne grâce aux sollicitations. Un vieux Vénitien en costume trois pièces lui tend une coupe de champagne :

« *Maestro*, vous connaissez Casanova, *naturalmente* ? Dans le récit de son fameux duel contre le comte polonais, il écrit : “Le premier conseil que l'on donne à ceux qui affrontent un duel, c'est de mettre le plus tôt possible l'adversaire dans l'impossibilité de vous nuire.” *Cosa ne pensa ?*

(Simon boit une gorgée de champagne et sourit à une vieille dame qui bat des cils.)

— C'était un duel à l'épée ?

— *No, alla pistola*.

— Alors dans le cas d'un duel au pistolet, je pense que le conseil est valable. (Simon rit.) Pour une joute oratoire, les principes sont un peu différents.

— *Come mai ?* Oserais-je, *maestro*, vous demander pourquoi ?

— Eh bien… moi, par exemple, je frappe au code. Ça implique de laisser venir l'adversaire. Je le laisse se découvrir, *capisce* ? Une joute oratoire se rapproche plus d'un duel à l'épée. On se découvre, on referme sa garde, on se dérobe, on feinte, on coupe, on dégage, on pare, on riposte…

— *Uno spadaccino, si. Ma* le pistolet, il n'est pas *migliore* ? »

Bayard donne un coup de coude au jeune prodige. Simon n'ignore pas qu'il n'est pas très sage de fournir obligeamment des indications stratégiques à qui les demande, la veille d'une rencontre de ce niveau, mais son tropisme de pédagogue est plus fort. Il ne peut pas s'empêcher d'*enseigner* :

« Selon moi, il y a deux grandes approches. La sémiologique et la rhétorique, vous voyez ?

— *Si, si… credo di si, ma…* Pouvez-vous expliquer *un poco, maestro* ?

— Eh bien, c'est très simple. La sémiologie, ça permet de comprendre, d'analyser, de décoder, c'est défensif, c'est Borg. La rhétorique, c'est fait pour persuader, pour convaincre, pour vaincre, c'est offensif, c'est McEnroe.

— Ah *si. Ma* Borg, il gagne, *no* ?

— Bien sûr ! On peut gagner avec l'une ou l'autre, ce sont juste des styles de jeu différents. Avec la sémiologie, on décode la rhétorique de l'adversaire, on saisit ses trucs, et on lui met le nez dedans. La sémio, c'est comme Borg : il suffit de renvoyer la balle une fois de plus que l'adversaire. La rhétorique, c'est des aces, des volées, des accélérations long de ligne, mais la sémio, c'est des retours, des passing-shots, des lobs liftés.

— Et c'est *migliore* ?

— Euh, non, pas forcément. Mais c'est ma filière, c'est ce que je sais faire, c'est comme ça que je joue. Je ne suis pas un as du barreau ou un prédicateur ou un tribun politique ou un messie ou un vendeur d'aspirateurs. Je suis un universitaire, et mon métier, c'est d'analyser, de décoder, de critiquer et d'interpréter. C'est mon jeu. Je suis Borg. Je suis Vilas. Je suis José-Luis Clerc. Hum.

— *Ma*, et en face, c'est qui ?

— Eh bien… McEnroe, Roscoe Tanner, Gerulaitis…

— Et Connors ?

— Ah oui, Connors, merde.

— *Perchè*, merde ? Qu'est-ce qu'il a, Connors ?

— Il est super-fort. »

Il est difficile, à cet instant, d'évaluer la part d'ironie dans la dernière réplique de Simon car en février 1981, Connors n'a plus battu Borg depuis huit rencontres, sa dernière victoire en Grand Chelem remontant à presque trois ans (US Open 1978, contre Borg justement), et on commence à penser qu'il est fini. (On ignore qu'il remportera Wimbledon et l'US Open l'année suivante.)

Quoi qu'il en soit, Simon redevient sérieux et demande : « Je suppose qu'il a gagné son duel ?

— Casanova ? *Si*, il a touché le Polonais au ventre et l'a *quasi* tué, mais il a reçu une balle dans le pouce et lui-même, il a failli être *amputato* de la main gauche.

— Ah… vraiment ?

— *Si*, le chirurgien, il a dit à Casanova que la gangrène allait se mettre. Alors Casanova, il a demandé si elle était là ? Et le chirurgien a dit non, alors Casanova, il a dit "*va bene*, on verra quand elle sera là". Et le chirurgien, il a dit qu'*allora*, c'est tout le bras qu'il faudra couper. Vous savez qu'est-ce que Casanova, il a dit ? "*Ma*, qu'est-ce que je ferais avec un bras sans ma main ?" Haha !

— Haha. Euh… *bene*. »

Simon prend congé poliment et va se chercher un Bellini. Bayard fait le plein de petits-fours et observe les invités qui regardent son partenaire avec curiosité, admiration, et peut-être même crainte. Simon se fait offrir une cigarette par une femme en robe lamée. Le déroulement de la soirée lui confirme l'information qu'il était venu chercher : la réputation qu'il s'est acquise en quelques sessions parisiennes est bien arrivée jusqu'à Venise.

Il est venu soigner son *ethos* mais il ne veut pas rentrer trop tard. *Hubris* ? À aucun moment, il n'a cherché à savoir si son adversaire était dans la salle, tandis que celui-ci, peut-être, l'a observé longuement, attentivement, appuyé sur le mobilier en bois précieux, écrasant nerveusement ses cigarettes sur les statuettes de Brustolon.

Comme Bayard se fait draguer par la femme en robe lamée (qui veut savoir quel rôle il a joué dans l'ascension du jeune prodige), Simon décide de rentrer seul. Et Bayard, trop absorbé, sans doute, par le décolleté de la robe, étourdi, peut-être, par la beauté des lieux et par le tourisme culturel intensif que lui a infligé Simon depuis leur arrivée, n'y prête pas attention, ou, en tout cas, n'y voit pas d'objection.

Simon est un peu gris et il n'est pas si tard, la fête se prolonge dans les rues de Venise mais quelque chose ne va pas, pourtant. Sentir une présence, qu'est-ce que ça veut dire ? L'intuition est un concept commode, comme Dieu, pour se dispenser d'explications. On ne « sent » rien du tout. On voit, on entend, on calcule et on décode. Intelligence-réflexe. Simon croise et recroise un masque, puis un autre, puis un autre. (Mais il y a tant de masques, et tant de détours.) Il entend des pas derrière lui dans des ruelles désertes. « Instinctivement », il détourne sa route et, évidemment, il se perd. Il a l'impression que les pas se rapprochent. (Sans rendre compte d'un mécanisme psychique complexe avec une précision extrême, l'*impression* est déjà un concept plus solide que l'*intuition*.) Sa divagation de chien vénitien le mène au Campo San Bartolomeo, au pied du Rialto, où des musiciens de rue se livrent une concurrence disparate, et il sait qu'il n'est plus très loin de son hôtel, quelques centaines de mètres, tout au plus, à vol d'oiseau, mais les méandres des ruelles vénitiennes se moquent bien des oiseaux et chaque fois qu'il essaie d'avancer, il bute sur l'eau sombre d'un canal secondaire. Rio della Fava, rio del Piombo, rio di San Lio…

Ces jeunes appuyés sur le puits de pierre qui boivent de la bière en grignotant des *cicchetti*… Est-ce qu'il n'est pas déjà passé devant cette *osteria* ?

Cette ruelle se rétrécit, mais ça ne signifie pas qu'au fond il n'y a pas un passage après le coude qu'elle doit former immanquablement. Ou après le coude suivant.

Clapotis, miroitement, *rio*.

Merde, pas de pont.

Quand Simon se retourne, trois masques vénitiens lui barrent le passage. Ils ne disent pas un mot mais leurs intentions sont manifestes car ils sont chacun armés d'un objet contondant que Simon inventorie machinalement : une statuette de Lion ailé bon marché comme on en trouve dans les échoppes du Rialto, une bouteille de Limoncello vide tenue par le goulot, et une longue et lourde pince de souffleur de verre (pour celle-là, il n'est pas tout à fait sûr qu'il faille la ranger dans la catégorie « contondant »).

Il reconnaît les masques parce qu'il a examiné à la Ca' Rezzonico les tableaux de Longhi sur le Carnaval : le *capitano* au grand nez aquilin, le long bec blanc du médecin de la peste, et la *larva*, qui sert pour le costume dit de la *bauta*, avec le tricorne et la cape noire. Mais l'homme qui la porte est en jean et en baskets, comme les deux autres. Simon en déduit qu'il s'agit de petits voyous appointés pour lui casser la gueule. Leur volonté de ne pas se faire identifier lui laisse à penser qu'ils ne veulent pas le tuer, et c'est déjà ça. À moins que les masques ne soient prévus pour parer à d'éventuels témoins.

Le médecin de la peste s'approche sans dire un mot, sa bouteille à la main, et Simon, une nouvelle fois, comme à Ithaca quand le chien chargeait Derrida, est fasciné par cette pantomime insolite, *irréelle*. Il entend les éclats de voix des clients de l'*osteria* toute proche, il sait qu'elle est à peine à quelques mètres, mais l'écho dépareillé des musiciens de rue et l'agitation diffuse qui anime la nuit vénitienne le persuadent immédiatement que s'il appelle à l'aide (il essaie de se souvenir comment on dit « à l'aide » en italien), personne n'y prêtera attention.

Simon réfléchit pendant qu'il recule : dans l'hypothèse où il serait vraiment un personnage de roman (hypothèse renforcée par la situation, les masques, les objets lourdement pittoresques : un roman qui n'aurait pas peur de manier les clichés, se dit-il), qu'est-ce qu'il risquerait vraiment ? Un roman n'est pas un rêve : on peut mourir dans un roman. Ceci dit, *normalement*, on ne tue pas le personnage principal, sauf, éventuellement, à la fin de l'histoire.

Mais si jamais c'était la fin de l'histoire, comment le saurait-il ? Comment savoir à quelle page de sa vie on en est ? Comment savoir quand notre dernière page est arrivée ?

Et si jamais il n'était pas le personnage principal ? Tout individu ne se croit-il pas le héros de sa propre existence ?

Simon n'est pas certain d'être suffisamment armé, d'un point de vue conceptuel, pour appréhender correctement le problème de la vie et de la mort sous l'angle de l'ontologie romanesque, alors il décide de revenir, pendant qu'il est encore temps, c'est-à-dire avant que l'homme masqué qui s'avance vers lui ne lui fracasse la tête avec sa bouteille vide, à une approche plus pragmatique.

Sa seule échappatoire, a priori, c'est le rio dans son dos, mais nous sommes en février, l'eau doit être glacée, et il craint qu'il ne soit trop facile, ensuite, de s'emparer d'une rame de gondole, car il y a des gondoles garées tous les dix mètres, et, pendant qu'il sera à patauger dans le canal, de l'assommer comme un thon, comme dans *Les Perses* d'Eschyle, comme les Grecs à la bataille de Salamine.

La pensée est plus rapide que l'action et il a le temps de penser à tout ça quand le bec blanc lève finalement sa bouteille mais, au moment de l'abattre sur Simon, la bouteille lui échappe. Ou plutôt, quelqu'un la lui arrache des mains. Le bec blanc se retourne et à la place de ses deux acolytes, il voit deux Japonais en costume noir. La *bauta* et le *capitano* sont étendus par terre. Le bec blanc reste stupide, bras ballants, devant une image qu'il ne comprend pas. À son tour, il se fait assommer, avec sa propre bouteille, par une succession de mouvements mats et précis. L'expertise de son assaillant est telle que la bouteille ne casse pas, et son costume se froisse à peine.

Les trois hommes par terre gémissent doucement. Les trois hommes debout n'émettent aucun son.

Simon se demande pourquoi, si un romancier préside à son sort, celui-ci a choisi ces deux mystérieux anges gardiens pour veiller sur lui. Le second Japonais s'approche, le salue par une discrète inclinaison du buste et répond à sa question muette : « Les amis de Roland Barthes sont nos amis. » Puis les deux hommes retournent à la nuit comme des ninjas.

Simon considère que l'explication qu'on vient de lui fournir est assez minimale mais il comprend qu'il devra s'en contenter, alors il reprend le chemin de l'hôtel pour enfin aller se coucher.

86

À Rome, à Madrid, à Constantinople, et même peut-être à Venise, on s'interroge. Quel est le but de cette formidable armada ? Quels territoires les Chrétiens veulent-ils reprendre ou conquérir ? Veulent-ils reprendre Chypre ? Veulent-ils engager une treizième croisade ? Mais on ignore encore que Famagouste est tombée, et le bruit du supplice de Bragadin n'est pas encore arrivé. Seuls don Juan d'Autriche et Sebastiano Venier ont l'intuition que la bataille peut représenter une fin en soi, et que l'enjeu est l'anéantissement de l'armée adverse.

87

En attendant la rencontre, Bayard continue à promener Simon pour lui changer les idées et leurs déambulations les ont menés au pied de la statue équestre du *Colleone*, et pendant que Bayard admire la statue, fasciné par la force du bronze, par la souplesse du burin de Verrocchio et par ce qu'il imagine de la vie du *condottiere*, guerrier sévère, puissant, autoritaire, Simon pénètre dans la basilique San Zanipolo où il aperçoit Sollers en train de prier devant une fresque murale.

Simon, suspicieux, s'étonne de la coïncidence. Mais après tout, Venise est une petite ville et croiser deux fois la même personne dans un site touristique quand on fait soi-même du tourisme n'a rien de réellement extravagant.

Toutefois, comme il ne tient pas particulièrement à lui parler, Simon s'enfonce discrètement dans la nef, contemple les tombeaux des doges (et parmi eux celui de Sebastiano Venier, le héros de Lépante), admire les tableaux de Bellini et, dans la chapelle du Rosaire, des toiles de Véronèse.

Quand il est sûr que Sollers est parti, il s'approche de la fresque.

Il y a une sorte d'urne entourée de deux petits lions ailés et, au-dessus, une gravure représentant le supplice d'un homme, âgé, chauve, avec une longue barbe, les muscles secs et saillants, qui se fait dépecer.

En dessous, une plaque avec des inscriptions latines que Simon déchiffre avec difficulté : Marcantonio Bragadin, gouverneur de Chypre, s'est fait horriblement martyriser par les Turcs pour avoir tenu un siège héroïque de septembre 1570 à juillet 1571 dans la forteresse de Famagouste. (Et aussi pour avoir manqué de respect à son vainqueur lors de la capitulation, mais la plaque de marbre ne le dit pas. On dit qu'il a refusé avec arrogance de libérer un otage, comme c'était l'usage, en échange de la libération des commandants chrétiens, et qu'il s'est désintéressé du sort de prisonniers turcs que le *pacha* l'accusait d'avoir laissé massacrer par ses hommes.)

Bref, on lui coupe les oreilles et le nez, on le laisse pourrir et s'infecter pendant huit jours, puis devant son refus de se convertir (il a encore la force de cracher des injures à ses bourreaux), on le charge d'une hotte de terre et de cailloux et on le promène de batterie en batterie, moqué et molesté par les soldats turcs.

Et son supplice ne s'est pas arrêté là : on le hisse à la vergue d'une galère afin que tous les esclaves chrétiens puissent avoir la vision de leur défaite et de la colère turque. Et pendant une heure, les Turcs lui crient : « Regarde si tu vois ton escadre, regarde le grand Christ, regarde si tu vois venir les secours ! »

Et enfin, on l'attache, nu, à une colonne et on l'écorche vif.

Puis on empaille son cadavre pour le promener sur une vache dans les rues de la ville, avant de l'envoyer à Constantinople.

Mais c'est sa peau qui est dans l'urne, pauvre relique. Comment est-elle arrivée ici ? Le mur en latin ne le dit pas.

Pourquoi Sollers se recueillait-il devant elle ? Simon l'ignore.

88

« Je n'ai pas d'ordres à recevoir de boucs à foutre vénitiens. »

Évidemment, le capitaine toscan qui a dit ça devant le général de la mer Sebastiano Venier s'expose à de graves ennuis ; alors, conscient d'avoir été trop loin et connaissant la sévérité proverbiale du vieux Vénitien, il refuse d'être mis aux arrêts et tout ça finit en mutinerie et le capitaine est gravement blessé et pendu pour l'exemple.

Mais il était sous autorité espagnole, ce qui implique que Venier n'avait pas le droit de décider du châtiment et surtout de le faire exécuter de sa propre initiative. Quand Juan apprend ça, il considère sérieusement la possibilité de pendre Venier à son tour pour lui apprendre à respecter la voie hiérarchique, mais le provéditeur Barbarigo, commandant en second de la flotte vénitienne, parvient à le convaincre de n'en rien faire pour ne pas compromettre toute l'opération.

La flotte continue sa route vers le golfe de Lépante.

89

« *Tatko,*

Nous sommes bien arrivés à Venise et Philippe va concourir.

La ville est très animée parce qu'ils essaient de relancer le Carnaval. Il y a des gens masqués et beaucoup de spectacles dans les rues. Contrairement à ce qu'on nous avait dit, Venise ne pue pas. En revanche, il y a des armées de touristes japonais, mais ça, c'est comme à Paris.

Philippe n'a pas l'air trop inquiet. Tu le connais, il affiche toujours cet optimisme inébranlable qui confine parfois à l'irresponsabilité mais, l'un dans l'autre, c'est une force.

Je sais que tu ne comprends pas pourquoi ta fille lui a cédé la place mais tu dois admettre que dans semblable situation, c'est-à-dire devant un jury exclusivement composé d'hommes, à compétence égale, un homme aura toujours plus de chances qu'une femme.

Toute petite, tu m'as enseigné que la femme n'était pas seulement l'égale de l'homme mais lui était même supérieure et je t'ai cru. Je te crois toujours mais nous ne pouvons pas ignorer cette réalité sociologique qui s'appelle (pour encore un moment, j'en ai peur) la domination masculine.

On dit que dans toute l'histoire du Logos Club, seules quatre femmes ont jamais atteint le rang de sophistes : Catherine de Médicis, Emilie du Châtelet, Marilyn Monroe, et Indira Gandhi (d'elle, on peut encore espérer qu'elle le redeviendra). C'est bien peu. Et aucune, naturellement, n'a jamais été Grand Protagoras.

Mais si Philippe décroche le titre, les choses changeront pour tout le monde : pour lui, qui sera devenu l'un des hommes les plus influents de la planète. Pour toi, qui bénéficieras de sa puissance occulte, tu n'auras plus à avoir peur d'Andropov ni des Russes, et tu seras ainsi en mesure de changer le visage de ton pays. (Je voudrais pouvoir dire "le nôtre" mais tu m'as voulue française et en cela au moins, mon petit papa, je t'aurai obéi au-delà de tes espérances.) Et pour ta fille unique qui gagnera une autre forme de pouvoir et régnera sans partage sur la vie intellectuelle française.

Ne juge pas Philippe trop sévèrement : l'inconscience est une forme de courage et tu sais ce qu'il accepte de risquer. Tu m'as toujours appris à respecter le passage à l'acte, même si celui-ci est vécu comme un jeu. Sans une disposition à la mélancolie, il n'y a pas de psychisme, et je sais que Philippe en est dépourvu, ce qui en fait peut-être un pauvre acteur qui, son heure durant, se pavane et s'agite, comme dit

Shakespeare, mais c'est sans doute cela qui me plaît chez lui.

Je t'embrasse, mon petit papa,
Ta fille qui t'aime,
Julenka

PS : As-tu bien reçu le disque de Jean Ferrat ? »

90

« *Ma si*, c'est un peu approximatif, *vero*. »

Simon et Bayard viennent de croiser Umberto Eco sur la place Saint-Marc. Décidément, on dirait que tout le monde s'est donné rendez-vous à Venise. La paranoïa de Simon, qui interprète désormais tout ce qui ressemble à une coïncidence comme le signe que sa vie entière pourrait bien n'être qu'une fiction romanesque, brouille ses facultés d'analyse et l'empêche de s'interroger sur les raisons possibles et vraisemblables de la présence d'Eco, ici et maintenant.

Sur la lagune, diverses embarcations dépareillées manœuvrent dans un joyeux désordre, fait de coques qui s'entrechoquent, de canonnade et de clameurs de figurants.

« C'est une reconstitution de la bataille de Lépante. » Eco doit crier pour couvrir le bruit de la canonnade et les vivats de la foule.

Le Carnaval, pour sa deuxième édition depuis sa renaissance, l'an passé, a voulu, entre autres spectacles chamarrés, s'offrir une reconstitution historique : la Sainte-Ligue emmenée par la flotte vénitienne aux côtés de l'Invincible Armada et des armées du pape, affronte les Turcs de Selim II, dit l'ivrogne, fils de Soliman le Magnifique.

« *Ma*, vous voyez ce gros vaisseau ? C'est une réplique du *Bucintoro*, le navire à bord duquel le doge, chaque année, le jour de l'Ascension, célébrait le *sposalizio del mare*, le mariage avec la mer, en jetant un anneau d'or dans l'Adriatique. C'était un vaisseau d'apparat qui n'était pas du tout fait pour la guerre. On le sortait pour les cérémonies officielles, mais il n'a jamais quitté la lagune et il n'a rien à faire là puisque nous somme censés être dans le golfe de Lépante, ce 7 octobre 1571. »

Simon n'écoute pas vraiment. Il s'avance vers le quai, fasciné par ce ballet de galères contrefaites et de barques maquillées. Mais quand il va passer entre les deux colonnes qui sont comme les montants d'une porte invisible, Eco l'arrête : « *Aspetta !* »

Les Vénitiens ne passent jamais entre les *colonne di San Marco*, ils disent que ça porte malheur car c'est là que la République exécutait ses condamnés à mort puis qu'elle pendait les cadavres par les pieds.

Au sommet des colonnes, Simon aperçoit le lion ailé de Venise et saint Théodore terrassant un crocodile. Il marmonne : « Je ne suis pas vénitien », franchit le seuil invisible et s'avance jusqu'au bord de l'eau.

Et il voit. Non pas le « son et lumière » un peu kitsch et les barques déguisées en navires de guerre avec leurs figurants endimanchés. Mais le choc des armées : les six galéasses plantées dans la mer, forteresses flottantes détruisant tout autour d'elles ; les deux cents galères réparties entre l'aile gauche, bannière jaune, commandée par le provéditeur général vénitien Agostino Barbarigo, qui reçoit une flèche dans l'œil et meurt au début de la bataille ; la droite, bannière verte, tenue par le timoré Génois Gian Andrea Doria, subjugué par les manœuvres agiles de l'insaisissable Euldj Ali (Ali le converti, Ali le borgne, Ali le renégat, calabrais de naissance et bey d'Alger) ; au centre, bannière bleue, le haut commandement, don Juan d'Autriche, pour l'Espagne, avec Colonna, commandant des galères du pape, et Sebastiano Venier, soixante-quinze ans, barbe blanche sévère, futur doge de Venise, à qui Juan n'adresse plus un mot, plus un regard, depuis l'incident du capitaine espagnol. À l'arrière-garde, au cas où les choses tourneraient mal, le marquis de Santa Cruz, bannière blanche. En face, la flotte turque, commandée par Ali Moezzin, *kapudan pacha*, avec ses janissaires et ses corsaires.

Et à bord de la galère *La Marchesa*, malade et fiévreux, l'enseigne Miguel de Cervantès à qui on enjoint de rester couché dans la soute mais qui veut se battre et qui supplie son capitaine car que dira-t-on de lui si jamais il ne participe pas à la plus grande bataille navale de tous les temps ?

Alors on consent, et quand les galères s'éperonnent et s'entrechoquent, quand les hommes se fusillent à bout portant à l'arquebuse et partent à l'abordage, il se bat comme un chien et dans la furie des flots et dans la tempête de la guerre, hache des Turcs comme des thons mais il reçoit des coups d'arquebuse à la poitrine et à la main gauche, pourtant il se bat encore, bientôt la victoire des Chrétiens ne fait plus aucun doute, la tête du *kapudan pacha* est plantée au bout du mât du vaisseau amiral, mais lui, Miguel de Cervantès, valeureux enseigne sous les ordres de son capitaine Diego de Urbino, a perdu l'usage de sa main gauche dans la bataille, ou peut-être les chirurgiens ont-ils salopé le travail.

Toujours est-il que, désormais, on l'appellera « le manchot de Lépante » et certains se moqueront de son handicap mais lui, vexé, blessé au corps et à l'âme, fera cette mise au point dans sa préface du deuxième tome de *Don Quichotte* : « Comme si ma manchotterie avait été contractée dans quelque taverne, et non dans la plus grande affaire qu'aient vue les siècles passés, le siècle présent, et que verront les siècles à venir. »

Dans la foule des touristes et des masques, Simon aussi se sent fiévreux et quand on lui tape sur l'épaule, il s'attend à voir débouler le doge Alvise Mocenigo et le Conseil des Dix au grand complet et les trois inquisiteurs d'État pour célébrer cette éclatante victoire du lion vénitien et de la chrétienté, mais c'est simplement Umberto Eco qui lui dit, avec un bon sourire : « Il y en a, des gens, qui sont partis à la recherche de licornes, pour ne trouver que des rhinocéros. »

91

Bayard fait la queue devant la Fenice, l'opéra de Venise, et quand vient son tour et qu'on vérifie que son nom est bien sur la liste, il ressent ce soulagement universel qu'on éprouve à franchir un contrôle (chose dont sa profession l'avait déshabitué), mais le contrôleur lui demande en qualité de quoi il est invité et Bayard explique qu'il accompagne Simon Herzog, l'un des compétiteurs, mais le contrôleur insiste : « *In qualità di che ?* » Et Bayard ne sait pas quoi répondre alors il dit : « Euh, entraîneur ? »

Le contrôleur le laisse passer et il va prendre place dans une loge dorée tapissée de fauteuils cramoisis.

Sur la scène, une jeune femme affronte un vieil homme autour d'une citation de *Macbeth* : « *Let every man be master of his time.* » Les deux adversaires s'expriment en anglais et Bayard n'utilise pas les écouteurs mis à la disposition des spectateurs pour la traduction simultanée, mais il a l'impression que la jeune femme a pris l'ascendant. (« *Time is on my side* », dit-elle gracieusement. Et effectivement, elle sera déclarée vainqueur.)

La salle est pleine, on s'est pressé de toute l'Europe pour assister au grand tournoi qualificatif : des tribuns sont défiés par des jouteurs de rang inférieur, péripatéticiens dans leur grande majorité mais aussi dialecticiens et même quelques orateurs qui sont prêts à risquer trois doigts d'un coup pour avoir le droit d'assister à *la* rencontre.

Tout le monde sait que le Grand Protagoras a été défié et que seuls les tribuns, accompagnés d'une personne de leur choix, seront invités au match (avec les sophistes, naturellement, qui constituent le jury). Le choc aura lieu demain dans un endroit secret qui ne sera communiqué qu'aux personnes autorisées à l'issue du tournoi de ce soir. On ignore officiellement l'identité du *challenger,* même si plusieurs rumeurs circulent.

Bayard feuillette son guide Michelin et découvre que la Fenice est un théâtre qui, depuis sa création, n'arrête pas de brûler et d'être reconstruit, d'où, sans doute, ce nom : *Phénix* (et Bayard trouve le mot plus joli au féminin).

Sur la scène, un Russe brillant perd bêtement un doigt pour une erreur de citation : une phrase de Mark Twain attribuée à Malraux, qui permet à son adversaire, un Espagnol matois, de renverser la situation. La salle fait « ooohh » au moment du *tchac.*

La porte s'ouvre derrière Bayard qui sursaute. « Eh bien, cher commissaire, on dirait que vous venez de voir Stendhal en personne ! » C'est Sollers avec son fume-cigarette qui vient le visiter dans sa loge. « Intéressant événement, n'est-ce pas ? Il y a là rien de moins que le gratin vénitien et, ma foi, tout ce qui compte d'un peu cultivé en Europe. Il y a même quelques Américains, me suis-je laissé dire. Je me demande si Hemingway a jamais fait partie du Logos Club. Il a écrit un livre qui se passe à Venise, vous savez ? L'histoire d'un vieux colonel qui masturbe une jeune fille dans une gondole avec sa main blessée. Pas mauvais du tout. Vous savez que c'est ici que Verdi a créé *La Traviata* ? Mais aussi *Ernani*, d'après la pièce de Victor Hugo… » Le regard de Sollers se perd sur la scène où un petit Italien râblé bataille avec un Anglais qui fume la pipe, et il ajoute, songeur : « *Hernani* amputé de son *H.* » Puis il se retire en claquant des talons comme un officier austro-hongrois, avec une légère inclinaison du buste, et va regagner sa place dans une loge que Bayard essaie de repérer pour voir si Kristeva est là.

Sur scène, le présentateur en smoking annonce le combat suivant, « *Signore, Signori…* », et Bayard met ses écouteurs : « Jouteurs de tous les pays… il nous arrive de Paris… son palmarès est éloquent… zéro match amical… quatre joutes digitales… quatre victoires à l'unanimité du Jury… qui lui ont suffi à se faire un nom… je vous demande d'accueillir… le Décodeur de Vincennes. »

Simon fait son entrée, sanglé dans un costume Cerruti bien ajusté.

Bayard applaudit nerveusement avec le reste de la salle.

Simon sourit en saluant son auditoire, tous les sens en éveil, pendant qu'on tire le sujet.

« *Classico e Barocco* ». Classique et Baroque, un sujet d'histoire de l'art ? Pourquoi pas, puisqu'on est à Venise.

Instantanément, les idées affluent dans la tête de Simon mais il est trop tôt pour les trier. Il doit d'abord se concentrer sur autre chose. Au moment de la poignée de main avec son adversaire, il garde la main quelques secondes dans la sienne, pendant laquelle il lit ceci sur l'homme qui lui fait face :

— un Italien du Sud à en juger par son teint hâlé ;

— petite taille, donc pulsion de domination ;

— poignée de main énergique : homme de contact ;

— bedonnant : mange beaucoup de plats en sauce ;

— regarde la foule et non son adversaire : réflexe de politicien ;

— pas très bien habillé pour un Italien, un costume un peu usé, légèrement dépareillé, un ourlet un peu court au pantalon, des chaussures noires vernies néanmoins : radin ou démago ;

— une montre de luxe au poignet, modèle récent donc non héritée, manifestement trop chère pour son standing : forte probabilité de corruption passive (confirme l'hypothèse du *Mezzogiorno*) ;

— une alliance, plus une chevalière : une femme et une maîtresse qui lui a offert la chevalière, qu'il portait sans doute avant son mariage (sinon il aurait dû justifier son apparition auprès de sa femme, alors que là il a pu inventer un héritage familial), une maîtresse ancienne, donc, qu'il n'a pas voulu épouser mais qu'il n'a pu se résoudre à quitter.

Naturellement, toutes ces déductions ne sont que des suppositions et Simon ne peut être sûr de tomber juste à chaque fois. Simon se dit : « On n'est pas dans Sherlock Holmes. » Mais quand des indices forment un faisceau de présomptions, Simon décide de s'y fier.

Sa conclusion est qu'il a en face de lui un politicien, probablement démocrate-chrétien, supporter du Napoli ou de Cagliari, homme de synthèse, arriviste, habile, mais qui répugne à trancher.

Alors il décide de tenter quelque chose d'entrée de jeu pour le déstabiliser : il renonce avec emphase au privilège de commencer, pourtant accordé de droit au moins bien classé des jouteurs, et offre généreusement de laisser l'initiative à son honorable adversaire, ce qui implique, concrètement, de le laisser choisir, entre les deux termes du sujet, celui qu'il va défendre. Après tout, au tennis, on peut choisir de recevoir.

Son adversaire n'est absolument pas tenu d'accepter. Mais le pari de Simon est le suivant : l'Italien ne voudra pas que son refus soit mal interprété, qu'on y décèle une espèce de mépris, de mauvaise humeur, de rigidité ou pire, de peur.

L'Italien se doit d'être joueur, et pas rabat-joie. Il ne peut pas commencer en refusant de relever le gant, même si le gant qu'on lui jette ressemble plus à un hameçon. Il accepte.

À partir de là, Simon n'a aucun doute sur la position qu'il va défendre. À Venise, n'importe quel politicien fera l'éloge du Baroque.

Si bien que lorsque l'Italien commence à rappeler l'origine du mot *Barocco* (qui, sous la forme *barroco*, désigne une perle irrégulière en portugais), Simon estime avoir au moins un coup d'avance.

Au début, l'Italien est un peu scolaire, un peu poussif, parce que Simon l'a désarçonné en lui abandonnant l'initiative et aussi, peut-être, parce qu'il n'est pas spécialiste en histoire de l'art. Mais il n'a pas atteint le rang de tribun par hasard. Progressivement, il se ressaisit et monte en régime.

Le Baroque est ce courant esthétique qui pense le monde comme un théâtre et la vie comme un rêve, une illusion, un miroir de couleurs vives et de lignes brisées. *Circé et le Paon* : métamorphoses, ostentation. Le Baroque préfère les courbes aux angles droits. Le Baroque aime l'asymétrique, le trompe-l'œil, l'extravagance.

Simon a mis ses écouteurs mais il entend l'Italien citer Montaigne en français dans le texte : « Je ne peins pas l'être, je peins le passage. »

Insaisissable, le Baroque se déplace d'un pays à l'autre, d'un siècle à l'autre, XVIe en Italie, concile de Trente, Contre-Réforme, premier XVIIe en France, Scarron, Saint-Amant, deuxième XVIIe, retour en Italie, Bavière, XVIIIe, Prague, Saint-Pétersbourg, Amérique du Sud, Rococo… Le Baroque ne connaît pas l'unité, ne connaît pas l'essence des choses fixes, ne connaît pas la permanence. Le Baroque est mouvement. Bernini, Borromini. Tiepolo, Monteverdi.

L'Italien égrène des généralités de bon aloi.

Puis, soudain, par on ne sait quelle mécanique, quel chemin, quel *détour* de la pensée humaine, il trouve son axe directeur, celui sur lequel il va pouvoir se laisser porter comme sur une planche de surf rhétorique et paradoxale : « *Il Barocco è la Peste.* »

Le Baroque, c'est la Peste.

La quintessence de ce courant sans essence, c'est ici qu'on la trouve, à Venise. Dans les bulbes de la basilique San Marco, dans les arabesques des façades, dans les grotesques des palais qui s'avancent sur la lagune et, bien sûr, dans le Carnaval.

Et pourquoi ? L'Italien a bien révisé l'histoire locale. De 1348 à 1632, la peste passe et repasse, délivrant son message sans jamais se lasser : *Vanitas vanitatum.* 1462, 1485, la peste frappe et ravage la République. 1506, *omnia vanita*, elle revient. 1576, elle emporte Titien. La vie est un carnaval. Les médecins ont des masques à long bec blanc.

L'histoire de Venise n'est qu'un long dialogue avec la peste.

Or, la réponse de la Sérénissime fut Véronèse (*Le Christ arrêtant la peste*), le Tintoret (*Saint Roch guérissant les pestiférés*) et, à la pointe de la Dogana, l'église sans façade de Baldassare Longhena : la Salute, dont le critique d'art allemand Wittkower dira : « triomphe absolu dans la sculpturalité, la monumentalité baroque et la richesse des jeux de lumière ».

Dans le public, Sollers note.

Octogonale, sans façade et pleine de vide.

Les étranges roues de pierre de la Salute sont comme des rouleaux d'écume pétrifiés par la méduse. Le mouvement perpétuel comme réponse à la vanité du monde.

Le Baroque, c'est la peste, donc Venise.

Assez bonne séquence, se dit Simon.

Porté par son élan, l'Italien enchaîne : qu'est-ce que le *Classique* ? Où a-t-on jamais vu du « Classique » ? Est-ce que Versailles est classique ? Est-ce que Schönbrunn est classique ? Le Classique est toujours différé. On décrète le Classique toujours a posteriori. On en parle mais personne ne l'a jamais vu.

On a voulu transposer l'absolutisme politique de Louis XIV en un courant esthétique fondé sur l'ordre, l'unité, l'harmonie, par opposition à la période d'instabilité de la Fronde qui l'avait précédé.

Simon se dit que, tout compte fait, le plouc du *Mezzogiorno* avec ses ourlets trop courts en connaît un rayon en histoire, en art, et en histoire de l'art.

Il entend la traduction simultanée dans ses écouteurs : « Mais il n'y a pas d'auteurs classiques… au présent… Le label classique… c'est juste un bâton de maréchal… décerné par les manuels scolaires. »

L'Italien conclut : le Baroque, c'est ici. Le Classique, ça n'existe pas.

Applaudissements fournis du public.

Bayard allume nerveusement une cigarette.

Simon prend appui sur son pupitre.

Il avait le choix entre préparer son speech pendant que l'autre parlait ou l'écouter attentivement pour rebondir sur ses propos et il a préféré la seconde option, plus offensive.

« Dire que le classicisme n'existe pas, c'est dire que Venise n'existe pas. »

Guerre d'anéantissement donc, comme à Lépante.

En employant le mot « classicisme », il sait qu'il commet un anachronisme mais il s'en fout parce que, de toute façon, « Baroque » et « Classique » sont des notions forgées a posteriori, anachroniques en soi, convoquées pour soutenir des réalités labiles et discutables.

« Et c'est d'autant plus curieux que ces mots sont prononcés *ici*, à la Fenice, cette perle néoclassique. »

Simon emploie le mot « perle » à dessein. Il a déjà son plan d'action.

« C'est aussi rayer un peu vite de la carte la Giudecca et San Giorgio. » Il se tourne vers son adversaire. « Est-ce que Palladio n'a jamais existé ? Ses églises néoclassiques sont-elles des songes baroques ? Mon honorable contradicteur voit du baroque partout, il a bien le droit, mais... »

Sans se concerter, les deux adversaires se sont donc accordés sur la problématique du sujet : l'enjeu, c'est Venise. Venise est-elle baroque ou classique ? C'est Venise qui validera la thèse ou l'antithèse.

Simon se retourne vers le public et déclame : « Ordre et beauté, luxe, calme et volupté : y a-t-il un vers plus approprié pour décrire Venise ? Or, y a-t-il une meilleure définition du classicisme ? » Et Barthes, après Baudelaire : « Classiques. Culture (plus il y aura de culture, plus le plaisir sera grand, divers). Intelligence. Ironie. Délicatesse. Euphorie. Maîtrise. Sécurité : art de vivre. » Simon : « Venise ! »

Le Classique existe et il est chez lui à Venise. Grand un.

Grand deux : montrer que l'adversaire n'a pas compris le sujet.

« Mon honorable adversaire aura mal entendu : ce n'est pas Baroque *ou* Classique mais Baroque *et* Classique. Pourquoi les opposer ? Ils sont le Yin et le Yang qui composent Venise et l'univers, comme l'apollinien et le dionysiaque, le sublime et le grotesque, la raison et la passion, Racine et Shakespeare. » (Simon ne s'attarde pas sur ce dernier exemple car Stendhal préférait ostensiblement Shakespeare – comme lui, du reste.)

« Il ne s'agit pas de jouer Palladio contre les bulbes de la basilique San Marco. Voyez. Le Redentore de Palladio ? » Simon regarde au loin dans la salle comme s'il visualisait la rive de la Giudecca. « D'un côté, Byzance et le gothique flamboyant du passé (si je puis dire) ; de l'autre, la Grèce antique ressuscitée à jamais via la Renaissance et la Contre-Réforme. » Rien ne se perd pour le jouteur. Sollers sourit en regardant Kristeva qui reconnaît ses mots et il fait des ronds de fumée de contentement en tapotant sur le bois doré de sa loge.

« Prenez *Le Cid* de Corneille. Tragicomédie baroque quasi picaresque à sa création, puis reclassée en tragédie classique (au forceps) quand les fantaisies génériques sont passées de mode. La règle, les unités, le cadre ? Qu'à cela ne tienne. Deux pièces en une, la même pièce pourtant, baroque un jour, classique le lendemain. »

Simon aurait bien d'autres cas intéressants, Lautréamont par exemple, chantre du romantisme le plus noir qui se mue en Isidore Ducasse, défenseur pervers d'un classicisme mutant dans ses invraisemblables *Poésies*, mais il ne veut pas s'égarer : « Deux grandes traditions rhétoriques : atticisme, asianisme. D'un côté, la clarté rigoureuse de l'Occident, le "ce qui se conçoit bien s'énonce clairement" de Boileau ; de l'autre, les envolées lyriques et les ornements, l'abondance de tropes de l'Orient sensuel et emmêlé. »

Simon sait parfaitement que l'atticisme et l'asianisme sont des concepts sans fondements géographiques concrets, tout au plus des métaphores transhistoriques, mais, à ce stade, il sait que les jurés savent qu'il sait, donc il n'a pas besoin de le préciser.

« Et au confluent des deux ? Venise, carrefour de l'univers ! Venise, amalgame de la Mer et de la Terre, la terre sur la mer, les droites et les courbes, le Paradis et l'Enfer, le lion et le crocodile, San Marco et Casanova, soleil et brume, mouvement *et* éternité ! »

Simon fait une ultime pause avant de clore sa péroraison par un définitif : « Baroque *et* classique ? La preuve : Venise. »

Applaudissements fournis.

L'Italien veut riposter sans attendre mais Simon l'a privé de sa synthèse, il est donc forcé de jouer contre sa nature. Il dit, directement en français, ce que Simon admire mais interprète comme une marque d'énervement : « *Ma Venezia*, c'est la mer ! La pauvre tentative dialectique de mon adversaire n'y peut rien. L'élément liquide, c'est *barocco*. Le solide, le fixe, le rigide, c'est *classico*. Venise, *è il mare* ! » Alors Simon se souvient de ce qu'il a appris pendant son séjour, le *Bucentaure*, l'anneau jeté à la mer et les histoires d'Eco : « Non, Venise est l'époux de la mer, ce n'est pas la même chose.

— La ville des masques ! Du verre miroitant ! Des mosaïques scintillantes ! La ville s'enfonce dans la lagune ! Venise, c'est de l'eau, du sable et de la boue !

— Et de la pierre. Beaucoup de marbre.

— Le marbre, c'est baroque ! C'est strié de veines, ça a plein de couches à l'intérieur et ça casse tout le temps.

— Mais non, le marbre, c'est classique. En France, on dit "gravé dans le marbre".

— Le Carnaval ! Casanova ! Cagliostro !

— Oui, Casanova, dans l'inconscient collectif, c'est le roi baroque par excellence. Mais c'est le dernier. On enterre dans une apothéose un monde révolu.

— *Ma*, c'est ça l'identité de Venise : une agonie éternelle. Le XVIIIe, c'est Venise. »

Simon sent qu'il cède du terrain, qu'il ne pourra pas soutenir très longtemps ce paradoxe de la Venise solide et droite, mais il s'entête : « Non, Venise, la forte, la glorieuse, la Dominante, c'est celle du XVIe, avant sa disparition, sa décomposition. Le Baroque que vous défendez, c'est ce qui la fait mourir. »

L'Italien ne se fait pas prier : « Mais la décomposition, c'est Venise ! Son identité, c'est précisément sa course inéluctable vers la mort.

— Mais il faut que Venise ait un avenir ! Le Baroque que vous décrivez, c'est la corde qui soutient le pendu.

— Encore une image baroque. D'abord vous contestez, ensuite vous condamnez, mais tout vous ramène au Baroque. Tout prouve que c'est l'esprit du Baroque qui fait la grandeur de la cité. »

Simon sent qu'en termes de démonstration logique pure, il est entré dans une séquence où il a le dessous mais, heureusement, la rhétorique n'est pas faite que de logique alors il joue la carte du *pathos* : Venise doit vivre.

« Peut-être le Baroque est-il ce poison qui la tue et la rend toujours plus belle en la tuant. (Éviter les concessions, se dit Simon intérieurement.) Mais prenez *Le Marchand de Venise* : d'où vient le salut ? Des femmes qui vivent sur une île : sur la terre ! »

L'Italien s'exclame, triomphant : « Portia ? Qui se déguise en homme ? *Ma*, c'est *totalmente barocco* ! C'est même le triomphe du Baroque sur la rationalité obtuse de Shylock, sur le droit, derrière lequel s'abrite Shylock pour réclamer sa livre de chair. Cette interprétation psychorigide de la lettre chez le marchand juif, ça, c'est l'expression d'une *névrose proto-classique* (si j'ose dire). »

Simon sent que le public a apprécié l'audace de la formule, mais en même temps il voit bien que son adversaire divague quelque peu sur Shylock et que c'est heureux parce que lui-même commence à être sérieusement perturbé par le thème imposé : ses doutes et sa paranoïa sur la solidité ontologique de sa propre existence reviennent lui parasiter l'esprit à un moment où il a besoin de toute sa concentration. Il se dépêche de pousser ses pions sur Shakespeare (« la vie est un pauvre acteur qui, son heure durant, se pavane et s'agite », pourquoi cette phrase de *Macbeth* lui revient-elle précisément maintenant ? *D'où* vient-elle ? Simon lutte pour repousser la question à plus tard) : « Portia est précisément ce mélange de folie baroque et de génie classique qui lui permet de battre Shylock, non comme les autres personnages, en recourant aux sentiments, mais avec des arguments juridiques, fermes, inattaquables, d'une rationalité exemplaire, fondés sur la démonstration même de Shylock qu'elle retourne comme un gant : "Une livre de chair, certes, le droit vous l'accorde, *mais pas un gramme de plus.*" À cet instant, Antonio est sauvé par un tour de passe-passe juridique : un geste *baroque*, certes, mais un baroque *classique.* »

Simon ressent l'approbation du public. L'Italien sait qu'il a reperdu l'initiative, alors il s'attache à démonter ce qu'il nomme les « circonvolutions spécieuses et pathétiques » de Simon et il commet à son tour une petite faute. Pour dénoncer les sauts logiques douteux de Simon, il demande : « *Ma*, qui a décidé que le droit était une valeur classique ? », alors même que c'est ce qu'il a lui-même présupposé dans son argument précédent. Mais Simon, trop fatigué, trop distrait ou trop concentré sur autre chose, manque l'occasion de souligner la contradiction et l'Italien peut poursuivre : « Est-ce qu'on ne touche pas là les limites du système de mon adversaire ? »

Et il place sa botte : « Ce que fait mon honorable interlocuteur, c'est très simple : il force les analogies. »

Simon est désormais attaqué là où normalement il excelle, dans le métadiscours, et il sent que s'il laisse faire, il risque d'être battu à son propre jeu, alors il s'accroche à sa ligne : « Votre défense de Venise est piégée. Il fallait la réinventer par une alliance, et Portia est cette alliance : ce cocktail de ruse et de pragmatisme.

Quand Venise risque de se perdre derrière ses masques, Portia apporte de son île sa folie baroque ET son bon sens classique. »

Simon a de plus en plus de difficultés à se concentrer, il pense aux « prestiges » du XVIIe siècle, à Cervantès bataillant à Lépante, à ses cours sur James Bond à Vincennes, à la table de dissection du Théâtre anatomique de Bologne, au cimetière d'Ithaca et à mille choses en même temps, et il comprend qu'il ne pourra triompher que si lui-même surmonte, dans une mise en abyme qu'il trouverait savoureuse en d'autres circonstances, ce vertige baroque qui l'envahit.

Il décide de clore lui-même la séquence sur Shakespeare, qu'il estime avoir correctement négociée, et condense toute son énergie mentale pour changer de sujet, pour détourner son adversaire de la piste métadiscursive que celui-ci a commencé à creuser et où, pour la première fois, Simon ne se sent pas en sécurité.

« Un mot, encore : Sérénissime. »

Ce disant, il oblige son adversaire à être dans la réaction, et, interrompu dans la séquence rhétorique qu'il s'apprêtait à bâtir, de nouveau privé de l'initiative, l'Italien rétorque : « *"Repubblica" è barocco !* »

À ce stade d'improvisation, Simon joue la montre et dit tout ce qui lui passe par la tête : « Ça dépend. Mille ans de doges, quand même. Des institutions stables. Un pouvoir ferme. Des églises partout : Dieu n'est pas baroque, comme dit Einstein. Napoléon, au contraire (et Simon invoque exprès celui qui fut le fossoyeur de la République vénitienne) : monarque absolu mais il bougeait tout le temps. Très baroque mais aussi très classique, dans son genre. »

L'Italien veut répondre, mais Simon lui coupe la parole : « Ah, c'est vrai, j'oubliais : le Classique n'existe pas ! En ce cas, de quoi parlons-nous depuis une demi-heure ? » Le public bloque sa respiration. L'adversaire encaisse l'uppercut.

Soûlés par l'effort et la tension nerveuse, les deux hommes mènent désormais le débat de façon franchement anarchique et, derrière eux, les trois jurés sentent bien qu'ils ont donné le meilleur d'eux-mêmes, alors ils mettent un terme à la joute.

Simon réprime un soupir de soulagement et se tourne vers eux. Il réalise que ces trois jurés qui ont arbitré la soirée sont forcément des sophistes (puisque normalement le jury est constitué de membres mieux gradés que les jouteurs qu'ils doivent départager). Tous les trois portent des masques vénitiens, comme ses agresseurs, et Simon comprend l'avantage d'organiser les rencontres pendant le Carnaval : on peut ainsi préserver son anonymat en toute discrétion.

Les jurés procèdent au vote dans un silence écrasant.

Le premier vote pour Simon.

Le second pour son adversaire.

Le verdict de la rencontre repose donc dans les mains du dernier juré. Simon regarde fixement l'espèce de planche à pain rougie par le sang des doigts des compétiteurs précédents. Il entend un murmure dans la salle qui accueille le troisième vote et il n'ose pas lever la tête. Une fois n'est pas coutume, il ne parvient pas à *interpréter* ce murmure.

Personne n'a saisi la petite machette posée sur la table.

Le troisième juré a voté pour lui.

Son adversaire se décompose. Lui ne perdra pas son doigt, puisque selon les règles du Logos Club, seul le challenger met en jeu son capital digital, mais il tenait à son rang et supporte très mal, visiblement, de redescendre d'un cran.

Simon est donc promu au rang de tribun sous les applaudissements du public. Mais surtout, on lui remet solennellement l'invitation pour deux personnes à la rencontre au sommet du lendemain. Simon vérifie l'heure et le lieu, salue le public une dernière fois et rejoint Bayard dans sa loge, tandis que la salle commence à se vider (car sa rencontre, point d'orgue de la soirée, avait été programmée en dernier).

Dans la loge, Bayard prend connaissance des informations mentionnées sur le carton d'invitation et allume une cigarette, au moins la douzième de la soirée. Un Anglais passe la tête par la porte pour congratuler le vainqueur : « *Good game. The guy was tough.* »

Simon regarde ses mains qui tremblent un peu et dit : « Je me demande si les sophistes sont beaucoup plus forts. »

92

Derrière Sollers, il y a le *Paradis* : une gigantesque toile du Tintoret qui, lui aussi, en son temps, avait remporté un concours, pour décorer la salle du Grand Conseil du palais des Doges.

Au pied de la toile, une vaste estrade sur laquelle sont assis non pas trois mais dix membres du jury : l'effectif des sophistes au grand complet.

Devant eux, tournés de trois quarts face au public, le Grand Protagoras en personne, et Sollers, appuyé sur un pupitre.

Les dix jurés et les deux jouteurs sont affublés de masques vénitiens, mais Simon et Bayard ont facilement reconnu Sollers. D'ailleurs, ils ont repéré Kristeva dans le public.

À la différence de la Fenice, le public est debout, massé dans l'immense salle conçue au XIVe siècle pour accueillir plus de mille patriciens : cinquante-trois mètres de long écrasés par un plafond dont on se demande comment il tient tout seul, sans aucune colonne, incrusté d'une myriade de toiles de maîtres.

La salle fait un tel effet sur le public qu'il y flotte une sorte de murmure craintif. Tout le monde chuchote respectueusement sous le regard du Tintoret ou celui de Véronèse.

L'un des jurés se lève, annonce solennellement en italien le coup d'envoi de la rencontre, et tire le sujet dans l'une des deux urnes placées devant lui.

« *On forcène doucement.* »

Le sujet a l'air d'être en français mais Bayard se tourne vers Simon, qui lui fait signe qu'il n'a pas bien entendu.

Une vague de perplexité traverse les cinquante-trois mètres de la salle. Les spectateurs non francophones vérifient que leur appareil de traduction simultanée est bien réglé sur le bon canal.

Si Sollers a marqué un temps d'hésitation derrière son masque, il n'en a rien laissé paraître. En tout cas, dans la salle, Kristeva n'a pas bronché.

Sollers dispose de cinq minutes pour comprendre le sujet, le problématiser, en tirer une thèse et la soutenir avec des arguments cohérents et, si possible, spectaculaires.

D'ici là, Bayard se renseigne auprès de ses voisins : qu'est-ce que c'est que ce sujet incompréhensible ?

Un beau vieillard bien habillé avec une pochette en soie assortie à son foulard lui explique : « *Ma*, le Français, il défie *il Grande Protagoras*. Il ne doit pas s'attendre à "*pour ou contre la peine de mort*", *vero* ? »

Bayard veut bien en convenir, mais il demande pourquoi le sujet est en français.

Le vieillard répond : « Courtoisie du *Grande Protagoras*. On dit qu'il parle toutes les langues.

— Il n'est pas français ?

— *Ma no, è italiano, eh !* »

Bayard regarde le Grand Protagoras qui fume tranquillement sa pipe derrière son masque en griffonnant quelques notes. Sa silhouette, son allure, la forme de sa mâchoire (car le masque ne couvre que les yeux) lui disent quelque chose.

Quand les cinq minutes sont écoulées, Sollers se redresse sur son pupitre, toise l'assemblée, effectue un petit pas de danse ponctué par une rotation complète, comme s'il voulait s'assurer de la présence des Dix dans son dos, s'incline plus ou moins sobrement en direction de son adversaire, et attaque son discours, discours dont il sait déjà qu'il restera dans les annales comme LE discours de Sollers face au Grand Protagoras.

« Forcène… forcène… Fort… Scène… Fors… Seine… Faure (Félix)… Cène. Le président Félix Faure est mort d'une fellation et d'un arrêt cardiaque, ce qui l'a fait entrer dans l'Histoire mais sortir de la scène. En guise de prolégomène… D'amuse-gueule… D'introduction (haha !)… »

Simon se dit que Sollers tente une approche lacanienne hardie.

Bayard observe Kristeva du coin de l'œil. L'expression de son visage ne trahit toujours rien, si ce n'est une attention extrême.

« La force. Et la scène. La force sur scène. Rodrigue, quoi. Forêt s/Seine. (Val-de-Marne. On dit qu'on y cloue encore des corbeaux sur les portes.) Serrer or not serrer le kiki du Commandeur ? *That is the question.* »

Bayard interroge Simon du regard qui lui explique à voix basse qu'apparemment Sollers a choisi une tactique audacieuse, consistant à remplacer les liens logiques par des liens analogiques, ou plutôt des juxtapositions d'idées, voire des suites d'images, plutôt que du raisonnement pur.

Bayard essaie de comprendre : « C'est du baroque ? »

Simon s'étonne : « Euh, oui, si tu veux. »

Sollers continue : « Fors scène : hors la scène. Obscène. Tout est là. Le reste ne présente aucun intérêt, naturellement. L'article tonitruant sur "Sollers l'obscène" par Marcelin Pleynet ? Sans hésitation. Eh bien, quoi. Oh là, oh ! Doucement… D'où… semence… D'où vient la semence ? De là-haut, bien sûr ! (Il pointe le doigt vers le plafond et les tableaux de Véronèse.) L'art est la semence de Dieu. (Il pointe le mur dans son dos.) Le Tintoret est son prophète… D'ailleurs, il tinte aux rets… Bénie l'époque où la cloche et le filet remplaceront de nouveau la faucille et le marteau… Après tout, ne sont-ce pas les deux outils du pêcheur ? »

Bayard croit-il déceler une légère ride d'inquiétude sur le visage slave de Kristeva ?

« Si les poissons pouvaient mettre la tête hors de l'eau, ils s'apercevraient que leur monde n'est pas le seul monde… »

Simon trouve la stratégie de Sollers *vraiment* très audacieuse.

Bayard lui demande à l'oreille : « Un peu trop de cinoche, non ? »

Le vieillard à pochette leur souffle : « Il a des *coglioni*, ce *francese*. En même temps, c'est le moment ou jamais de s'en servir. »

Bayard lui demande de préciser son analyse.

Le vieillard répond : « Manifestement, il n'a pas compris le sujet. Pas plus que nous, *vero* ? Alors il tente de *flamber à l'esbroufe* – on dit ça en français ? C'est brave. »

Sollers pose un coude sur le pupitre, ce qui l'oblige à se pencher en désaxant légèrement le buste mais, curieusement, cette position peu naturelle lui donne un air relativement décontracté.

« Je suis venu j'ai vu j'ai vomu. »

Le phrasé de Sollers s'accélère, se fait plus fluide, presque musical : « Dieu est vraiment tout près sans mystère doucement huilé doucement main de *mysfère*-gant d'enfer… » Puis il dit cette chose que Simon et même Bayard trouvent étonnante : « La croyance au guili-guili sur l'organe permet de maintenir le cadavre comme seule valeur fondamentale. » Disant cela, Sollers se passe lascivement la langue sur les lèvres. Bayard peut maintenant observer une nette crispation chez Kristeva.

À un moment, Sollers dit (et Simon se dit qu'en quelque sorte, il livre là son secret) : « Du coq à l'âme... »

Bayard se laisse bercer par le rythme, comme une rivière qui coule avec de temps en temps des petits rondins de bois qui viennent cogner sur une frêle embarcation.

« ... L'âme entière du Christ jouissait-elle dans sa passion de la béatitude il semble que non pour plusieurs raisons n'est-il pas impossible de souffrir et de jouir à la fois puisque la douleur et la joie sont contraires Aristote le note la tristesse profonde n'empêche-t-elle pas la délectation cependant c'est le contraire... »

Sollers salive de plus en plus mais il poursuit, comme une machine d'Alfred Jarry : « Je change de forme de nom de révélation de surnom je suis le même je mute tantôt palais tantôt hutte pharaon colombe ou mouton transfiguration transsubstantiation ascension... »

Puis il en vient, le public le sent, à défaut de le suivre, à sa péroraison : « Je serai ce que je serai ça veut dire occupez-vous de ce que je suis tant que je suis dans je suis n'oubliez pas que je suis ce qui s'ensuit si je suis demain je serai ce que je suis au point où j'en serai... »

Bayard s'étonne auprès de Simon : « C'est ça, la septième fonction du langage ? »

Simon sent remonter sa paranoïa et se dit qu'un personnage comme Sollers ne peut pas exister en vrai.

Sollers conclut, péremptoire : « Je suis le contraire du germano-soviétique. »

Sidération dans la salle.

Même le Grand Protagoras a l'air bouche bée. Il fait « hum hum », un peu gêné. Puis il prend la parole, puisque c'est son tour.

Simon et Bayard reconnaissent la voix d'Umberto Eco.

« Je ne sais par où commencer, tant mon honorable adversaire a, hum, fait feu de tout bois, *si* ? »

Eco se tourne vers Sollers et s'incline poliment en réajustant le nez de son masque.

« Peut-être pourrais-je faire une petite remarque d'étymologie, d'abord ? Vous aurez sans doute noté, cher public, honorables membres du Jury, que le verbe "forcener" n'existe plus en français moderne, sa seule trace survivant dans le substantif "forcené" qui désigne un être fou qui a un comportement violent.

Or, cette définition du "forcené" peut nous induire en erreur. À l'origine – je me permets une petite remarque d'orthographe – *forcener* s'écrivait avec un *s*, non un *c*, car cela venait du latin "*sensus*", le "sens" ("*animal quod sensu caret*") : *forsener*, c'est littéralement être hors de sens, donc être fou, mais il n'y avait pas, au départ, la connotation de la force.

Ceci dit, cette connotation a dû apparaître progressivement, avec la réfection orthographique qui a suggéré une fausse étymologie et, je dirais, comme ça, que dès le XVIe siècle, cette orthographe était attestée en moyen français.

Allora, la question que moi, j'aurais discutée, si mon honorable adversaire l'avait soulevée, aurait été la suivante : est-ce que "forcener doucement" est un oxymore ? Y a-t-il ou non association de deux termes contradictoires ?

Non, si l'on considère la vraie étymologie de *forcener*.

Si, si l'on admet la connotation de la force dans la fausse étymologie.

Si, ma… est-ce que *doux* et *fort* s'opposent nécessairement ? Une force peut s'exercer doucement, par exemple quand vous êtes emportés par le courant d'une rivière, ou quand vous pressez doucement une main aimée… »

L'accent chantant résonne dans la grande salle, mais tout le monde a perçu la violence de l'attaque : sous son apparence débonnaire, Eco vient de souligner tranquillement les insuffisances du discours de Sollers en recréant à lui seul une discussion dont son adversaire n'a pas su poser les bases.

« *Ma*, tout ça ne nous dit pas de quoi ça parle, *no* ?

Je serai plus modeste que mon adversaire qui a tenté des interprétations très audacieuses et, je crois, pardonnez-moi, un peu fantaisistes, avec cette expression. Moi, je vais juste essayer de vous expliquer, si vous permettez : celui qui "forcène doucement", c'est le poète, *ecco*. C'est le *furor poeticus*. Je ne suis pas sûr de qui a dit cette phrase *ma* je dirais que c'est un poète français du XVIe, un disciple de Jean Dorat, un membre de la Pléiade, parce qu'on sent très bien, ici, l'influence néoplatonicienne.

Pour Platon, vous savez, la poésie n'est pas un art, pas une technique, c'est une inspiration divine. Le poète est habité par le dieu, dans un état second : c'est ça que Socrate explique à Ion dans son dialogue célèbre. Donc le poète est fou, mais c'est une folie douce, une folie créatrice, pas une folie destructrice.

Je ne sais pas l'auteur de cette citation mais je pense que c'est peut-être Ronsard ou Du Bellay, tous deux disciples d'une école où, *giustamente*, "*on forcène doucement*".

Allora, on peut discuter de la question de l'inspiration divine, si vous voulez ? Je ne sais pas, parce que je n'ai pas bien compris de quoi mon honorable adversaire voulait discuter. »

Silence dans la salle. Sollers comprend qu'on lui rend la parole et marque un petit temps d'hésitation.

Simon a machinalement analysé la stratégie d'Eco, qui peut se résumer en un seul point : faire le contraire de Sollers. Cela implique d'adopter un *ethos* ultra-modeste et un niveau de développement très sobre et minimaliste. Refus de toute interprétation fantaisiste et explication très littérale. En recourant à son érudition proverbiale, Eco s'est contenté d'expliquer sans argumenter, comme pour souligner l'impossibilité de la discussion face à la logorrhée délirante de son adversaire. Rigueur et humilité pour mettre en lumière le désordre mental de son interlocuteur mégalo.

Sollers reprend la parole, un peu moins assuré : « Je parle de philosophie parce que le geste de la littérature est maintenant de montrer que le discours philosophique est intégrable à la position du sujet littéraire pour peu que son expérience soit menée jusqu'au bout de l'horizon transcendantal. »

Mais Eco ne répond rien.

Alors, Sollers, gagné par la panique, s'exclame : « Aragon a écrit un article tonitruant sur moi ! Sur mon génie ! Et Elsa Triolet ! J'ai les dédicaces ! »

Silence embarrassé.

L'un des dix sophistes fait un geste et deux gardes, placés à l'entrée de la salle, viennent saisir Sollers, hébété, qui roule des yeux en criant : « Guili-guili ! Ho ho ho ! Non non non ! »

Bayard demande pourquoi il n'y a pas de vote. Le vieil homme avec la pochette lui répond que dans certains cas, l'unanimité est évidente.

Les deux gardes allongent le perdant sur le sol de marbre devant l'estrade et l'un des sophistes s'avance, avec un gros sécateur à la main.

Les gardes déculottent Sollers qui se débat en hurlant sous le *Paradis* du Tintoret. D'autres sophistes quittent leur siège pour aider à le maîtriser. Son masque tombe dans la confusion.

Seuls les premiers rangs du public peuvent apercevoir ce qui se passe au pied de l'estrade mais, jusqu'au fond de la salle, on sait.

Le sophiste au bec de médecin cale les couilles de Sollers entre les deux lames du sécateur, empoigne fermement les poignées, à deux mains, actionne le mouvement de cisaille. Et coupe.

Kristeva tressaille.

Sollers émet un bruit inconnu, un claquement de gorge suivi d'un long miaulement qui ricoche sur les toiles de maîtres et se répercute dans toute la salle.

Le sophiste au bec de médecin ramasse les deux couilles et les dépose dans la seconde urne dont Simon et Bayard comprennent alors qu'elle avait été prévue à cet effet.

Simon, livide, demande à son voisin : « C'est pas un doigt, le tarif, normalement ? »

L'homme lui répond que c'est un doigt quand on défie un jouteur d'un rang juste au-dessus, mais Sollers a voulu brûler les étapes, il n'avait jamais participé à aucune joute et il a défié directement le Grand Protagoras. « Alors là, c'est plus cher. »

Pendant qu'on essaie d'administrer les premiers soins à Sollers qui se tortille en poussant des gémissements horribles, Kristeva récupère l'urne avec les couilles et quitte la salle.

Bayard et Simon la suivent.

D'un pas rapide, elle traverse la place Saint-Marc avec l'urne dans ses bras. La nuit est encore jeune et la place noire de badauds, de bateleurs perchés sur des échasses, de cracheurs de feu, de comédiens en tenue du XVIIIe qui miment des duels à l'épée. Simon et Bayard se fraient un passage pour ne pas la perdre. Elle s'enfonce dans des ruelles étroites, franchit des ponts, ne se retourne pas une seule fois. Un homme habillé en Arlequin la saisit par la taille pour l'embrasser mais elle pousse un cri perçant, se dégage comme un petit animal et s'enfuit avec son urne. Franchit le Rialto. Bayard et Simon ne sont pas certains qu'elle sache où elle va. Au loin, dans le ciel, on entend les déflagrations d'un feu d'artifice. Kristeva bute sur une marche et manque de faire tomber l'urne. De la vapeur sort de sa bouche car il fait froid et elle a laissé son manteau au palais des Doges.

Mais elle parvient néanmoins quelque part : au pied de la basilique Santa Maria Gloriosa dei Frari, où réside, selon les propres mots de son mari, « le cœur glorieux de la Sérénissime », avec le tombeau de Titien et son *Assomption rouge*. À cette heure, la basilique est fermée mais, de toute façon, elle ne souhaite pas y entrer.

C'est le hasard qui l'a menée là.

Elle s'avance sur le petit pont qui enjambe le rio dei Frari et s'arrête au milieu. Elle pose l'urne sur le rebord en pierre. Simon et Bayard sont juste derrière elle mais ils n'osent pas s'engager sur le pont, gravir les quelques marches, pour la rejoindre.

Kristeva écoute la rumeur de la ville, coule ses yeux noirs dans les vaguelettes formées par le petit vent nocturne. Une pluie fine vient mouiller ses cheveux courts.

Elle sort de son chemisier un papier plié en quatre.

Bayard a une impulsion pour se jeter sur elle et lui arracher le document mais Simon l'arrête du bras. Elle tourne la tête vers eux, plisse les yeux, comme si elle s'apercevait seulement de leur présence, comme si elle découvrait leur existence, et leur jette un regard de haine, un regard froid qui pétrifie Bayard, pendant qu'elle déplie la feuille.

Il fait trop sombre pour voir ce qu'il y a dessus mais Simon croit distinguer de petits caractères serrés. La page est bel et bien écrite recto verso.

Et Kristeva, calmement, lentement, se met à la déchirer.

Au fur et à mesure de l'opération, les morceaux de papier, de plus en plus petits, s'envolent au-dessus du canal.

À la fin, il ne reste plus rien que le vent noir et le bruit délicat de la pluie.

93

« Mais à ton avis, Kristeva, elle savait, ou pas ? »

Bayard essaie de comprendre.

Simon est perplexe.

Que Sollers ne se soit pas rendu compte que la septième fonction ne fonctionnait pas, ça paraît envisageable. Mais Kristeva ?

« Difficile à dire. Il aurait fallu que je lise le document. »

Pourquoi aurait-elle trahi son mari ? Et, d'un autre côté, pourquoi ne pas avoir elle-même utilisé la fonction pour concourir ?

Bayard dit à Simon : « Peut-être qu'elle était comme nous. Peut-être qu'elle a d'abord voulu voir si ça marchait. »

Simon regarde la foule des touristes qui se déplacent comme au ralenti dans Venise qui se vide. Bayard et lui attendent le vaporetto avec leur petite valise et comme le Carnaval touche à sa fin, la queue est longue, des wagons de touristes prennent le chemin de la gare ou de l'aéroport. Un vaporetto arrive mais ce n'est pas le bon, il faut encore attendre.

Simon, pensif, demande à Bayard : « C'est quoi, pour toi, le réel ? »

Comme Bayard ne comprend évidemment pas où il veut en venir, Simon précise : « Comment tu sais que tu n'es pas dans un roman ? Comment tu sais que tu ne vis pas à l'intérieur d'une fiction ? Comment tu sais que tu es *réel* ? »

Bayard considère Simon avec une curiosité sincère et lui répond sur un ton d'indulgence : « T'es con ou quoi ? Le réel, c'est ce qu'on vit, c'est tout. »

Leur vaporetto arrive et pendant qu'il effectue sa manœuvre d'accostage, Bayard tapote l'épaule de Simon : « Te pose pas tant de questions, va. »

L'embarquement s'effectue dans une cohue désordonnée, l'équipage du vaporetto rudoie ces cons de touristes qui montent à bord maladroitement, avec leurs bagages et leurs enfants.

Quand vient le tour de Simon de sauter sur le bateau, le préposé au comptage fait coulisser une barrière métallique juste derrière lui. Resté à quai, Bayard veut protester mais l'Italien lui répond avec indifférence : « *Tutto esaurito*. »

Bayard dit à Simon de l'attendre au prochain arrêt, il va prendre le suivant. Simon fait un signe d'au revoir, pour rire.

Le vaporetto s'éloigne. Bayard allume une cigarette. Derrière lui, il entend des éclats de voix. Il se retourne et voit les deux Japonais qui s'engueulent. Intrigué, il s'approche. L'un des deux Japonais lui dit, en français : « Votre ami vient d'être enlevé. »

Il faut à Bayard quelques secondes pour traiter l'information.

Quelques secondes, pas davantage, puis il se met en mode flic et pose la seule question qu'un flic doit poser : « Pourquoi ? »

Le second Japonais lui dit : « Parce qu'il a gagné avant-hier. »

L'Italien qu'il a battu est un homme politique napolitain très puissant, et il n'a pas digéré sa défaite.

Bayard est au courant de l'agression après la soirée à la Ca' Rezzonico. Les Japonais lui expliquent : le Napolitain avait envoyé des sbires pour mettre Simon hors d'état de concourir parce qu'il avait peur de lui, et maintenant qu'il a perdu la rencontre, il veut se venger.

Bayard regarde le vaporetto qui s'éloigne. Il analyse rapidement la situation, observe autour de lui, il voit la statue en bronze d'une sorte de général à grosses moustaches, il voit la façade du Danieli, il voit des bateaux garés à quai. Il voit un gondolier sur sa gondole qui attend les touristes.

Il saute sur la gondole, avec les Japonais. Le gondolier ne s'étonne pas outre mesure et les accueille en chantonnant en italien, mais Bayard lui dit :

« Suivez ce vaporetto ! »

Le gondolier fait mine de ne pas comprendre alors Bayard sort une liasse de lires et le gondolier se met à godiller.

Le vaporetto a bien trois cents mètres d'avance et en 1981, il n'y a pas de portable.

Le gondolier s'étonne : c'est étrange, ce vaporetto ne prend pas la bonne direction, il se dirige vers Murano.

Le vaporetto a été détourné.

À bord, Simon ne se rend compte de rien parce que les passagers sont constitués dans leur quasi-totalité de touristes qui ne connaissent pas la route et donc, à part deux ou trois Italiens qui protestent en italien auprès du conducteur, personne ne réalise que le trajet n'est pas le bon. Un Italien qui râle ne choque personne, les passagers se disent que ça fait partie du folklore, et le vaporetto accoste sur l'île de Murano.

Au loin, derrière, la gondole de Bayard essaie de combler son retard, Bayard et les Japonais exhortent le gondolier à ramer plus vite et ils crient le nom de Simon pour l'avertir, mais ils sont trop loin et Simon n'a aucune raison d'y prêter attention.

En revanche, il sent soudain la pointe d'un couteau dans ses reins et il entend une voix derrière lui qui dit : « *Prego.* » Il comprend qu'il doit descendre. Il obtempère. Les touristes, pressés de prendre leur avion, ne voient pas le couteau, et le vaporetto reprend sa route.

Simon est sur le quai, il a la certitude que les hommes derrière lui sont les trois agresseurs masqués de l'autre soir.

On le fait pénétrer dans l'un des ateliers de souffleurs de verre qui donnent directement sur le quai. À l'intérieur, un artisan malaxe un bout de pâte de verre tout juste sorti du four et Simon contemple, fasciné, la boule pâteuse soufflée, étirée, modelée, qui prend la forme, en quelques coups de poinçon, d'un petit cheval cabré.

À côté du four se tient un homme en costume dépareillé, bedonnant, dégarni ; Simon le reconnaît, c'est son adversaire de la Fenice.

« *Benvenuto !* »

Simon est face au Napolitain, encadré par les trois sbires. Le souffleur de verre continue à modeler ses petits chevaux comme si de rien n'était.

« *Bravo ! Bravo !* Je voulais te féliciter personnellement avant que tu partes. Palladio, c'était bien joué. Facile mais bien joué. Et Portia. Moi, ça ne m'a pas convaincu, mais le jury, si, *vero* ? Ah, Shakespeare…

J'aurais dû parler de Visconti… Tu as vu *Senso* ? L'histoire d'un étranger à Venise qui finit très mal. »

Le Napolitain s'approche du souffleur de verre affairé à former les pattes d'un second petit cheval. Il sort un cigare qu'il allume en l'approchant du verre incandescent, puis se retourne vers Simon avec un mauvais sourire.

« *Ma*, je ne veux pas te laisser partir sans te laisser un petit souvenir de moi. Comment vous dites, en français ? "À chacun son dû", *si* ? »

L'un des sbires immobilise Simon en lui bloquant la nuque. Simon essaie de se dégager mais le deuxième sbire lui donne un coup dans la poitrine qui lui coupe le souffle et le troisième lui saisit le bras droit.

Les trois hommes le poussent et le font basculer en avant et lui tirent le bras sur l'établi de l'artisan. Les petits chevaux de verre tombent et se brisent sur le sol. Le souffleur de verre a un mouvement de recul mais n'a pas l'air surpris. Simon croise son regard et voit dans les yeux de cet homme qu'il sait parfaitement ce qu'on attend de lui et qu'il n'est pas en mesure de refuser alors Simon se met à paniquer, il se débat en criant mais ses cris sont pur réflexe car il a la certitude qu'il n'a aucun secours à attendre, puisqu'il ignore que les renforts sont en route, que Bayard et les Japonais arrivent en gondole et qu'ils ont promis au gondolier de tripler la course s'il battait tous ses temps de passage.

Le souffleur demande : « *Che dito ?* »

Bayard et les Japonais utilisent leurs valises comme des rames pour aller plus vite et le gondolier lui-même se démène car, sans connaître l'enjeu exact, il a compris que l'heure était grave.

Le Napolitain demande à Simon : « Quel doigt ? Tu as une préférence ? »

Simon rue comme un cheval, mais les trois hommes maintiennent fermement son bras sur l'établi. À cet instant, il ne se pose plus du tout la question de savoir s'il est un personnage de roman ou non, c'est l'instinct de survie qui motive ses réactions et il essaie désespérément de se dégager mais il n'y parvient pas.

La gondole accoste enfin et Bayard jette toutes ses liasses de lires au gondolier et il saute sur le quai avec les Japonais, mais les fabriques de verre sont alignées et ils ne savent pas où Simon a été emmené donc ils se précipitent dans chacune d'elles aléatoirement et interpellent les ouvriers et les vendeurs et les touristes, mais personne n'a vu passer Simon.

Le Napolitain tire sur son cigare et ordonne : « *Tutta la mano.* »

Le souffleur de verre change de pince pour une plus grosse et saisit le poignet de Simon dans la mâchoire de fonte.

Bayard et les Japonais ont fait irruption dans une première fabrique et ils doivent décrire le jeune Français à des Italiens qui ne les comprennent pas parce qu'ils parlent trop vite alors Bayard ressort de la fabrique et se précipite dans celle d'à côté mais là non plus, personne n'a vu passer de Français et Bayard sait bien que ce n'est pas comme ça, dans cette précipitation, qu'on mène une enquête mais il a l'intuition du flic qui saisit l'urgence d'une situation même sans en avoir tous les éléments et il court d'une fabrique à l'autre et d'une boutique à l'autre.

Mais il est trop tard : le souffleur de verre referme la mâchoire de fonte sur le poignet de Simon et broie la chair, les ligaments et l'os, jusqu'à ce que celui-ci se brise dans un craquement sinistre et sa main droite se détache de son bras dans une grande fontaine de sang.

Le Napolitain contemple son adversaire mutilé qui s'effondre sur le sol et il semble hésiter un instant.

A-t-il, oui ou non, obtenu une réparation suffisante ?

Il tire sur son cigare, souffle quelques ronds, et dit : « *Andiamo*. »

Le cri poussé par Simon a alerté Bayard et les Japonais qui trouvent enfin l'atelier du souffleur de verre et le découvrent inanimé, en train de se vider de son sang au milieu des petits chevaux brisés.

Bayard sait qu'il n'y a pas une seconde à perdre. Il cherche la main manquante mais il ne la trouve pas, il regarde partout sur le sol mais il n'y a que les morceaux de verre des petits chevaux qui craquent sous ses semelles. Il comprend que si rien n'est fait dans les minutes qui viennent, Simon va mourir, exsangue.

Alors l'un des Japonais tire une sorte de spatule du four encore brûlant et l'applique sur la plaie. L'opération de cautérisation émet un sifflement hideux. La douleur réveille Simon qui hurle sans comprendre. L'odeur de chair brûlée se répand jusque dans la boutique attenante et intrigue les clients, ignorants du drame qui se déroule dans l'atelier du souffleur de verre.

Bayard se dit que cautériser la plaie à vif signifie qu'aucune greffe ne sera plus possible et que Simon restera irrémédiablement manchot, mais le Japonais qui a saisi le tisonnier, comme s'il avait lu dans sa pensée, lui montre le four, pour qu'il n'ait pas de regrets : à l'intérieur, semblables à une sculpture de Rodin, crépitent les doigts recroquevillés de la main calcinée.

CINQUIÈME PARTIE

Paris

94

« Je le crois pas ! Cette salope de Thatcher a laissé crever Bobby Sands ! »

Simon trépigne devant PPDA qui annonce, au journal d'Antenne 2, la mort de l'activiste irlandais au terme de 66 jours de grève de la faim.

Bayard sort de sa cuisine et jette un œil au reportage. Il commente : « En même temps, on peut pas empêcher quelqu'un de se suicider, hein. »

Simon engueule Bayard : « Tu t'entends, espèce de sale flic ! Il avait vingt-sept ans ! »

Bayard essaie d'argumenter : « Il faisait partie d'une organisation terroriste. L'IRA, ils tuent des gens, non ? »

Simon s'étrangle : « C'est exactement ce que disait Laval de la Résistance ! J'aurais pas aimé me faire contrôler par un flic comme toi en 40 ! »

Bayard sent bien qu'il vaut mieux ne rien répondre alors il ressert un verre de porto à son invité, dispose un bol de saucisses-cocktail sur la table basse et retourne s'affairer dans la cuisine.

PPDA enchaîne sur l'assassinat d'un général espagnol et lance un reportage sur les nostalgiques du franquisme, trois mois à peine après la tentative de coup d'État au Parlement de Madrid.

Simon se replonge dans le magazine qu'il a acheté avant de venir et qu'il a commencé à lire dans le métro. C'est le titre qui l'a rendu curieux : « Référendum : les 42 premiers intellectuels ». Le magazine a demandé à cinq cents personnalités « culturelles » (Simon grimace) de nommer, selon elles, les trois intellectuels français vivants les plus importants. Premier : Lévi-Strauss ; deuxième : Sartre ; troisième : Foucault. Ensuite, on a Lacan, Beauvoir, Yourcenar, Braudel…

Simon cherche Derrida dans le classement en oubliant qu'il est mort. (Il suppose qu'il aurait été sur le podium, mais on ne le saura jamais.)

BHL est 10ᵉ.

Michaux, Beckett, Aragon, Cioran, Ionesco, Duras…

Sollers, 24ᵉ. Comme il y a le détail des votes et que Sollers fait aussi partie des votants, Simon constate qu'il a voté pour Kristeva pendant que Kristeva a voté pour lui. (Même échange de politesses avec BHL.)

Simon pique une saucisse-cocktail et crie à Bayard : « Au fait, tu as eu des nouvelles de Sollers ? »

Bayard ressort de la cuisine, un torchon à la main : « Il a quitté l'hôpital. Kristeva est restée à son chevet pendant toute sa convalescence. Il a repris une vie normale, à ce qu'on m'a dit. D'après mes informations, il a fait enterrer ses couilles sur une île-cimetière, à Venise. Il dit qu'en leur hommage, il y retournera jusqu'à sa mort deux fois par an – une fois par couille. »

Bayard hésite un peu avant d'ajouter, doucement, sans regarder Simon : « Il a l'air de plutôt bien se remettre. »

Althusser, 25e : le meurtre de sa femme ne semble pas trop avoir entamé son crédit, se dit Simon.

« Ça sent bon, dis donc, c'est quoi, ton truc ? »

Bayard retourne dans sa cuisine : « Tiens, mange des olives en attendant. »

Deleuze, 26e, ex æquo avec Claire Bretécher.

Dumézil, Godard, Albert Cohen…

Bourdieu, seulement 36e. Simon s'étrangle.

Le collectif de *Libération* a quand même voté pour Derrida, même mort.

Gaston Defferre et Edmonde Charles-Roux ont tous les deux voté Beauvoir.

Anne Sinclair a voté Aron, Foucault et Jean Daniel. Simon se dit qu'il la sauterait bien.

Certains n'ont voté pour personne, arguant qu'il n'y aurait plus aucun intellectuel d'envergure.

Michel Tournier a répondu : « À part moi, je ne vois vraiment pas qui je pourrais citer. » En d'autres temps, Simon aurait peut-être ri. Gabriel Matzneff a écrit : « Mon premier nom est le mien : Matzneff. » Simon se demande si ce type de narcissisme régressif – le désir de se nommer soi-même – est répertorié dans la taxinomie psychanalytique.

PPDA (qui a voté Aron, Gracq et d'Ormesson) dit : « Washington qui a tout lieu de se réjouir de la hausse du dollar : cinq francs quarante… »

Simon parcourt la liste des votants et ne contient plus son indignation : « Putain, ce pourri de Jacques Médecin… ce nul de Jean Dutourd… et des publicitaires, bien sûr, cette nouvelle engeance… Francis Huster ??… Ah, cette ordure d'Elkabbach, il a voté qui ?… ce vieux réac de Pauwels !… et ce gros facho de Chirac, c'est le pompon !!… Tous ces connards ! »

Bayard passe la tête dans le salon : « Tu m'as parlé ? »

Simon bougonne quelques insanités inaudibles ; Bayard retourne à ses fourneaux.

Le JT de PPDA se termine avec la météo d'Alain Gillot-Pétré qui annonce enfin du soleil en ce mois de mai frigorifique (12 degrés à Paris, 9 à Besançon).

Après la pub, un écran bleu apparaît, où s'inscrit, sur fond de musique pompière avec cymbales et cuivres, le message qui annonce le grand débat « en vue de l'élection du président de la République ».

Les deux journalistes qui vont arbitrer le débat, ce 5 mai 1981, succèdent à l'écran bleu.

Simon crie : « Jacques, amène-toi ! Ça commence. »

Bayard rejoint Simon dans le salon avec des bières et des apéricubes. Il décapsule deux bières pendant que le journaliste choisi par Giscard, Jean Boissonnat, chroniqueur à Europe 1, complet gris, cravate rayée, tête à fuir en Suisse en cas de victoire socialiste, présente le déroulement de la soirée.

À ses côtés, Michèle Cotta, journaliste à RTL, casque de cheveux noirs, rouge à lèvres fluorescent, chemisier fuchsia et gilet mauve, fait semblant de prendre des notes en souriant nerveusement.

Simon, qui n'écoute pas RTL, demande qui est la poupée russe en fuchsia. Bayard ricane bêtement.

Giscard explique qu'il souhaite que ce débat soit utile.

Simon essaie de détacher la languette d'un apéricube au jambon avec les dents mais n'y arrive pas alors il s'énerve pendant que Mitterrand dit à Giscard : « Sans doute considérez-vous que M. Chirac fait partie des pleureuses… »

Bayard prend l'apéricube de la main de Simon et lui enlève l'enveloppe en aluminium.

Giscard et Mitterrand s'envoient à la figure leurs alliés encombrants : Chirac qui, à l'époque, passe pour le représentant de la droite dure, ultralibérale, limite fascisante (18 %) et Marchais, candidat communiste à l'époque brejnévienne du stalinisme en décomposition (15 %). Chacun des deux finalistes a besoin de leurs voix respectives pour être élu au deuxième tour.

Giscard insiste sur le fait que lui n'a pas besoin de dissoudre l'Assemblée nationale en cas de réélection, tandis que son adversaire devra soit gouverner avec les communistes, soit être un président sans majorité : « On ne peut pas conduire un peuple les yeux bandés. C'est un peuple majeur qui doit savoir où il va. » Simon note que Giscard a des problèmes pour conjuguer le verbe *dissoudre* et dit à Bayard que les polytechniciens sont vraiment des illettrés. Par réflexe, Bayard lui répond : « Les cocos à Moscou. » Giscard dit à Mitterrand : « Vous ne pouvez pas dire aux Français : "Je veux conduire un grand changement, avec n'importe qui… y compris même avec l'assemblée actuelle", parce que dans ce cas-là, ne la dissolvez pas. »

Comme Giscard enfonce le clou de l'instabilité parlementaire, car il ne peut pas imaginer que les socialistes obtiennent une majorité à l'Assemblée, Mitterrand lui répond, assez solennellement : « Je souhaite gagner l'élection présidentielle, je pense la gagner et quand je l'aurai gagnée, je ferai tout ce qu'il conviendra de faire dans le cadre de la loi pour gagner les élections législatives. Et si vous n'imaginez pas ce que sera, à partir de lundi prochain, l'état d'esprit de la France, sa formidable volonté de changement, alors c'est que vous ne comprenez rien à ce qui se passe dans ce pays. » Et tandis que Bayard peste contre la vermine bolchevique, Simon relève machinalement la double énonciation : Mitterrand, évidemment, ne s'adresse pas à Giscard mais à tous ceux qui exècrent Giscard.

Mais voilà déjà une demi-heure qu'on discute de majorité parlementaire, le sous-texte de Giscard consistant à agiter sans cesse l'épouvantail des ministres communistes, et c'est un peu chiant, se dit Simon, quand soudain Mitterrand, jusque-là sur la sellette, se décide enfin à contre-attaquer : « Quant à votre dégagement… disons, anticommuniste, permettez-moi de dire qu'il mériterait quelques correctifs. Car c'est quand même un peu trop facile. (Pause.) Vous comprenez, les travailleurs communistes sont nombreux. (Pause.) On finirait par croire, dans votre raisonnement : à quoi servent-ils ? Ils servent à produire, à travailler, à payer des impôts, ils servent à mourir dans les guerres, ils servent à tout. Mais ils ne peuvent jamais servir à faire une majorité en France ? »

Simon, qui s'apprêtait à enfourner une autre saucisse-cocktail, arrête son geste. Et pendant que les journalistes rebondissent sur une question sans intérêt, il comprend, tout comme Giscard, que, peut-être, le combat change d'âme, parce que Giscard, à son tour, se retrouve sur la défensive et change de ton, parfaitement conscient de ce qui se joue désormais, à une époque où l'équation *ouvrier = communiste* ne se discute pas : « Mais… je n'attaque pas du tout l'électorat communiste. En sept ans, monsieur Mitterrand, je n'ai jamais eu un mot désobligeant pour la classe ouvrière française. Jamais ! Je la respecte dans son travail, dans son activité, et même dans son expression politique. »

Simon éclate d'un rire mauvais : « T'as raison, d'ailleurs, tous les ans, tu vas bouffer des merguez à la Fête de l'Huma. Entre deux safaris chez Bokassa, tu vas trinquer avec les métallos de la CGT, c'est bien connu, haha. »

Bayard regarde sa montre et retourne dans la cuisine pour surveiller la cuisson pendant que les journalistes interrogent Giscard sur son bilan. D'après lui, il est très bon. Mitterrand remet ses grosses lunettes pour lui démontrer que, bien au contraire, il est tout pourri. Giscard lui répond en citant Rivarol : « C'est un terrible avantage que de n'avoir rien fait. Mais il ne faut pas en abuser. » Et il appuie là où ça fait mal : « En effet, vous gérez le ministère de la parole, ceci depuis 1965. Depuis 1974, moi j'ai géré la France. » Simon s'énerve : « On a vu comment ! », mais il sait que l'argument est difficile à contrer. De la cuisine, Bayard lui répond : « C'est vrai que l'économie soviétique est beaucoup plus florissante ! »

Mitterrand choisit cet instant pour placer sa pointe : « Vous avez tendance un peu à reprendre votre refrain d'il y a sept ans : "l'homme du passé". C'est quand même ennuyeux que dans l'intervalle, vous soyez devenu, vous, l'homme du passif. »

Bayard rit : « Il l'avait pas digéré, le coup de l'homme du passé, hein. Sept ans qu'il la ruminait, celle-là. Haha. »

Simon ne répond rien parce qu'il est d'accord : la formule n'est pas mal mais semble avoir été un peu trop préparée à l'avance. Au moins a-t-elle le mérite de détendre Mitterrand, un peu comme un patineur qui viendrait de placer son triple axel.

S'ensuit une bonne bataille sur l'économie en France et dans le monde, on sent que les deux gars ont bien bossé, et Bayard apporte enfin son plat fumant : un tajine d'agneau. Simon s'étonne : « Mais qui t'a appris à cuisiner ? » Giscard dresse un tableau horrifique de la future France socialiste. Bayard dit à Simon : « J'ai rencontré ma première femme en Algérie. Tu peux faire le malin avec ta sémiologie mais tu sais pas tout de ma vie. » Mitterrand rappelle que c'est de Gaulle qui a initié massivement les nationalisations en 45. Bayard ouvre une bouteille de rouge, un côte-de-beaune 1976. Simon goûte le tajine : « Mais c'est vachement bon ! » Mitterrand n'arrête pas d'enlever et de remettre ses grosses lunettes. Bayard explique : « 1976, c'est une très bonne année pour les bourgognes. » Mitterrand déclare : « Un pays comme le Portugal a nationalisé les banques et ce n'est pas un pays socialiste. » Simon et Bayard savourent le tajine et le côte-de-beaune. Bayard a préparé exprès un plat qui ne nécessite pas l'utilisation des deux couverts, la viande bouillie étant suffisamment attendrie dans la sauce pour se détacher par simple pression de la fourchette. Simon sait que Bayard sait qu'il sait mais les deux hommes font comme si de rien n'était. Personne ne tient à évoquer Murano.

Pendant ce temps, Mitterrand montre les dents : « La bureaucratie, c'est vous qui l'avez faite. D'ailleurs, c'est vous qui gouvernez. Si vous vous plaignez aujourd'hui, dans vos homélies, de tous les méfaits de l'administration, d'où est-ce que ça vient ? C'est vous qui gouvernez, donc c'est vous qui êtes responsable ! Vous vous tapez sur la poitrine, à trois jours d'une élection, naturellement, je comprends bien pourquoi vous le faites mais qu'est-ce qui me laisserait penser que vous feriez pendant les sept ans qui viendraient autrement que ce que vous avez fait pendant les sept ans passés ? »

Simon note l'emploi astucieux du conditionnel mais, absorbé par le tajine succulent et par des souvenirs plus amers, il est moins concentré.

Giscard, surpris par cette agressivité soudaine, essaie de lui opposer la morgue dont il est coutumier : « Gardons, s'il vous plaît, le ton qui convient. » Mais Mitterrand, maintenant, est prêt à en découdre : « J'entends m'exprimer absolument comme je le veux. »

Et il assène : « Un million et demi de chômeurs. »

Giscard veut le corriger : « Demandeurs d'emploi. »

Mais Mitterrand ne laisse plus rien passer : « Je sais bien la distinction sémantique qui permet d'éviter les mots qui brûlent la bouche. »

Il enchaîne : « Vous avez eu et l'inflation et le chômage mais en plus – c'est la tare, c'est la maladie qui risque d'être mortelle pour notre société : 60 % des chômeurs sont des femmes… la plupart sont des jeunes… c'est une atteinte dramatique à la dignité de l'homme et de la femme… »

Au début, Simon n'y prête pas attention. Mitterrand parle de plus en plus vite, il est de plus en plus offensif, de plus en plus précis, de plus en plus éloquent.

Giscard est dans les cordes mais il vendra chèrement sa peau ; il réduit son chuintement de hobereau de province et interpelle son adversaire socialiste : « L'augmentation du SMIC, combien ? » Les petites entreprises, de toute façon, n'y survivront pas. D'autant que dans son irresponsabilité, le programme socialiste souhaite abaisser les seuils sociaux et étendre les droits des salariés aux entreprises de moins de dix salariés.

Le bourgeois de Chamalières n'a pas l'intention de capituler.

Les deux hommes se rendent coup pour coup.

Mais Giscard commet une erreur, quand il demande à Mitterrand de lui donner le cours du mark : « Celui d'aujourd'hui. »

Mitterrand répond : « Je ne suis pas votre élève et vous n'êtes pas le président de la République, ici. »

Simon vide pensivement son verre de rouge : il y a quelque chose d'autoréalisant, et par là, de performatif, dans cette phrase…

Bayard va chercher le fromage.

Giscard dit : « Je suis contre la suppression du quotient familial… Je suis favorable au retour à un système de taxation forfaitaire suivant les types de plus-values… » Il débite toute une série de mesures avec la précision du bon polytechnicien qu'il est, mais c'est trop tard : il a perdu.

Le débat continue pourtant, âpre et technique, sur le nucléaire, la bombe à neutrons, le Marché commun, les relations Est-Ouest, le budget de la Défense…

Mitterrand : « Est-ce que M. Giscard d'Estaing voudrait dire que les socialistes seraient de mauvais Français qui ne voudraient pas défendre leur pays ? »

Giscard, hors champ : « Pas du tout. »

Mitterrand, sans le regarder : « Comme il ne veut pas dire ça, c'était donc une parole inutile. »

Simon est troublé, il attrape une bière sur la table basse, la coince sous son bras et veut la décapsuler mais la bière glisse et tombe par terre. Bayard s'attend à ce que Simon explose de rage car il sait à quel point son ami ne supporte pas que la vie quotidienne lui rappelle qu'il est désormais un handicapé, alors il essuie la bière qui a coulé sur le parquet et s'empresse de dire : « C'est pas grave ! »

Mais Simon affiche une perplexité étrange. Il montre Mitterrand à Bayard et dit : « Regarde-le. Tu remarques rien ?

— Quoi ?

— Tu l'as écouté depuis le début ? Tu l'as pas trouvé bon ?

— Oui, bah, il est meilleur qu'il y a sept ans, c'est sûr.

— Non, il y a autre chose. Il est *anormalement* bon.

— Comment ça ?

— C'est subtil, mais depuis la fin de la première demi-heure, il manœuvre Giscard, et je n'arrive pas à analyser comment il fait. C'est comme une stratégie invisible : je peux la sentir, mais je ne la comprends pas.

— Tu veux dire…

— Regarde. »

Bayard voit Giscard qui s'échine à démontrer que les socialistes sont des irresponsables à qui il ne faut surtout pas confier l'appareil militaire et la force de dissuasion atomique : « Lorsqu'il s'est agi de la Défense, vous avez au contraire… vous n'avez jamais voté avec la ligne de défense, et vous avez voté contre toutes les lois de programme relatives à la défense. Ces lois de programme étaient présentées en dehors de la discussion budgétaire et donc on pouvait très bien imaginer que, soit votre parti, soit votre… vous-même, conscient du très grand enjeu de la sécurité de la France, émette un vote non partisan sur les lois de programme militaire. Je note que vous n'avez voté aucune des trois lois de programme militaire… notamment le 24 janvier 1963… »

Mitterrand ne prend même pas la peine de répondre et Michèle Cotta passe à un autre sujet, alors Giscard, vexé, insiste : « C'est très important ! » Michèle Cotta proteste poliment : « Tout à fait ! Bien sûr, monsieur le Président ! » Et elle embraye avec la politique africaine. Boissonnat pense visiblement à autre chose. Tout le monde s'en fout. Plus personne ne l'écoute. On dirait que Mitterrand l'a démantelé.

Bayard commence à comprendre.

Giscard continue à s'enliser.

Simon formule sa conclusion : « Mitterrand a récupéré la septième fonction du langage. »

Bayard essaie d'assembler les pièces du puzzle pendant que Mitterrand et Giscard débattent de l'intervention militaire française au Zaïre.

« Simon, on a vu à Venise que la fonction ne marchait pas. »

Mitterrand achève Giscard sur l'affaire Kolwezi : « Bref, on aurait pu rapatrier plus tôt… si on y avait pensé. »

Simon pointe son doigt sur le téléviseur Locatel : « Celle-là, elle marche. »

95

Il pleut sur Paris, on commence à faire la fête à la Bastille, mais les responsables socialistes sont encore au siège du Parti, à Solférino, où une joie électrique parcourt les rangs des militants. En politique, la victoire est toujours un achèvement en même temps qu'un commencement, c'est pourquoi l'excitation qui en résulte est un mélange d'euphorie et de vertige. Par ailleurs, l'alcool coule à flots et, déjà, les petits-fours s'entassent. « Quelle histoire ! » aurait dit Mitterrand.

Jack Lang serre des mains, embrasse des joues, tombe dans les bras de tous ceux qui croisent son chemin. Il sourit à Fabius qui a pleuré comme un enfant à l'annonce des résultats. Dans la rue, ça chante et ça crie sous la pluie. C'est un rêve éveillé et c'est un moment historique. À titre personnel, il sait qu'il va être ministre de la Culture. Moati s'agite comme un chef d'orchestre. Badinter et Debray dansent une sorte de menuet. Jospin et Quilès trinquent à la santé de Jean Jaurès. Des jeunes grimpent sur les grilles de Solférino. Les flashes des photographes crépitent comme des milliers de petits éclairs dans le grand orage de l'Histoire. Lang ne sait plus où donner de la tête. On l'interpelle : « Monsieur Lang ! »

Il se retourne et tombe sur Bayard et Simon.

Lang, surpris, voit immédiatement que ces deux-là ne sont pas venus pour faire la fête.

C'est Bayard qui parle : « Auriez-vous l'obligeance de nous accorder quelques instants ? » Il a sorti sa carte. Lang distingue la bande tricolore.

« À quel sujet ?

— Au sujet de Roland Barthes. »

Lang reçoit le nom du critique mort comme une gifle invisible.

« Écoutez, euh… Non vraiment, je ne crois pas que ce soit le bon moment. Plus tard dans la semaine, voulez-vous ? Vous n'avez qu'à passer au secrétariat qui vous proposera un rendez-vous. Veuillez m'excuser… »

Mais Bayard le retient par le bras : « J'insiste. »

Pierre Joxe qui passe par là demande : « Un problème, Jack ? »

Lang regarde en direction des policiers qui régulent les entrées à la grille. Il hésite. Jusqu'à ce soir, la police était au service de leurs adversaires, mais maintenant, il peut très bien demander qu'on reconduise dehors ces deux personnes.

Dans la rue, l'*Internationale* résonne, rythmée par un concert de klaxons.

Simon retrousse la manche droite de sa veste et dit : « S'il vous plaît. Ce ne sera pas long. »

Lang fixe le moignon. Joxe lui dit : « Jack ?

— Tout va bien, Pierre. Je reviens tout de suite. »

Il trouve un bureau inoccupé, au rez-de-chaussée, qui donne sur la cour d'entrée. L'interrupteur ne fonctionne pas mais la pièce est suffisamment éclairée par les lumières du dehors, alors les trois hommes restent dans cette demi-obscurité. Aucun d'eux ne désire s'asseoir.

Simon prend la parole : « Monsieur Lang, comment la septième fonction est-elle tombée entre vos mains ? »

Lang soupire. Simon et Bayard attendent. Mitterrand est président. Lang peut raconter. Et sans doute, se dit Simon, Lang *veut* raconter.

Il a organisé un déjeuner avec Barthes parce qu'il savait que Barthes avait récupéré le manuscrit de Jakobson.

« Comment ? demande Simon.

— Comment quoi ? dit Lang, comment Barthes a récupéré le manuscrit ou comment est-ce que j'ai su qu'il l'avait en sa possession ? »

Simon est calme, mais il sait que Bayard contient souvent son impatience avec difficulté. Comme il ne souhaite pas que son ami policier menace Jack Lang de l'énucléer à la petite cuillère, il dit doucement : « Les deux. »

Jack Lang ignore comment Barthes s'est retrouvé en possession de ce manuscrit, mais le fait est que son exceptionnel réseau de contacts dans les milieux culturels lui a permis d'en être averti. C'est Debray, après en avoir parlé à Derrida, qui l'a convaincu de l'intérêt de ce document. Ils ont donc décidé d'organiser le déjeuner avec Barthes pour pouvoir le lui dérober. Pendant le repas, Lang a discrètement subtilisé la feuille qui était dans la veste de Barthes pour la remettre à Debray qui attendait, caché, dans le vestibule. Debray a couru remettre le document à Derrida qui, à partir du texte original, a créé de toutes pièces une fausse fonction, que Debray a rapportée à Lang, qui l'a remise dans la veste de Barthes alors que le déjeuner n'était pas encore achevé. Le minutage de l'opération était très serré, il fallait que Derrida rédige la fausse fonction en un temps record, à partir de la vraie, pour qu'elle ait l'air crédible, mais qu'elle ne fonctionne pas.

Simon s'étonne : « Mais pour quoi faire ? Barthes connaissait le texte. Il allait automatiquement s'en rendre compte. »

Lang lui explique : « Nous avions tablé sur le fait que si nous étions informés de l'existence de ce document, nous n'étions pas les seuls, et qu'il allait nécessairement exciter les convoitises. »

Bayard l'interrompt : « Vous aviez prévu que Sollers et Kristeva allaient lui voler la fonction ? »

Simon répond à la place de Lang : « Non, ils pensaient que Giscard essaierait de mettre la main dessus. Et de fait, ils n'avaient pas tort, puisque c'est exactement la mission dont il t'a chargé. Sauf que, contrairement à ce qu'ils avaient supposé, au moment où Barthes se fait renverser par la camionnette, Giscard n'était pas encore au courant de l'existence de la septième fonction. (Il se retourne vers Lang.) Il faut croire que son réseau d'informateurs dans les milieux culturels n'était pas aussi efficace que le vôtre… »

Lang ne retient pas un léger sourire de vanité : « Toute l'opération reposait en fait sur un pari, je dois dire, assez audacieux : que Barthes se fasse dérober le faux document avant qu'il ne s'aperçoive de la substitution, pour que le voleur croie avoir la véritable septième fonction et, accessoirement, pour que nous restions insoupçonnables. »

Bayard complète : « Et c'est exactement ce qui s'est produit. Sauf que ce n'est pas Giscard mais Sollers et Kristeva qui ont commandité le vol. »

Lang précise : « Pour nous, finalement, ça ne changeait pas grand-chose. Nous aurions voulu abuser Giscard, lui faire croire qu'il avait mis la main sur une arme secrète. Mais nous avions la septième fonction, la vraie, et c'était là le plus important. »

Bayard demande : « Mais pourquoi a-t-on tué Barthes ? »

Lang n'avait pas du tout prévu que les choses iraient si loin. Eux n'avaient nullement l'intention de tuer qui que ce soit. Il leur était indifférent que d'autres possèdent et même maîtrisent la septième fonction, du moment que ce n'était pas Giscard.

Simon comprend. L'objectif de Mitterrand était un objectif à court terme : battre Giscard dans le débat. Mais Sollers, d'une certaine manière, visait plus haut, ou, en tout cas, plus loin. Il voulait déposséder Eco de son titre de Grand Protagoras au sein du Logos Club, et pour ça il avait besoin de la septième fonction qui lui aurait conféré un avantage rhétorique décisif. Mais, une fois le titre obtenu, il fallait s'assurer, pour le conserver, que personne d'autre ne puisse en prendre connaissance pour le défier à son tour. D'où les tueurs bulgares engagés par Kristeva pour traquer les copies : il était impératif que la septième fonction reste l'exclusivité de Sollers et de lui seul. Barthes devait donc mourir, mais aussi tous ceux qui avaient été en possession du document et qui étaient susceptibles, soit de s'en servir, soit de le diffuser.

Simon demande si Mitterrand avait donné son aval à l'« opération Septième Fonction ».

Lang ne répond pas directement mais la réponse est évidente, aussi ne cherche-t-il pas à nier : « Jusqu'au dernier moment, Mitterrand n'était pas convaincu que ça marcherait. Il lui a fallu un peu de temps pour maîtriser la fonction. Mais à l'arrivée, il a écrasé Giscard. » Le futur ministre de la Culture sourit orgueilleusement.

« Et Derrida ?

— Derrida souhaitait la défaite de Giscard. En accord avec Jakobson, il aurait préféré que personne ne possède la septième fonction mais il n'était de toute façon pas en mesure d'empêcher Mitterrand de s'en emparer, et l'idée du faux lui plaisait. Il m'avait demandé de faire promettre au Président de garder la septième fonction pour son usage exclusif, et de ne la partager avec personne. (Lang sourit à nouveau.) Une promesse que le Président, j'en suis certain, n'aura aucun mal à tenir.

— Et vous, demande Bayard, vous l'avez lue ?

— Non, Mitterrand nous avait demandé, à Debray et à moi, de ne pas l'ouvrir. Moi, de toute façon, je n'en aurais pas eu le temps puisque, sitôt dérobée à Barthes, je l'ai remise à Debray. »

Jack Lang se rappelle la scène : il devait surveiller la cuisson du poisson, alimenter la conversation et voler la fonction en toute discrétion.

« Quant à Debray, je ne sais pas s'il a obéi à l'injonction présidentielle mais lui aussi devait faire vite. Connaissant sa loyauté, je dirais qu'il a respecté la consigne.

— Donc, a priori, dit Bayard, dubitatif, Mitterrand est la dernière personne encore en vie qui a eu connaissance de la fonction ?

— Avec Jakobson lui-même, évidemment. »

Simon ne dit rien.

Dehors, on crie : « À la Bastille, à la Bastille ! »

La porte s'ouvre et la tête de Moati apparaît : « Tu viens ? Les concerts ont commencé, il paraît que la Bastille est noire de monde !

— J'arrive, j'arrive. »

Lang voudrait retrouver ses amis, mais Simon a encore une question : « Le faux forgé par Derrida était-il conçu pour dérégler celui qui l'utiliserait ? »

Lang réfléchit : « Je ne suis pas sûr… Il fallait surtout qu'il ait l'air plausible. C'était déjà un tour de force de la part de Derrida de rédiger en si peu de temps une imitation de la septième fonction qui soit crédible. »

Bayard repense à la performance de Sollers à Venise et dit à Simon : « De toute façon, Sollers était, euh, un peu déréglé à la base, non ? »

Lang, avec toute la courtoisie dont il est capable, demande la permission de disposer, maintenant qu'il a satisfait leur curiosité.

Les trois hommes quittent le bureau obscur et rejoignent la fête. Devant l'ancienne gare d'Orsay, un homme titubant braille en boucle, encouragé par les passants : « Giscard à la lanterne ! Dansons la carmagnole ! » Lang propose à Simon et Bayard de l'accompagner à la Bastille. En chemin, ils croisent Gaston Defferre, le futur ministre de l'Intérieur. Lang fait les présentations. Defferre dit à Bayard : « J'ai besoin d'hommes comme vous. Voyons-nous cette semaine. »

Il pleut à verse mais la Bastille est grosse d'une foule euphorique. Les gens crient, même s'il fait déjà nuit : « Mitterrand, du soleil ! Mitterrand, du soleil ! »

Bayard demande à Lang si, selon lui, Kristeva et Sollers vont être inquiétés par la justice. Lang fait la moue : « En toute franchise, j'en doute. La septième fonction est désormais un secret d'État. Le Président n'a aucun intérêt à remuer cette affaire. Et puis, Sollers a déjà payé un lourd tribut à son ambition échevelée, n'est-ce pas ? Je l'ai rencontré à plusieurs reprises, savez-vous ? Un homme charmant. Il avait l'insolence de la courtisanerie. »

Lang sourit de son bon sourire. Bayard lui serre la main, et l'imminent ministre de la Culture peut enfin aller rejoindre ses petits camarades pour fêter la victoire.

Simon contemple la marée humaine qui envahit la place.

Il dit : « Quel gâchis. »

Bayard s'étonne : « Comment ça, quel gâchis ? Tu vas l'avoir, ta retraite à soixante ans, c'est pas ce que tu voulais ? Tes trente-cinq heures. Ta cinquième semaine. Tes nationalisations. Ton abolition de la peine de mort. T'es pas content ?

— Barthes, Hamed, son copain Saïd, le Bulgare du Pont-Neuf, le Bulgare de la DS, Derrida, Searle… Ils sont morts pour rien. Ils sont morts pour que Sollers puisse se faire couper les couilles à Venise parce qu'il n'avait pas le bon document. Depuis le début, nous avons poursuivi une chimère.

— Pas tout à fait. Chez Barthes, c'était bien la copie de l'original qui était glissée dans Jakobson. Si on n'avait pas intercepté le Bulgare, il l'aurait remise à Kristeva qui se serait rendu compte de la substitution en comparant les deux textes en sa possession. Et la cassette de Slimane, elle aussi avait été enregistrée à partir du texte original. Il ne fallait pas qu'elle tombe en de mauvaises mains. (Merde, se dit Bayard, arrête de parler de mains !)

— Mais Derrida voulait la détruire.

— Mais si Searle avait mis la main dessus, (c'est pas vrai, mais quel con !) on ne sait pas ce qui se serait passé.

— Mais à Murano, on sait. »

Silence lourd au milieu de la foule qui chante. Bayard ne sait pas quoi répondre. Il se souvient d'un film qu'il a vu quand il était jeune, *Les Vikings*, où Tony Curtis est un manchot qui tue Kirk Douglas d'une seule main, mais il n'est pas sûr que Simon soit sensible à cette référence.

L'enquête, quoi qu'on en pense, a été bien menée. Ils ont suivi les assassins de Barthes à la trace. Comment auraient-ils pu deviner qu'ils n'avaient pas le bon document ? Simon a raison : c'était une fausse piste, et ils l'ont suivie dès le début.

Bayard dit : « Sans cette enquête, tu ne serais pas devenu ce que tu es.

— Un manchot ? Simon ricane.

— Quand je t'ai rencontré, tu étais un petit rat de bibliothèque, tu avais l'air d'un puceau baba cool, et regarde-toi maintenant : tu portes un costard bien coupé, tu rencontres des filles, tu es la star montante du Logos Club…

— Et j'ai perdu ma main droite. »

Les concerts se succèdent sur la vaste scène de la Bastille. Les gens dansent et s'embrassent et parmi un groupe de jeunes, les cheveux blonds au vent (c'est la première fois qu'il les voit détachés), Simon reconnaît Anastasia.

Quelles étaient les chances qu'ils tombent à nouveau sur elle dans cette foule, ce soir ? À cet instant, Simon se dit qu'il est soit dans les mains d'un très mauvais romancier, soit qu'Anastasia est une super-espionne.

Sur la scène, le groupe Téléphone chante *Ça (c'est vraiment toi)*.

Il croise son regard et, pendant qu'elle danse avec un jeune chevelu, la jeune femme lui adresse un petit signe amical.

Bayard l'a vue aussi ; il dit à Simon qu'il est temps pour lui de rentrer.

« Tu restes pas ?

— C'est pas ma victoire : tu sais bien que moi, j'ai voté pour l'autre chauve. Et tout ça n'est plus de mon âge. (Il montre les groupes de jeunes qui sautent en rythme sur la musique, s'enivrent, fument des joints ou se roulent des pelles.)

— Arrête, papy, tu disais pas ça à Cornell, quand t'étais chargé comme une mule, en train de fourrer je sais pas qui avec ta copine Judith dans le cul. »

Bayard fait semblant de ne pas relever :

« Sans compter que j'ai des armoires de dossiers à passer au broyeur avant que tes copains mettent la… tombent dessus.

— Et si Defferre te propose un poste ?

— Je suis fonctionnaire. Je suis payé pour servir le gouvernement.

— Je vois. Ton sens de l'État t'honore.

— Ta gueule, petit con. »

Les deux hommes rient. Simon demande à Bayard s'il n'est pas curieux au moins d'entendre la version d'Anastasia sur l'affaire. Bayard lui tend la main (gauche) et lui dit, en regardant la jeune Russe qui danse : « Tu me raconteras. »

Et, à son tour, le commissaire Bayard s'éclipse dans la foule.

Quand Simon se retourne, Anastasia est devant lui, en sueur, sous la pluie. Il y a un petit moment de gêne. Simon voit qu'elle observe l'emplacement de sa main manquante. Pour faire diversion, il lui demande : « Alors, on en pense quoi, à Moscou, de la victoire de Mitterrand ? » Elle sourit : « Tu sais, Brejnev… » Elle lui tend une canette de bière entamée. « Le nouvel homme fort, c'est Andropov.

— Et que pense l'homme fort de son homologue bulgare ?

— Le père de Kristeva ? Nous savions qu'il roulait pour sa fille. Mais nous n'arrivions pas à comprendre pourquoi ils voulaient la fonction. C'est toi qui m'as permis de découvrir l'existence du Logos Club.

— Qu'est-ce qui va lui arriver, maintenant, à Papa Kristeva ?

— L'époque a changé, on n'est plus en 68. Je n'ai pas reçu d'ordres. Ni pour le père, ni pour la fille. Quant à l'agent qui a essayé de te tuer, il a été vu pour la dernière fois à Istanbul, mais nous avons perdu sa trace. »

La pluie redouble. Sur la scène, Jacques Higelin chante *Champagne*.

Simon demande sur un ton douloureux : « Pourquoi tu n'étais pas à Venise ? »

Anastasia rattache ses cheveux et sort une cigarette d'un paquet souple, qu'elle ne parvient pas à allumer. Simon l'entraîne à l'abri, sous un arbre, au-dessus du port de l'Arsenal. « Je suivais une autre piste. » Elle avait découvert que Sollers avait confié une copie à Althusser. Elle ignorait qu'il s'agissait d'un faux, alors elle l'a cherchée partout dans l'appartement d'Althusser, pendant que celui-ci était interné – et cela demandait beaucoup de travail parce qu'il y avait des tonnes de livres et de papiers, le document pouvait être caché n'importe où, il a fallu fouiller très méthodiquement. Mais elle n'a rien trouvé.

Simon dit : « C'est dommage. »

Derrière eux, sur scène, on aperçoit Rocard et Juquin, main dans la main, qui chantent l'*Internationale*, reprise par toute la foule. Anastasia fredonne les paroles en russe. Simon se demande si dans la vraie vie, la gauche peut réellement être au pouvoir. Ou, plus exactement, si, dans la vraie vie, on peut changer la vie. Mais avant de se laisser à nouveau entraîner dans les lacets mortifères de ses considérations ontologiques, il entend Anastasia lui souffler : « Je repars à Moscou demain ; ce soir, je ne suis pas en service. » Et, comme par magie, la jeune femme sort de son sac une bouteille de champagne, dont Simon ne sait pas comment ni où elle l'a récupérée. Les deux jeunes gens partagent de grandes rasades au goulot, Simon embrasse Anastasia en se demandant si elle ne va pas lui sectionner la carotide avec une épingle à cheveux ou s'il ne va pas tomber foudroyé par un rouge à lèvres empoisonné, mais la jeune femme se laisse faire et ne porte pas de rouge à lèvres. La scène ressemble à une scène de cinéma à cause de la pluie et de la fête à l'arrière-plan mais il décide de ne pas y penser.

La foule crie : « Mitterrand ! Mitterrand ! » (Mais le nouveau président n'est pas là.)

Simon s'approche d'un vendeur à la sauvette qui propose des boissons dans sa glacière, dont, exceptionnellement, ce soir, du champagne, à qui il achète une autre bouteille, qu'il débouche, d'une seule main, devant Anastasia qui lui sourit, les yeux rendus brillants par l'alcool, et qui, à nouveau, détache ses cheveux.

Ils trinquent, les deux bouteilles s'entrechoquent et Anastasia crie à tue-tête sous l'orage :

« Au socialisme !... »

Acclamations des jeunes autour d'eux.

Et Simon lui répond, tandis qu'un éclair zèbre le ciel de Paris :

« ... réel ! »

96

Finale de Roland-Garros, 1981. Borg, une fois encore, est parti pour écraser son adversaire ; il mène 6/1 contre le jeune joueur tchécoslovaque Ivan Lendl. Comme dans un Hitchcock, tout le monde tourne la tête pour suivre la balle, sauf Simon qui pense à autre chose.

Bayard s'en fout peut-être mais lui veut savoir, il veut la preuve qu'il n'est pas un personnage de roman et qu'il vit dans le monde réel. (C'est quoi, le réel ? « C'est quand on se cogne », a dit Lacan. Et Simon regarde son moignon.)

Le deuxième set est plus disputé. Les glissades des joueurs soulèvent des nuages de poussière.

Simon est seul dans sa loge jusqu'à ce qu'un jeune homme de type maghrébin vienne le rejoindre. Le jeune homme s'assoit sur le siège juste à côté de lui. C'est Slimane.

Ils se saluent. Lendl arrache le deuxième set.

C'est le premier set perdu par Borg de tout le tournoi.

« Sympa, la loge.

— C'est une agence de pub qui la loue, celle qui a fait la campagne de Mitterrand. Ils voudraient me recruter.

— Et ça vous intéresse ?

— Je crois qu'on peut se tutoyer.

— Je suis désolé pour ta main.

— Si Borg gagne, ce sera son sixième Roland-Garros. Ça semble inconcevable, non ?

— Il a l'air bien parti. »

En effet, Borg se détache assez vite dans le troisième set.

« Merci d'être venu.

— J'étais de passage à Paris. C'est ton copain flic qui t'a prévenu ?

— Alors tu vis aux USA maintenant ?

— Oui, j'ai obtenu une carte verte.

— En six mois ??

— On peut toujours s'arranger.

— Avec l'administration américaine ?

— Oui, même avec elle.

— Tu as fait quoi, après Cornell ?

— Je me suis enfui avec l'argent.

— Non, mais ça, je sais.

— Je suis allé à New York. D'abord, je me suis inscrit à la fac de Columbia pour prendre des cours.

— En cours d'année scolaire, c'était possible ?

— Oui, bah, tu sais, il faut juste convaincre une secrétaire. »

Borg breake Lendl pour la deuxième fois du set.

« J'ai appris pour tes victoires au Logos Club. Félicitations.

— D'ailleurs, il n'y a pas d'antenne américaine ?

— Si, mais elles sont encore embryonnaires. Je ne suis même pas sûr qu'ils aient un seul tribun dans tout le pays. Il y a un péripatéticien à Philadelphie, je crois, un ou deux à Boston, peut-être, et quelques dialecticiens disséminés sur la côte Ouest. »

Simon ne lui demande pas s'il va s'inscrire.

Borg remporte le troisième set 6/2.

« Tu as des projets ?

— J'ai envie de faire de la politique.

— Aux USA ? Mais tu comptes obtenir la nationalité américaine ?

— Pourquoi pas.

— Mais tu veux, euh, te présenter à des élections ?

— Hm, il faudrait d'abord que j'améliore mon anglais et que je sois naturalisé. Et puis, il ne suffit pas de gagner des débats pour être candidat, il faut, comment dire, creuser son sillon. Je pourrais peut-être envisager les primaires démocrates de 2020, pourquoi pas, mais pas avant, haha. »

Justement parce que Slimane adopte le ton de la rigolade, Simon se demande s'il n'est pas sérieux…

« Non, mais écoute, j'ai rencontré un étudiant à Columbia, je sens qu'il ira loin, si je l'aide.

— Loin, où ça ?

— Je pense que je peux en faire un sénateur.

— Mais pour quoi faire ?

— Comme ça. C'est un Noir qui vient d'Hawaii.

— Hm, je vois. Un défi à la mesure de tes nouveaux pouvoirs.

— Ce n'est pas exactement un pouvoir.

— Je sais. »

Lendl décoche un coup droit qui met Borg à trois mètres de la balle.

Simon commente : « Ça, ça lui arrive pas souvent, à Borg. Il est fort, ce Tchèque. »

Il retarde le moment d'aborder le sujet véritable pour lequel il a voulu s'entretenir avec Slimane, alors même que celui-ci sait parfaitement ce qu'il a en tête.

« Je l'ai écoutée en boucle dans mon Walkman mais il ne suffisait pas de l'apprendre par cœur, hein.

— C'est une méthode ? Une botte secrète ?

— C'est plus une clé, ou une piste, qu'une méthode. Jakobson l'a effectivement désignée sous le terme de "fonction performative", mais "performatif", c'est une image. »

Slimane regarde Borg effectuer son revers à deux mains.

« C'est une technique, disons.

— Au sens grec ? »

Slimane sourit.

« Une *technè*, oui, si tu veux. *Praxis*, *poïésis*… J'ai appris tout ça, tu sais.

— Et tu te sens imbattable ?

— Oui, mais ça ne veut pas dire que je le suis. Je pense qu'on peut me battre.

— Sans la fonction ? »

Slimane sourit :

« On verra bien. Mais j'ai encore des choses à apprendre. Et je dois m'entraîner. Convaincre un douanier ou une secrétaire, c'est une chose, mais gagner des élections, c'est plus dur. J'ai encore une grosse marge de progression. »

Simon se demande quel est le degré de maîtrise de Mitterrand et si le président socialiste peut perdre des élections ou s'il est voué à être réélu jusqu'à sa mort.

Pendant ce temps, Lendl lutte contre la machine suédoise et arrache le quatrième set. Le public frissonne : c'est la première fois depuis bien longtemps que Borg est poussé au cinquième dans un match à Roland-Garros. À vrai dire, il n'avait plus perdu le moindre set depuis 1979 et sa finale contre Victor Pecci. Quant à sa dernière défaite ici, elle remonte à 1976, contre Panatta.

Borg commet une double faute qui offre une balle de break à Lendl.

« Je ne sais pas ce qui est le plus improbable, dit Simon : une sixième victoire de Borg… ou sa défaite. »

Borg répond par un ace. Lendl crie quelque chose en tchèque.

Simon réalise qu'il souhaite la victoire de Borg et il y a sans doute un peu de superstition, de conservatisme, de peur du changement, dans ce désir, mais ce serait aussi une victoire de la vraisemblance : Borg, numéro un incontesté devant Connors et McEnroe, a écrasé tous ses adversaires pour atteindre la finale alors que Lendl, cinquième mondial, a failli perdre contre José-Luis Clerc en demi-finale et déjà contre Andres Gomez au deuxième tour. L'ordre des choses…

« Au fait, tu as des nouvelles de Foucault ?

— Oui, on s'écrit régulièrement. C'est lui qui m'héberge à Paris. Il travaille toujours sur son histoire de la sexualité.

— Et, euh, la septième fonction, ça ne l'intéresse pas ? Au moins, en tant qu'objet d'étude ?

— Ça fait un moment qu'il a abandonné le terrain de la linguistique, tu sais. Ça lui reviendra peut-être. Mais de toute façon, il a trop de tact pour m'en parler le premier.

— Hum, je vois.

— Oh non, mais je disais pas ça pour toi, hein. »

Borg breake Lendl.

Simon et Slimane arrêtent de bavarder pour suivre le match.

Slimane pense à Hamed.

« Et cette salope de Kristeva ?

— Elle va bien. Tu sais ce qui est arrivé à Sollers ? »

Un mauvais rictus éclaire le visage de Slimane.

Les deux hommes pressentent confusément qu'un beau jour ils se retrouveront face à face pour la place de Grand Protagoras à la tête du Logos Club, mais ils ne se l'avoueront pas aujourd'hui. Simon a soigneusement évité de mentionner Umberto Eco.

Lendl débreake.

L'issue est de plus en plus incertaine.

« Et toi, tes projets ? »

Simon ricane en montrant son moignon.

« Eh bien, pour gagner Roland-Garros, ça va être compliqué.

— Mais pour prendre le Transsibérien, par contre, c'est tout à fait indiqué. »

Simon rit de l'allusion à Cendrars, un autre écrivain manchot, et se demande quand Slimane a acquis cette culture littéraire.

Lendl ne veut pas perdre, mais Borg est tellement fort.

Et pourtant.

L'impensable se produit.

Lendl breake Borg.

Il sert pour le match.

Le jeune Tchécoslovaque tremble sous le poids de l'enjeu.

Mais il gagne.

Borg l'invincible est battu. Lendl lève les bras au ciel.

Slimane applaudit avec le public.

Quand Simon voit Lendl soulever la coupe, il ne sait plus trop quoi penser.

ÉPILOGUE

Naples

97

Simon se tient devant l'entrée de la Galleria Umberto I, et il perçoit, d'où il est, le mariage heureux et fier du verre et du marbre, mais il reste sur le seuil. La galerie est un repère et non un but. Il a déplié une carte devant lui, il ne comprend pas pourquoi la via Roma est introuvable, il a l'impression que son plan est faux.

Il devrait pourtant être via Roma. Au lieu de ça, il est via Toleda.

Derrière lui, sur le trottoir d'en face, un vieux cireur de chaussures l'observe avec curiosité.

Simon sait bien qu'il attend de voir comment il va se débrouiller pour replier sa carte d'une seule main.

Le vieil homme possède une caisse en bois sur laquelle il a bricolé une sorte de pupitre pour caler les chaussures. Simon note la déclivité prévue pour le talon.

Les deux hommes échangent un regard.

La perplexité règne des deux côtés de cette rue de Naples.

Simon ne sait pas où il est *exactement*. Il commence à replier sa carte, lentement, mais avec habileté, sans quitter des yeux le vieux cireur.

Mais soudain le cireur fixe un point à la verticale de Simon, qui sent qu'il se passe quelque chose d'anormal parce que l'expression morne du vieil homme se change en stupéfaction.

Simon lève la tête et il a tout juste le temps d'apercevoir le fronton qui surmonte l'entrée de la galerie, un bas-relief représentant deux chérubins encadrant des armoiries, ou quelque chose dans le genre, se détacher de la façade.

Le cireur de chaussures voudrait crier quelque chose, un avertissement (« *Statte accuorto !* ») pour empêcher le drame, ou au moins pour y participer d'une façon ou d'une autre, mais aucun son ne sort de sa bouche édentée.

Cependant, Simon a beaucoup changé. Ce n'est plus un rat de bibliothèque qui est sur le point de se faire écraser par une demi-tonne de pierre blanche mais un manchot, assez haut gradé dans la hiérarchie du Logos Club, qui a échappé au moins trois fois à la mort. Au lieu de reculer, comme notre instinct nous commanderait de le faire, il a le réflexe contre-intuitif de se plaquer à la paroi de l'immeuble, si bien que l'énorme bloc se fracasse à ses pieds sans le blesser.

Le cireur n'en revient pas. Simon regarde les gravats, regarde le cireur, regarde autour de lui les passants pétrifiés.

Il pointe du doigt le pauvre cireur, mais ce n'est pas à lui qu'il s'adresse, naturellement, quand il déclare, agressif : « Si tu veux me tuer à la fin, il va falloir te donner un peu plus de mal ! » Ou bien le romancier souhaite lui délivrer un message, « mais alors il va falloir qu'il s'exprime un peu plus clairement », pense-t-il rageusement.

« C'est le tremblement de terre de l'année dernière ; il a fragilisé toutes les maisons ; elles peuvent s'écrouler à tout moment. »

Simon écoute Bianca lui expliquer pourquoi il a failli se prendre un gros quintal de marbre sur la gueule.

« *San Gennaro* – saint Janvier – a stoppé la lave pendant une éruption du Vésuve. Depuis, il est devenu le protecteur de Naples. Et tous les ans, il y a l'évêque qui prend un peu de son sang séché dans une ampoule de verre et qui retourne l'ampoule jusqu'à ce que le sang devienne liquide. Si le sang se dissout, alors ça veut dire que les malheurs épargneront Naples. Et qu'est-ce qui s'est passé, l'an dernier, d'après toi ?

— Le sang ne s'est pas dissous.

— Et ensuite, la Camorra, elle a détourné des millions que la CEE avait donnés car c'est eux qui ont la main sur les contrats de reconstruction. Évidemment, ils n'ont rien fait, ou ils ont fait du si mauvais travail que c'est aussi dangereux qu'avant. Il y a des accidents tout le temps. Les Napolitains sont habitués. »

Simon et Bianca sirotent des cafés italiens en terrasse du Gambrinus, un café littéraire très touristique qui fait aussi pâtisserie, que Simon a choisi lui-même pour ce rendez-vous. D'ailleurs, il déguste un baba au rhum.

Bianca lui explique que l'expression « Voir Naples et mourir » (*vedi Napoli e poi muori* ; en latin, *videre Neapolim et Mori*) est en fait un jeu de mots : Mori est une petite ville des environs de Naples.

Elle lui raconte aussi l'histoire de la pizza : un jour, la reine Margarita, mariée au roi d'Italie Umberto Ier, découvrit ce plat populaire et le rendit célèbre dans toute l'Italie. En souvenir, on nomma une pizza d'après son nom, celle qui est faite aux couleurs du drapeau : vert (basilic), blanc (mozzarella) et rouge (tomate).

Pour l'instant, elle n'a posé aucune question sur sa main.

Une Fiat blanche se gare en double file.

Bianca s'anime de plus en plus. Elle commence à parler politique. Elle redit à Simon sa haine des bourgeois qui accaparent toutes les richesses et affament le peuple. « Tu te rends compte, Simon, qu'il y a des bourgeoises qui dépensent des centaines de milliers de lires pour acheter un sac à main. Un sac à main, Simon ! »

Deux jeunes descendent de la Fiat blanche et viennent s'installer en terrasse. Ils sont rejoints par un troisième, un motard qui gare sa Triumph sur le trottoir. Bianca ne peut pas les voir car elle leur tourne le dos. C'est le gang des foulards de Bologne.

Si Simon est surpris de les voir ici, il n'en laisse rien paraître.

Bianca sanglote de rage en songeant aux excès de la bourgeoisie italienne. Elle déverse sur Reagan des flots d'insultes. Elle se méfie de Mitterrand car, de ce côté-là des Alpes comme de l'autre, les socialistes sont toujours des traîtres. Bettino Craxi est une ordure. Ils mériteraient tous de mourir et si elle pouvait, elle se chargerait elle-même de les exécuter. Le monde lui semble d'une infinie noirceur, se dit Simon, qui ne peut pas vraiment lui donner tort.

Les trois jeunes ont commandé une bière et allumé une cigarette, quand arrive un autre personnage que Simon a déjà croisé : son adversaire de Venise, l'homme qui l'a mutilé, flanqué de deux gardes du corps.

Simon plonge le nez dans son baba au rhum. L'homme serre des mains, à la façon d'un notable, d'un élu local et/ou d'un camorriste important (la distinction n'est souvent pas très claire, dans la région). Il disparaît à l'intérieur du café.

Bianca crache sur Forlani et son gouvernement pentapartiste. Simon a l'impression qu'elle fait une crise de nerfs. Il veut la calmer et, pendant qu'il prononce des paroles apaisantes – « allez, tout ne va pas si mal, pense au Nicaragua… » –, avance sa main sous la table pour la poser sur son genou, mais à travers l'étoffe du pantalon de Bianca, il touche quelque chose de dur qui n'est pas de la chair.

Bianca sursaute et ramène brutalement sa jambe sous sa chaise. Elle arrête instantanément de sangloter. Son regard défie et implore Simon en même temps. Il y a de la rage, de la colère et de l'amour dans ses larmes.

Simon ne dit rien. Ainsi, c'était donc ça : un happy end. Le manchot avec l'unijambiste. Et ce qu'il faudra de culpabilité à traîner, comme dans toutes les bonnes histoires : si Bianca a perdu sa jambe à la gare de Bologne, c'est de sa faute. Si elle ne l'avait pas rencontré, elle aurait ses deux jambes et pourrait encore porter des jupes.

Mais aussi, ils ne formeraient pas ce petit couple touchant d'handicapés. Ils s'amputèrent et eurent beaucoup de petits gauchistes ?

Sauf que ce n'est pas la scène finale que *lui* a prévue.

Oui, il a voulu profiter de son passage à Naples pour revoir Bianca, la jeune femme qu'il a baisée à Bologne sur une table de dissection, mais, présentement, il a d'autres projets.

Simon adresse un signe de tête imperceptible à l'un des jeunes aux foulards.

Les trois jeunes se lèvent, remontent leur foulard sur la bouche, et pénètrent dans le café.

Simon et Bianca échangent un long regard par lequel défilent une infinité de messages, de récits et d'émotions ; du passé, du présent et, déjà, du conditionnel passé (le pire de tous, le temps des regrets).

On entend deux détonations. Des cris et de la confusion.

Le gang des foulards ressort, le bas du visage masqué, en poussant l'adversaire de Simon. L'un des trois jeunes a son P38 calé dans les reins du notable camorriste. Un autre balaie la terrasse avec le sien, pour tenir en joue la clientèle tétanisée.

En passant devant Simon, le troisième pose quelque chose sur la table, que Simon recouvre de sa serviette.

Ils chargent le notable dans la Fiat et démarrent en trombe.

C'est la panique dans le café. Simon écoute les cris à l'intérieur et comprend que les gardes du corps sont blessés. Chacun une balle dans la jambe, comme de juste.

Simon dit à Bianca, affolée : « Viens avec moi. »

Il l'entraîne jusqu'à la moto du troisième homme et lui tend la serviette, à l'intérieur de laquelle il y a une clé de contact. Il dit à Bianca : « Conduis. »

Bianca proteste : elle a déjà eu un scooter, mais ne peut pas conduire une aussi grosse moto.

Simon grince entre ses dents, en relevant sa manche droite : « Moi non plus, je ne peux pas. »

Alors Bianca enjambe la Triumph, Simon donne un coup de kick pour la démarrer, il s'assoit derrière elle en lui agrippant la taille, elle tourne la poignée de l'accélérateur et la moto bondit. Bianca demande quelle direction elle doit prendre et Simon lui répond : « Pozzuoli. »

99

C'est une scène lunaire, un mélange de western spaghetti et de chroniques martiennes.

Au centre d'un immense cratère nappé d'argile blanchâtre, les trois membres du gang des foulards entourent le notable bedonnant, qu'ils ont fait s'agenouiller au bord d'une mare de boue en ébullition.

Autour d'eux, des colonnes de soufre s'échappent des entrailles de la terre. Il flotte une forte odeur d'œuf pourri.

Simon avait d'abord songé à l'antre de la Sibylle, à Cumes, où personne ne serait venu les chercher, mais il n'a pas retenu l'endroit parce que c'était trop kitsch, trop lourdement symbolique, et les symboles commencent à le fatiguer. Sauf qu'on n'échappe pas si facilement aux symboles : tandis qu'ils foulent le sol craquelé, Bianca lui dit que pour les Romains, la Solfatara, ce volcan à demi éteint, était considéré comme la porte des Enfers. OK.

« *Salve !* Qu'est-ce qu'on en fait, *compagno* ? »

Bianca, qui n'avait pas reconnu les trois hommes au Gambrinus, écarquille les yeux :

« Tu as engagé les Brigades rouges de Bologne ?

— Je croyais que ce n'étaient pas *forcément* des Brigades rouges ; ce n'est pas ce que tu soutenais à ton ami Enzo ?

— Personne ne nous a engagés.

— *Non siamo dei mercenari.*

— Non, c'est vrai, ils font ça gratuitement. Je les ai convaincus.

— D'enlever ce type ?

— *Si tratta di un uomo politico corrotto di Napoli.*

— C'est lui qui délivre les permis de construire à la mairie. À cause des permis qu'il a vendus à la Camorra, des centaines de gens sont morts lors du *terremoto*, écrasés par les immeubles pourris que la Camorra a fait bâtir. »

Simon s'approche du politicien corrompu et lui frotte son moignon sur le visage. « De plus, c'est un mauvais perdant. » L'homme secoue la tête comme un animal. « *Strunz ! Sì mmuort !* »

Les trois brigadistes proposent de l'échanger contre une rançon révolutionnaire. Le francophone de la bande se tourne vers Simon : « *Ma*, c'est pas sûr que quelqu'un voudra payer pour un cochon comme lui, haha ! » Les trois hommes rient, et Bianca aussi, mais elle a envie qu'il meure, même si elle ne le dit pas.

Une incertitude à la Aldo Moro : Simon aime ça. Il a soif de vengeance, mais il aime l'idée de s'en remettre au hasard. Il empoigne le menton du notable de sa main gauche qu'il serre comme une pince. « Tu comprends l'alternative ? Soit on te retrouvera dans le coffre d'une 4L, soit tu pourras rentrer chez toi et continuer tes saloperies. Mais ne t'avise plus de mettre un pied au Logos Club. » Lui revient en mémoire leur duel de Venise, le seul où il s'est vraiment senti en danger. « Et d'ailleurs, comment se fait-il qu'un plouc comme toi soit aussi cultivé ? Entre deux opérations véreuses, tu trouves le temps d'aller au théâtre ? » Mais il regrette aussitôt cette réflexion pleine de préjugés sociologiques très peu bourdieusement correcte.

Il relâche la mâchoire du notable qui se met à parler très vite en italien. Simon demande à Bianca : « Qu'est-ce qu'il raconte ?

— Il offre beaucoup d'argent à tes amis pour te tuer. »

Simon se met à rire. Il connaît le talent de persuasion de l'homme à genoux, pour l'avoir affronté, mais il sait aussi qu'entre un fonctionnaire mafieux probablement démocrate-chrétien et des Brigades rouges d'à peine vingt-cinq ans, il n'y a aucun dialogue possible. Il pourrait leur parler toute la journée et toute la nuit qu'il ne les persuaderait de rien.

C'est aussi ce que doit se dire son adversaire car, avec une souplesse et une rapidité que sa corpulence ne laissait pas soupçonner, il saute sur le brigadiste le plus proche pour essayer de lui arracher son P38. Mais le gang des foulards est composé de jeunes en pleine santé ; le notable bedonnant se prend un coup de crosse et retombe à terre. Les trois brigadistes le tiennent en joue en vociférant.

Ainsi l'histoire va-t-elle finir. Ils vont l'achever ici et maintenant, pour le punir de cette tentative stupide, se dit Simon.

Une détonation claque.

Mais c'est l'un des brigadistes qui s'écroule.

Le silence retombe sur le volcan.

Chacun respire les vapeurs de sulfate qui saturent l'air ambiant.

Personne ne cherche à s'abriter puisque Simon a eu la brillante idée de ce magnifique point de rencontre : à découvert, au beau milieu du cratère d'un volcan de sept cents mètres de circonférence. Autant dire qu'il n'y a pas un arbre, pas un buisson où se cacher. Simon cherche des yeux un abri potentiel et repère un puits et une petite construction de pierres fumantes (des étuves antiques qui représentent la porte du purgatoire et celle de l'enfer), mais ils sont hors de portée.

Deux hommes en costume s'avancent à leur rencontre, l'un tient une arme de poing, l'autre porte un fusil. Simon croit reconnaître un Mauser allemand. Les deux brigadistes encore vivants ont levé les mains car ils savent qu'à cette distance leurs P38 ne font pas le poids. Bianca fixe le cadavre avec une balle dans la tête.

La Camorra a envoyé quelqu'un pour récupérer son notable corrompu. Le *sistema* ne se laisse pas si facilement délester de ses créatures. Et Simon croit savoir qu'il est également assez vétilleux quand il s'agit de venger une atteinte à ses intérêts, ce qui signifie qu'il va vraisemblablement se faire exécuter sur place avec ce qui reste du gang des foulards. Quant à Bianca, elle devrait subir le même sort, le « système » n'ayant jamais été, non plus, très coulant avec les témoins.

D'ailleurs, il en a la confirmation quand le notable se relève en soufflant comme un phoque, le gifle, lui, d'abord, puis les deux brigadistes, et enfin Bianca. Leur sort, à tous les quatre, est donc scellé. Le notable grince aux deux hommes de main : « *Acceritele.* »

Simon repense aux Japonais de Venise. Cette fois, il n'y aura pas un *deus ex machina* pour lui venir en aide ? En ses derniers instants, Simon renoue le dialogue avec cette instance transcendante qu'il s'est plu à imaginer : si jamais il était coincé dans un roman, quelle économie narrative nécessiterait qu'il meure à la fin ? Simon recense plusieurs raisons narratologiques, qu'il trouve toutes discutables. Il pense à ce que lui dirait Bayard. « Rappelle-toi Tony Curtis dans *Les Vikings*. » Ouais. Il pense à ce que ferait Jacques, neutraliser l'un des hommes armés, abattre le second avec l'arme du premier, sûrement, mais Bayard n'est pas là et Simon n'est pas Bayard.

L'homme de main camorriste pointe le fusil sur sa poitrine.

Simon comprend qu'il n'a rien à attendre d'aucune instance transcendante. Il sent que le romancier, s'il existe, n'est pas son ami.

Son bourreau est à peine plus âgé que les brigadistes. Mais alors qu'il va presser la détente, Simon lui dit : « Je sais que tu es un homme d'honneur. » Le camorriste suspend son geste et demande à Bianca de lui traduire. « *Isse a ritto cà sìn'omm d'onore.* »

Non, il n'y aura pas de miracle. Mais, roman ou pas, il ne sera pas dit qu'il se sera laissé faire. Simon ne croit pas au salut, ne croit pas qu'il a une mission sur terre, mais il croit au contraire que rien n'est tout à fait écrit à l'avance et que, quand bien même il serait dans les mains d'un romancier sadique et capricieux, son destin n'est pas encore joué.

Pas encore.

Il faut faire avec ce romancier hypothétique comme avec Dieu : toujours faire comme si Dieu n'existait pas car si Dieu existe, c'est au mieux un mauvais romancier, qui ne mérite ni qu'on le respecte ni qu'on lui obéisse. Il n'est jamais trop tard pour essayer de changer le cours de l'histoire. Si ça se trouve, le romancier imaginaire n'a pas encore pris sa décision. Si ça se trouve, la fin est entre les mains de son personnage, et ce personnage, c'est moi.

Je suis Simon Herzog. Je suis le héros de ma propre histoire.

Le camorriste se retourne vers Simon qui lui dit : « Ton père a combattu les fascistes. C'était un partisan. Il a risqué sa vie pour la justice et la liberté. » Les deux hommes se tournent vers Bianca qui traduit en napolitain : « *Pateto eta nu partiggiano cà a fatt'a guerra 'a Mussolini e Hitler. A commattuto p''a giustizia e 'a libbertà.* »

Le notable corrompu s'impatiente mais le camorriste lui fait signe de se taire. Le notable ordonne au second homme de main d'exécuter Simon mais celui au fusil lui dit calmement : « *Aspett'.* » Et, apparemment, celui qui tient le fusil est le chef. Il veut savoir comment Simon connaît son père.

En réalité, il s'agit d'une heureuse spéculation : Simon a reconnu le modèle du fusil, un Mauser, l'arme des tireurs d'élite allemands. (Simon a toujours été friand d'histoires de la Seconde Guerre mondiale.) Il en a déduit que le jeune homme l'avait hérité de son père et, partant de là, il y avait deux hypothèses : soit son père avait récupéré le fusil allemand en se battant avec l'armée italienne aux côtés de la Wehrmacht, soit au contraire, il s'était battu contre elle en tant que partisan et avait récupéré l'arme sur le cadavre d'un soldat allemand. La première hypothèse ne lui étant d'aucun secours, il a parié sur la seconde. Mais il se garde bien de fournir les détails de son raisonnement et, tourné vers Bianca, dit : « Je sais aussi que tu as perdu de la famille lors du tremblement de terre. » Bianca traduit : « *Isse sape ca è perzo à coccheruno int''o terramoto...* »

Le notable bedonnant trépigne : « *Basta ! Spara mò !* »

Mais le camorriste, *o zi*, « l'oncle », comme le « système » désigne ses jeunes chargés des basses besognes, écoute attentivement Simon lui expliquer le rôle de l'homme qu'il est chargé de protéger dans la tragédie du *terremoto* qui a frappé sa famille.

Le notable proteste : « *Nun è over' !* »

Mais le jeune « oncle » sait que c'est vrai.

Simon demande innocemment : « Cet homme a tué des membres de ta famille. Est-ce que la vengeance a un sens chez vous ? »

Bianca : « *Chisto a acciso a figlieta. Nun te miette scuorno e ll'aiuta ?* »

Comment Simon a-t-il deviné que le jeune « oncle » avait perdu de la famille dans le *terremoto* ? Et comment a-t-il su que, d'une façon ou d'une autre, sans avoir de preuves sous la main, il jugerait plausible que le notable puisse en être tenu responsable ? Dans sa paranoïa critique, Simon ne souhaite pas le révéler. Il ne veut pas que, si romancier il y a, le romancier comprenne comment il a fait. Il ne sera pas dit que quiconque puisse lire en lui comme dans un livre.

Il est, de toute façon, trop occupé à soigner son exorde : « Des gens que tu aimais sont morts ensevelis. »

Bianca n'a plus besoin de traduire. Simon n'a plus besoin de parler.

Le jeune homme au fusil se retourne vers le notable, pâle comme l'argile du volcan.

Il lui décoche un coup de crosse au visage et le pousse en arrière.

Le notable corrompu, bedonnant et cultivé, bascule et tombe dans la mare de boue en ébullition. « *La fangaia* », murmure Bianca, hypnotisée.

Et tandis que le corps surnage un instant en émettant des bruits horribles, juste avant d'être englouti par le volcan, il peut reconnaître la voix de Simon, blanche comme la mort, qui lui dit : « Tu vois, c'est la langue qu'il fallait me couper. »

Et les colonnes de soufre continuent à s'échapper des entrailles de la terre, monter au ciel et empester l'atmosphère.

Du même auteur :

La Vie professionnelle de Laurent B., Little Big Man, 2004

HHhH, Grasset, 2010 (prix Goncourt du premier roman)

Rien ne se passe comme prévu, Grasset, 2012

Le Livre de Poche s'engage pour l'environnement en réduisant l'empreinte carbone de ses livres. Celle de cet exemplaire est de :
400 g éq. CO_2
Rendez-vous sur
www.livredepoche-durable.fr

Composition réalisée par PCA

Achevé d'imprimer en août 2016, en France sur Presse Offset par
Maury Imprimeur – 45330 Malesherbes
N° d'imprimeur : 211126
Dépôt légal 1re publication : septembre 2016
Librairie Générale Française – 21, rue du Montparnasse – 75298 Paris Cedex 06

27/0025/0